S0-AFQ-757

SV

Unverkäufliches
LESE-EXEMPLAR
Erscheinungstermin 30. Juli 1997
Bitte keine Besprechungen
vor diesem Termin

Louis Begley

Schmidt

Roman

Aus dem Amerikanischen
von Christa Krüger

Suhrkamp

Die Originalausgabe
erschien unter dem Titel *About Schmidt* 1996
bei Alfred A. Knopf, New York.

Erste Auflage 1997

Druck: Pößneck GmbH, Pößneck
Printed in Germany

Für P., A. und *A.*

Già che spendo i miei danari,
Io mi voglio divertir.

Don Giovanni

I

Schmidts Frau war kaum sechs Monate tot, da eröffnete ihm sein einziges Kind Charlotte, sie werde heiraten. Er saß noch am Küchentisch beim Frühstück. In der linken Hand hielt er den New York-Teil der *Times;* wie jeden Samstag hatte er die Börsenkurse der Investmentanteile studiert, um den Stand von zwei Anlagen zu prüfen, ein Beteiligungskapital und ein internationaler Aktienfonds, die er aus eigenem Antrieb und in voller Überzeugung gekauft hatte und nun ganz irrational – denn der Rest seines Geldes wurde durchaus erfolgreich von einem professionellen Anlageberater verwaltet, dem er ebenfalls in voller Überzeugung freie Hand ließ – für das Barometer seiner Finanzlage hielt. Der Kurs des Beteiligungskapitals war um zehn Cents gefallen. Er schätzte den Verlust auf fünfzig Cents pro Woche. Die internationalen Papiere standen auch schlecht. Er legte die Zeitung beiseite, sah seine Tochter an – so groß und schmerzhaft begehrenswert kam sie ihm vor, wie sie in ihrem durchgeschwitzten Jogginganzug vor ihm stand –, sagte: Das freut mich für dich, wann soll es denn sein? und fing an zu weinen. Er hatte nicht mehr geweint seit jenem Nachmittag, als der Facharzt den Rat noch einmal wiederholte, den er vorher schon am Telefon geäußert hatte: Geben Sie den Gedanken an eine Operation auf, warum sollen wir Mary verstümmeln, sie würde nicht einmal ein Jahr dadurch gewinnen, wir werden ihr Schmerzen ersparen, so gut wir können. Inzwischen versuchen Sie beide, sich noch eine schöne Zeit zu machen. Er hielt Marys Hand, bis sie draußen auf der Straße waren.

Die Morgensonne blendete. Er setzte Mary in ein Taxi

– normalerweise wäre sie zu Fuß nach Hause gegangen, aber er sah, daß sie fassungslos war und kaum wußte, wo sie sich befand –, hielt dann ein zweites Taxi an, ließ sich zu seinem Büro fahren, erklärte der Sekretärin, er wolle nicht gestört werden, schloß die Tür, rief David Kendall an, den Hausarzt und Freund der Familie, erfuhr, daß dieser den Rat mit dem Facharzt vorher abgesprochen hatte, und fing an zu weinen, mit dem Gesicht nach unten auf der Couch liegend, weinte wie ein Kind, während sein Leben mit Mary auf der Bildfläche seiner brennenden Lider abrollte wie eine überholte Wochenschau. An jenem Tag hatte er das Ende seines Glücks beweint. Aber heute kamen ihm die Tränen, weil der Zusammenbruch einer erträglichen Existenz drohte, die ihm hätte erhalten bleiben können. Er brauchte Charlotte nicht zu fragen, wer der Mann war: Jon Riker war schon eine ganze Weile im Spiel gewesen, lange bevor Marys langsames Sterben begonnen hatte. Zur Zeit rasierte er sich wahrscheinlich gerade in Charlottes Bad.

Im Juni, Dad. Wir wollten das genaue Datum mit dir abstimmen. Warum weinst du so?

Sie setzte sich und streichelte ihm die Hand.

Vor lauter Glück. Oder weil du so erwachsen bist. Ich höre schon auf. Versprochen.

Er putzte sich umständlich die Nase, nahm dazu ein Blatt von der senkrecht im Halter stehenden Rolle Küchenpapier neben der Spüle. Seit einiger Zeit ertappte er sich dabei, daß er vermied, das Taschentuch zu benutzen, das er immer in der Hosentasche trug, als wolle er es aufbewahren, um im Fall einer nicht näher bestimmten plötzlichen Notlage durch ein sauberes Taschentuch gegen Peinlichkeiten gewappnet zu sein. Dann küßte er Charlotte und ging in den Garten.

Jim Bogard, der neue Gärtner, den er zu Beginn der

Pflanzzeit eingestellt hatte, war mit seiner Mannschaft die ganze Woche über am Werk gewesen. Wieder einmal registrierte Schmidt mit Befriedigung, daß die abgestorbenen Blätter und trockenen Zweige zusammengerecht und sogar von den mulchbedeckten Blumenbeeten und den schwer zugänglichen Stellen unter den Azaleen und Rhododendren aufgesammelt waren. Die welken gelben Stengel von Marys Lilien waren so dicht über dem Boden abgeschnitten, daß man die unter der Erde liegenden Zwiebeln kaum mehr erahnen konnte. Die Montauk-Daisies sahen nach dem Rückschnitt aus wie Stachelschweine; die Geißblatthecken waren säuberlich und exakt rechtwinklig getrimmt; sie faßten das Grundstück an drei Seiten ein, so daß es nur zu dem Salzwasserteich hin offen war, der jenseits einiger Felder lag, die wegen des milden Wetters schon einen leichten Grünschimmer vom keimenden Winterroggen hatten. Wenn der Nachbar Foster sich entschließen sollte, sein Grundstück zu parzellieren oder wenn er einem Baulöwen in die Hände fiel, dann wäre es nicht schwer, die Sicht auf alle baulichen Scheußlichkeiten, die Bauwütige sich ausdenken mochten, mit Grünpflanzen zu versperren: Wenn es hoch kam, konnten sie zwei oder drei Häuser bauen. Natürlich verlöre man dann das Gefühl der Weite und die Aussicht. Diese Möglichkeit beunruhigte ihn jedes Jahr, sobald die Kartoffeln geerntet waren und die Bauern Zeit fanden, sich mit Geld und Steuern zu befassen. Als er das letzte Mal in der Baumschule gewesen war, hatte er daran gedacht und sich nach Angebot und Preis für ausgewachsene Büsche umgesehen; sie waren nicht so teuer wie er erwartet hätte. Sollte er die Initiative ergreifen und mit Foster über seine Pläne reden? Mary hatte nicht so viel von ihrem eigenen Kapital im Bridgehampton-Grundstück festlegen wollen, und sie war dagegen gewesen, daß er sein Geld dafür verwendete, aber Charlotte, richtiger: Charlotte und Jon – an diese Formulierung würde er sich wohl gewöhnen müssen – sahen das Problem vielleicht anders. Grund und Boden zum Schutz des eigenen Besitzes zu erwerben, reute einen nie.

Er ging um Haus und Garage herum und musterte die Gebäude eingehend. Hier und da hatten Bogards zwitschernde Ecuadorianer einen Apfel übersehen. Er sammelte alle auf, die er sah, warf sie auf den Komposthaufen und inspizierte dann der Reihe nach die Garage, das Schwimmbecken mit der neuen Abdeckung, die ihm mißfiel, und das Badehaus – eigentlich ein merkwürdig klein geratener Schober –, das sie gerade noch in ein Cottage hatten umbauen können, bevor die Nachricht von Marys Krankheit wie ein Blitz einschlug. Der Umbau war ihr Plan gewesen: Schmidt hätte Charlotte und deren Gäste lieber im Haus untergebracht, unter einem Dach mit ihnen gewohnt – peinliche Situationen wären daraus nicht erwachsen, da Mary ohnehin verlangte, daß diese jungen Männer das hinter der Küche liegende Schlafzimmer samt Toilette mit Duschkabine benutzten –, damit sich das gemeinsame Frühstück mit Charlotte wie von selbst ergab und nicht eigens verabredet werden mußte. Er hätte ganz selbstverständlich mit seiner Zeitung am Küchentisch oder im Schaukelstuhl sitzen bleiben und zuhören können, wie sie telefonierte oder sich mit ihrem Gast unterhielt; dabei hätte er nebenbei erfahren, was sie für den Tag plante.

Als die Schlafzimmer im Oberstock des Badehauses mit ihren *Town & Country*-Badezimmern und der rotgekachelten Küche neben den Umkleideräumen eingebaut waren, wurden die Morgenstunden schwierig für Schmidt. Theoretisch bewohnte Jon Riker diese neuen Räumlichkeiten noch allein oder mit Gästen, die er und Charlotte eingeladen hatten, aber Charlotte richtete dort das Frühstück, und Schmidt spürte einen inneren Widerstand gegen die Vorstellung, einfach einzudringen und sich mit an den Tisch zu setzen. Mary hatte das ganz selbstverständlich getan und ihn wegen seiner Förmlichkeit ausgelacht. Aber er überraschte andere ebenso ungern, wie er sich selbst überraschen ließ. Seiner Ansicht nach räumte man den jungen Leuten ein eigenes Haus nur ein, um ihre Privatsphäre zu schützen. Er versagte es sich, dort aufzutauchen, wenn er nicht eingeladen war. Weil eine solche Einladung aber nur ganz selten an ihn erging, versuchte er, die Höflichkeitsregeln, die er selbst aufgestellt hatte, zu umgehen, indem er anrief und fragte, ob es ihnen lieb wäre, wenn er ihnen die Zeitung bringe. Manchmal holte er die Zeitung zu früh, bevor sich im Erdgeschoß des Badehauses etwas regte. Jon schlief noch, und Charlotte vermutlich auch – in Jons Bett. Dann funktionierte dieser Vorwand nicht, und er sah traurig zu, wie Charlotte die *Times,* die er für sie gekauft hatte, vom Küchentisch nahm, mit ihr quer über den Rasen ging und hinter der abweisenden Tür des anderen Hauses verschwand.

Schmidt konnte nicht abstreiten, daß das Badehaus sich während Marys Krankheit als ein Segen erwiesen hatte. Es hatte Charlotte und Jon gestattet, ein relativ sorgloses Leben neben dem der Eltern zu führen, ohne auf die Ungleichheit aufmerksam zu werden, ohne Mary zu sehr zu ermüden und ohne daß Jon zwangsläufig hätte mit ansehen müssen, wie Mary in ihrem Kampf erst nur kleine, dann aber erschütternde und demütigende Niederlagen erleiden mußte. Als es dahin kam, hatte Charlotte die Eltern schon wissen lassen, daß sie aus ihrem Studio in der West 10th Street aus- und in Rikers Apartment im Lincoln Center einziehen werde, und man mußte sich von der Fiktion verabschieden, daß sie in ihrem Zimmer im großen Haus schliefe, indes er die Nacht in einem einsamen Bett zubrachte, vielleicht mit der Arbeit an Papieren, die er aus seinem Büro mitgenommen hatte. Da war nichts zu machen: Ihr nahezulegen, sie solle ihn nicht mehr aufs Land mitbringen, wäre eine unnütze Provokation gewesen, die mit Sicherheit bewirkt hätte, daß Charlotte ganz in der Stadt geblieben wäre. Aber sowie Mary tot war – genau gesagt, am Abend des Tages, als sie alle zur Beerdigung aus der Stadt anreisten –, quartierte Charlotte Jon in ihr Zimmer um, das Zimmer mit den Bogenfenstern und dem blauen Chinateppich, den Schmidt bei der Versteigerung einer Konkursmasse in Amagansett für sie gekauft hatte, dieses Zimmer, das so besonders gemütlich war, weil es in dem solideren Teil des Hauses lag, der um die Jahrhundertwende angebaut worden war. Und bei dem Arrangement war es geblieben: Seine Tochter und ihr Liebhaber waren von ihm nur durch den Treppenabsatz getrennt und den Flur zwischen ihrem Zimmer und dem ehemals gemeinsamen Schlafzimmer von Schmidt und Mary, in dem er jetzt allein schlief. Schmidt protestierte nicht; seiner Empfindung nach gehörte das Haus nun mehr seiner Tochter als ihm. Charlotte hatte ihn wissen lassen, sie plane, das Badehaus weiterhin für jüngere Gäste zu nutzen – ihre und Jons Freunde –, damit Schmidts leichter Schlaf nicht durch die stampfenden Bässe alternativer Rockmusik oder durch knallende Schlaf- oder Badezimmertüren gestört würde –, nicht jeder schließe Türen so vorsichtig, wie er es seiner Frau und Tochter anerzogen habe. Das war rücksichtsvoll, und Schmidt begrüßte die Wiedereinführung des von ihm so geschätzten Morgenrituals an den Wochenenden. Aber wie sollte er es schaffen, sich nicht als der *tiers incommode* bei diesem Arrangement zu fühlen?

Alles in allem machte das Haus einen guten Eindruck. Mary und er waren, kurz nachdem er seine vorzeitige Pensionierung ausgehandelt hatte, aufs Land gezogen. Schmidt hätte es obszön, ja, eher obszön als unerträglich gefunden, tagein, tagaus in sein Büro zu gehen, aus reiner Gewohnheit den Verbindlichen zu spielen, sich von dem Moment an, da er den Fuß dort über die Schwelle setzte, mit gesammelter Konzentration seiner Arbeit zuzuwenden, als ob nicht alles in Trümmer gefallen wäre, sich zeitweilig so sehr in das Problem eines Mandanten zu vertiefen, daß er Mary ganz vergaß und jedenfalls stundenlang nicht an sie dachte, während sie buchstäblich alleingelassen auf dem Folterbett lag. Er bot das Apartment in der Fifth Avenue zum Verkauf an. Daß es für sie beide viel zu groß war, hatte sich gezeigt, sobald sie keine Einladungen mehr gaben; der Wind vom Central Park fegte so heftig durch die Seitenstraße, daß der Türsteher schon im Winter nach Marys erster Operation den Arm um sie legen mußte, damit sie nicht auf dem Weg zum drei Schritt entfernten Taxi umgeweht wurde; außerdem machten sich nach der drastischen Verringerung von Schmidts Gehalt die Betriebskosten dieser großen Wohnung unangenehm bemerkbar.

Es verstand sich von selbst, daß sie beide das Haus in Strandnähe besonders gern hatten, zu allen Jahreszeiten und bei jedem Wetter. Wenn Mary besorgt war, daß er sich in Bridgehampton eingesperrt und ohne seine altgewohnte Werktagsroutine verloren vorkäme, beruhigte er sie: Er habe mehr als genug Jahre hinter dem Schreibtisch verbracht, und sie gäben New York ja nicht ganz und gar auf. Zwei Stunden Busfahrt in die Stadt könnten genauso zur angenehmen Gewohnheit werden wie jede Routine; wenn es an der Zeit sei, würde man nach einem *pied-à-terre* Ausschau halten, vielleicht in einem der neuen Häuser mit Eigentumswohnungen, die angeblich gar nicht so schäbig waren, warum nicht Eigentümer einer flotten kleinen Bude in einem Stockwerk ganz oben sein, dann hätte man um sich herum nur den Himmel und die brummende Klimaanlage und Küchen- und Waschmaschinen, die noch kein Mensch benutzt hatte. Natürlich wußten sie beide, daß dafür keine Zeit mehr blieb. Marys Kraft hatte wie durch ein Wunder gereicht, bis die wichtigsten Möbelstücke und Gegenstände im Landhaus eingetroffen und gut untergebracht waren. Danach fing das Warten auf das Ende an; es nahm beide ganz in Anspruch.

Gegen Jon Riker war durchaus nichts einzuwenden. Schmidt hatte ihn eines Abends zum Essen eingeladen, zusammen mit einer ganzen Gruppe von Mitarbeitern und zwei Direktoren der Investitionsabteilung einer Hartforder Versicherungsgesellschaft, für die sie alle arbeiteten; es wäre ihm nie in den Sinn gekommen, daß Charlotte den jungen Mann auffallend attraktiv finden könnte. Er war sogar überrascht, daß sie überhaupt erschien, nachdem Mary sie vorgewarnt hatte, die Party sei ein Geschäftsessen, eine von diesen gesellschaftlichen Pflichtveranstaltungen, die ranghohe ältere Vorgesetzte ab und zu auf sich nehmen müssen, um der hart arbeitenden Jungmannschaft das Gefühl zu geben, ihre Leistung werde anerkannt und geschätzt. Aber am nächsten Morgen sagte Charlotte, sie freue sich, dabeigewesen zu sein. Sie meinte, Jon sehe wie Sam Waterston aus; dieser Vergleich war Indiz genug für Schmidt: Er war im Bilde. Sie hatte im Jahr zuvor ihr Examen in Harvard gemacht und wohnte noch zu Hause. Jetzt, oder wenigstens im Lauf der folgenden Wochen, wäre es an der Zeit gewesen, zu sagen, was er wirklich von Jon als möglichem Verehrer seiner Tochter hielt. Aber er behielt es für sich, weder Charlotte noch Mary erfuhren es je. Er gab ihnen nur die offizielle Version seiner Beurteilung: ein ausgezeichneter junger Anwalt, daß er Sozius wird, ist so gut wie sicher; nur arbeitet er zuviel. Woher wird er die Zeit nehmen, mit Charlotte ins Kino zu gehen, von Kino mit anschließendem Essen gar nicht zu reden! Schmidt hatte sich korrekt und konsistent verhalten und war stolz darauf, genauso wie später, als er der wichtigste, wahrscheinlich der ausschlaggebende Befürworter von Rikers Beförderung zum Sozius wurde. Zum Glück für Riker beriet und entschied man sich zu seinen Gunsten, bevor er Charlottes Liebhaber wurde; jedenfalls wurde er befördert, bevor die Affäre in aller Munde war oder bevor Mary Schmidt die Augen geöffnet hatte, so daß die Kanzlei sich nicht mit der gefürchteten Frage befassen mußte, ob hier ein Verstoß gegen das Nepotismus-Verbot drohte.

Aber selbst wenn Charlotte ihm nicht eben erst mitgeteilt hätte, daß sie und Jon sich entschieden hatten – wenn man's recht bedachte, hätte Jon sich eigentlich die Mühe machen können, bei Charlottes Vater um ihre Hand anzuhalten –, und selbst wenn es nicht lachhaft verspätet gewesen wäre, in aller Offenheit mit Charlotte zu reden, so hätte er immer noch nichts gegen Riker, genauer: gegen die Ehe, vorbringen können, nichts, das nicht in ihren Ohren und vielleicht sogar in seinen eigenen, sobald es ausgesprochen war, schrullig, besitzergreifend und verdächtig nach Eifersucht oder Neid geklungen hätte. Nichts hätte er sagen können, allenfalls zugeben, daß er die Qualitäten Rikers, die mit der Zeit bestimmt einen brauchbaren, zuverlässigen Sozius aus ihm machen würden, nur im Rahmen der geliebten Kanzlei schätzte – die Kanzlei fehlte ihm, vor allem als Geldquelle und als durchlässige Schranke gegen Selbstzweifel, das merkte Schmidt allmählich –, daß er aber außerhalb des Büros nicht viel auf derartige Qualitäten gab und daß sie mit

Sicherheit nicht den Eigenschaften entsprachen, die er an einem Schwiegersohn wünschenswert fand. Ein arabisches Sprichwort – einer seiner Partner, zu dessen Mandanten auch Ölmillionäre im Nahen Osten zählten, hatte ihm versichert, es sei echt – sagt: Ein Schwiegersohn ist wie ein Kiesel, nur schlimmer, weil man ihn nicht aus dem Schuh schütteln kann. Schmidt wußte, daß die Römer ganz anderer Meinung gewesen waren und diese Eindringlinge hochgeschätzt hatten: Wenn man eine Frau wirklich liebt, dann liebt man sie, wie ein Mann seine Söhne und Schwiegersöhne liebt. Er bedauerte es, keine Söhne zu haben, deshalb war es häufig vorgekommen, daß er in seinem Beruf besondere Zuneigung zu dem jeweils besten seiner jungen Mitarbeiter empfand – ein Gefühl, das im allgemeinen so lange erwidert wurde, bis der dergestalt ausgezeichnete, zu Schmidts rechter Hand ernannte und mit besonderer Loyalität behandelte Mitarbeiter Sozius geworden war und keine Vaterfigur mehr in der Kanzlei brauchte. Um so mehr hatte er darauf gehofft, für den Mann, der Charlotte heiratete, die Gefühle eines Römers hegen zu können. Aber wieso hätte er sie ausgerechnet für Jon Riker aufbringen sollen?

Das Zeug, das er mit beträchtlicher Eloquenz über Jon Riker in den kritischen Beurteilungen geschrieben hatte, die nach dem Usus der Kanzlei auf die Erledigung jedes wichtigen Auftrags zu folgen hatten, war ganz zutreffend: Mit kleinen, dem jeweiligen Anlaß Rechnung tragenden Varianten klang es genau wie das, was er Charlotte und Mary erzählt hatte: Es war die nötige Floskel-Mantra, die er ermattet bei Firmenbesprechungen wiederholte, wenn Jons Ernennung zum Sozius auf der Tagesordnung stand. Diese Floskeln widersprachen nicht Rikers sonstigen Eigenschaften, die Schmidt weniger schätzte, aber nicht erwähnenswert gefunden hatte, weil sie kaum mit den

Kriterien zu tun hatten, die für seine Mitgesellschafter bei der Beurteilung junger Kandidaten den Ausschlag gaben. Zum Beispiel die Schmalspurigkeit dieser hohen Intelligenz: Was hatte sein zukünftiger Schwiegersohn eigentlich im Kopf außer Mandantenfragen und Terminen samt der Ebbe und Flut von Konkursverfahren (Jons ärgerliches Spezialgebiet, die Domäne großmäuliger, übergewichtiger, stillos herausgeputzter Anwälte, Gott sei Dank sah Jon weder so aus, noch hörte er sich an wie sie), außer der Zuschauerrolle bei sportlichen Ereignissen und den finanziellen Aspekten des Daseins?

Jons ständiges Gerede über Finanzen war auch eine Art Mantra, eine, die Schmidt verachtete. Zum Beispiel: Hätte Jon nach seiner Referendarzeit eine Stelle bei einer Kanzlei annehmen sollen, die ihre Mitarbeiter besser bezahlte als Wood & King? Wie hoch war der Einkommensverlust, den ihn seine Entscheidung möglicherweise gekostet hatte, wie war er aufzurechnen gegen die eventuell geringere Wahrscheinlichkeit der Beförderung zum Sozius in einem anderen lukrativeren Unternehmen – aber wenn er auch dort den Aufstieg geschafft hätte – was für eine Goldgrube wäre ihm entgangen! Und wie stand es jetzt, da er Sozius bei Wood & King geworden war: Erhielten die Gesellschafter seiner Generation einen angemessenen Anteil vom Firmeneinkommen (an dieser Stelle war dann wohl der Griff nach dem Taschenrechner fällig, der im säuberlich unterteilten Attachéköfferchen steckte – ein üppiges Geschenk von Charlotte), oder ging zuviel davon an die alten Knaben (Typen wie Schmidt, aber das wurde nicht ausgesprochen), die nicht den Anstand besessen hatten, auszuscheiden, sobald ihre Produktivität nachließ? Sollte er ein Apartment kaufen oder weiter zur Miete wohnen, sollte er lieber eine Eigentumswohnung erwerben oder einen Anteil an einem Gemeinschaftseigentum? Wieviel würde ihn die Ehe kosten, wenn Charlotte aufhörte zu arbeiten, wie hoch war der Preis pro Kind anzusetzen? Es gab nicht den geringsten Anhaltspunkt, daß Jon ein Buch gelesen hätte, seit Mary ihm den ersten Band von Kissingers Memoiren zu Weihnachten geschenkt hatte. Schmidt hatte festgestellt, daß Jon auf langen Flugreisen – und er war oft unterwegs – immer nur seine »Hausaufgaben« machte, was ihn ehrte, Korrekturarbeiten nachholte, Zeitschriften las oder in die Gegend starrte. In seiner Aktenmappe steckte kein Taschenbuch, auch nicht in seinem Regenmantel mit Gürtel, der wie ein Burberry aussah. Das hatte Schmidt in den Anfangsjahren ihrer Zusammenarbeit beobachtet, als sie häufig Seite an Seite in Flugzeugen saßen und Schmidt nach Abschluß seiner »Hausaufgaben« versuchte, wach zu bleiben und seine eingeschmuggelte Belletristik zu lesen. Die diskrete Überwachung Jons hatte in der Folgezeit nur eine einzige Änderung seiner Reisegewohnheiten an den Tag gebracht: Als stolzer Besitzer eines Laptops konnte er die Zeit nun auch für das Schreiben von Memos zu Akten nutzen und an seinem Kontrollbuch arbeiten. Dieser junge Mann war ein ehrgeiziger Fachidiot, was sonst; im Slang der Generation Schmidts hätte man gesagt: ein bornierter Streber, das Wort kam offenbar wieder in Mode, ein Streber mit Bizeps. Und seine Charlotte, ausgerechnet seine mutige, wundervolle Charlotte, wollte alle anderen aufgeben und sich an einen Streber hängen, eine taube Nuß, einen Juden!

Schmidt versetzte dem letzten Fallapfel einen Tritt. Sein Ärger war wie ein übler Nachgeschmack im Mund.

Diese letzte Schmach war tabu. Mary hätte er damit nicht kommen dürfen: Ein Wort gegen die Juden, und sie sammelte alle Sünden Hitlers auf sein Haupt, aber diese Heirat hatte nichts mit Bürgerrechten oder Chancengleichheit oder, Gott behüte, mit den Gasöfen zu tun. Auch wenn er noch so tief in seinen Erinnerungen grub und noch so weit in seiner Vergangenheit zurückging: Schmidt konnte nach bestem Wissen und Gewissen sagen, er habe nie im Leben einem Juden im Weg gestanden. Aber jetzt entdeckte er: Was bei W & K nicht ins Gewicht fiel (die Kanzlei hatte sich seit seinem ersten Arbeitstag mit Juden gefüllt, so viel war sicher) und was ihm zu Zeiten sogar ein amüsiertes Hochziehen der Augenbrauen wert war, so wie damals, in den frühen siebziger Jahren, als Juden begannen, in seinen Wohnblock an der Fifth Avenue zu ziehen oder einem seiner Clubs beizutreten, das wurde zum schwerwiegenden Problem, sobald seine Familie davon betroffen war, falls von einer Familie noch die Rede sein konnte! Charlotte, das einzige Bindeglied mit dem Leben, das er noch hatte, Charlotte würde durch diese Heirat zum Bindeglied mit einer Welt werden, die nicht die seine war, sondern besetzt von Jons Eltern, den Psychiatern – noch hatte er sich einer Begegnung mit ihnen entziehen können –, von den Großeltern mütterlicherseits, die Jon gelegentlich erwähnte, und womöglich noch Onkeln, Tanten und Vettern, von denen Schmidt noch nichts gehört hatte. Wie sie wohl waren? Daß der Kontakt mit ihnen unerfreulich sein, daß die Begegnung seine Umgangsformen und seine Geduld auf eine harte Probe stellen würde, dessen war er sich sicher. Über kurz oder lang würden sie Charlotte überfluten wie Schlick; vereinnahmen würden sie seine Tochter und ihn ausschließen; nie wieder würde er auf seinem eigenen Grund und Boden allein mit ihr sein; die Badehausküche mit ihrer feindseligen Schwelle war seine Zukunft *in nuce*.

Er drückte auf die Klinke der Kellertür. Sie war offen, das hieß, er hatte vergessen, sie abzuschließen, als Bogard und seine Leute fertig mit dem Rechen waren. Bogard hatte sich bewährt, vielleicht sollte man ihm jetzt gestatten, die Kellertür von innen abzuschließen und dann den Ausgang durchs Haus zu nehmen. Man könnte ihm auch gleich die Schlüssel geben; Schmidt konnte vielleicht nicht immer da sein und ihm öffnen. Als er den Keller betrat, hob sich seine Stimmung. Der Raum war tadellos in Ordnung; nicht umsonst hatte er sich so viel Mühe mit dem Aufräumen gemacht. Die summende Belüftungsanlage neben den Regalen, auf denen er Putzmittel und Konserven aufbewahrte, arbeitete hervorragend und zog die Feuchtigkeit auch aus den hintersten Winkeln; deshalb hatte er das Experiment gewagt, in die neuen Regale, die ihm der Tischler gebaut und an der Wand gegenüber aufgestellt hatte, die Taschenbücher aus der Fifth Avenue zu stellen. Das Papier hatte sich nicht gewellt, und das war mehr, als man von den Büchern und Zeitschriften im Haus sagen konnte; vielleicht sollte er auch die Kunstbände und den Teil von Marys gebundenen Büchern, die er nicht zur Hand haben mußte, im Keller aufstellen. Die Temperatur war so niedrig wie man sich nur wünschen konnte, und das war gut für den Wein, der auch aus der Stadt gekommen war, wo Schmidt ihn nicht im Keller hatte lagern können – der war zum Ersticken heiß –, sondern in einem Lagerhaus unterbringen mußte; jetzt konnte der Wein in dem fensterlosen Kelleranbau unter dem neuen Teil des Hauses liegen. Im Sommer war die Kühle dort so wohltuend, daß sie ihn an die Kinos in jenen New Yorker Sommern erinnerte, als die Klimaanlagen in den Fenstern der Apartments noch nicht selbstverständlich gewesen waren. Er setzte sich in den Schaukelstuhl an der Werkbank und verlagerte sein Gewicht. Nichts knarrte; es war ein solides Möbelstück, hatte seinem Vater gehört, genau wie der ovale Flickenteppich, den der alte Mann im Badezimmer gehabt hatte. Die

Werkzeuge waren fast perfekt geordnet; die älteren Exemplare, Hämmer, Zangen, die in vergangenen Zeiten Instrumente eines Zahnarzt hätten sein können, und kleine Sägen stammten ebenfalls aus dem Haus des Vaters in der Grove Street. Welch ein Unterschied zwischen dem Keller des mit öffentlichen Mitteln gebauten Hauses in Greenwich Village und diesem! Dort hatte man weder die Feuchtigkeit noch die Ratten fernhalten können, obwohl die Katze Pascha schwer gearbeitet hatte.

Er fand die Schachtel mit den kleinen Zigarren auf der Werkbank, steckte sich eine an und warf das Streichholz in den Papierkorb, eine Angewohnheit, die ihm Mary nicht hatte austreiben können. Wenn er das nächste Mal in den Keller kam, wollte er einen Aschenbecher mitbringen, nur so zum Andenken und als Abbitte. Und dann war der Gedanke zu Ende gedacht, den er sich während seines Ganges durch den Garten verboten hatte, jetzt ließ er sich nicht mehr aufschieben, bis Schmidt sich in Ruhe mit einem Drink in der Hand den Klängen einer Schallplatte hingeben konnte. Er mußte aus diesem Haus ausziehen; soviel war klar. Unklar war nur, wie er das tun konnte, ohne Charlotte merken zu lassen, daß es Jons wegen geschah. Das ließ sich vielleicht nicht verbergen, und wie sollte er es dann anstellen, den Auszug in ihren Augen als Veränderung ihres Vaters zum Guten erscheinen zu lassen, als Zeichen für die Wiederkehr seines Optimismus, als Bestätigung für ihren Entschluß, die nächste Generation der Familie zu gründen, nun, da er willens sei, auf eigenen Füßen zu stehen und ein neues Leben zu beginnen? Eigentlich absurd, aber es wäre nicht das erste Mal, daß er seiner Frau und seiner Tochter mit Erfolg und zu ihrem Besten etwas vorspiegelte.

Das Problem mit dem Haus war nicht neu. Schon bei der ersten Besprechung mit Dick Murphy, dem Anwalt für Vermögens- und Erbrecht in der Sozietät Wood & King, der Marys und sein Testament entworfen hatte, als sie entschieden, es sei vernünftig, solche Urkunden zu unterzeichnen, schon damals hatte Schmidt während der üblichen Scherze über beider Testierfähigkeit dieses häßliche Problem in Umrissen wahrgenommen. Weitere Zusammenkünfte folgten; als dann das Anwachsen ihrer Kapitalien und die Änderungen der Steuergesetze Revisionen und Testamentsnachträge nötig machten und als er vor Marys diagnostischer Operation – damals hatten die Ärzte noch Hoffnung – eine Verabredung mit Murphy traf, stand ihm das Problem von Mal zu Mal deutlicher vor Augen. Dabei ging es um folgendes: Das Haus war nicht sein Eigentum, und es hatte einen viel zu hohen Wert. Es hatte Marys unverheirateter Tante Martha gehört, der Schwester ihres Vaters, bei der Mary aufgewachsen war, nachdem ihre Mutter 1947 an Lungenentzündung gestorben war.

Mary, damals gerade zehn Jahre alt, hatte außer einigen ältlichen entfernten Kusinen in Arizona nur Martha; Marys Vater war in knietiefem Wasser vor Omaha Beach beim ersten Landeversuch gefallen. Schmidt und Mary hatten seit der Heirat die Sommerferien bei Martha verbracht; und Martha wurde, als es an der Zeit war, Charlottes Patin; Marthas Rechtsanwalt mußte seine gesamte Überzeugungskraft aufbieten, um Martha davon abzuhalten, das Haus der vierjährigen Charlotte zu vermachen. Als der Erbfall eintrat, gingen Haus und sonstiges Eigentum Marthas auf Mary über. Das sonstige Eigentum belief sich auf eine Summe, die auch für den Dollarkurs von 1969 niedrig war. Martha hatte sehr komfortabel gelebt und dabei ihr Kapital verbraucht; der Trust, aus dem sie ebenfalls Einkünfte bezog, wurde bei ihrem Tod aufgelöst, und die dadurch freiwerdenden Gelder wurden unter die entfernten Kusinen aufgeteilt. Aber seit Anfang der siebziger Jahre verdiente Schmidt genug, um für die laufenden Kosten des Hauses aufkommen zu können. Dadurch wuchs Marys ererbtes Barvermögen, und sie konnte es noch um einen guten Teil ihrer Einnahmen als Lektorin vermehren, die hoch waren, da sie für ihr sicheres literarisches Urteil in einem ansonsten brutal nach kommerziellen Gesichtspunkten vorgehenden Verlag bekannt war. Schmidt und sie hatten vereinbart, daß sie ihre Kleider und den Friseur, die Kosten für Mittagessen und Taxifahrten, die nur selten nicht erstattet wurden, und Geschenke (die manchmal unglaublich extravagant waren) selbst bezahlte, außerdem Spenden für Wohltätigkeitsorganisationen, die Schmidt nicht unterstützen wollte. Er übernahm den Rest. Trotzdem besaß sie, wie Murphy sagte, nur wenig über eine Million Dollar. Martha hatte sie zu altmodischem Verhalten in Geldangelegenheiten erzogen, das hieß für sie: nur Schatzbriefe und hochverzinsliche Kommunalobligationen kaufen. Andererseits war das Haus, schon wegen seiner Lage, wahrscheinlich zwei Millionen wert; wenn sie Vermögen und Haus, wie sie beabsichtigte, an Charlotte vererbte, dann würde die Steuer über eine Million betragen; und wie sollte Charlotte das Geld aufbringen, wenn nicht durch den Verkauf des Hauses? Das aber war das Gegenteil dessen, was Mary wollte. Das einzig Vernünftige wäre, so erklärte Murphy, das Geld Charlotte und das Haus Schmidt zu vererben. In diesem Fall müßte das Haus, als letztwillige Zuwendung an den Ehepartner, nicht versteuert werden. Später wäre Schmidts Vermögen vermutlich so groß, daß sie, wenn er stürbe und sie erbte, die Steuern bezahlen könne. Dabei bliebe auch noch Geld zur Finanzierung der Betriebskosten für ein großes Haus. Und dann geschah es: Murphy, dieser irische Flegel –

Schmidt hätte ihn erwürgen können –, stellte Mary die Frage, die er schon unter vier Augen mit Schmidt erörtert hatte, er stellte sie, obwohl Schmidt ihm eingeschärft hatte, nicht daran zu rühren: Einmal abgesehen von der Steuerplanung, warum sollte eigentlich nicht ihr Ehemann Eigentümer des Hauses werden, in dem er seit mindestens einem Vierteljahrhundert Sommer für Sommer und auch sonst an den Wochenenden meistens gewohnt habe, das außerdem einen großen Teil seines Geldes verschlungen habe? Er zählte die Modernisierung des Heizsystems auf, die Wärmeisolation, die endlosen Dachreparaturen, das neue, größere Schwimmbad und das Badehaus. Könnte nicht Charlotte und, falls es sich so ergeben würde, deren Mann und die Kinder das Haus genauso mitbenutzen wie sie und Schmidt, als ihre Tante Martha noch lebte, und es erst nach Schmidts Tod erben?

Schmidt hatte mindestens drei Gründe, warum er nicht wollte, daß Mary in diese Ecke gedrängt würde: Es ging ihr nicht gut; die Frage lag so auf der Hand, daß man sie nicht eigens stellen mußte; und er war sich sicher, die unangenehme Antwort schon zu kennen. Gesagt hatte sie es ihm nie, und für Murphys Ohren war es nicht bestimmt, aber er wußte: Sie wollte vor ihrem Tod noch eine alte Rechnung begleichen. Die Steuern machten ihr keine Sorgen. Für sie stand es außer Frage, daß Schmidt dafür selbst aufkommen würde, ehe er mitansah, wie Charlotte das Haus verkaufte. Deshalb überlief es ihn kalt, als er erst hören mußte, wie Mary sich über das feierliche Versprechen ausließ, das sie Martha gegeben hatte, und meinte, daß Charlotte wegen der Steuern eine Hypothek aufnehmen könne, und als dann noch Murphy mit seinem nie zuvor erwähnten Lösungsvorschlag herausrückte, zu dem ihn offenbar die beim Lunch im Raquet Club genossenen beiden Wodka-Martinis animiert hatten. Sauber ausgedacht! Mary sollte Schmidt den Nießbrauch des Hauses auf Lebenszeit vermachen! Das wäre die Lösung! Das Versprechen, das sie Martha gegeben habe, würde nicht gebrochen, da Charlotte die gesetzliche Erbin wäre. Weil Schmidt das Haus auf Lebenszeit besäße, würde, wenn Mary stürbe, keine Erbschaftssteuer anfallen, und wenn Schmidt stürbe, würde sein Vermögen versteuert.

Nur, daß ich keine Lust habe, mich als Witwer der Erblasserin auf dem Besitz meiner Tochter zu fühlen, hätte Schmidt daraufhin am liebsten geantwortet und Murphy nur zu gern deutlich gesagt, daß Mary ihrem Ehemann das Haus womöglich doch noch vererbt hätte, wenn er bloß den Mund gehalten hätte –, aber wozu wäre das gut gewesen? Offenbar sollte er weiter sklavisch an ein Haus gebunden sein, das nie sein Eigentum werden würde.

Was blieb ihm also anderes übrig, als Marys Blick – in ihren Augenwinkeln standen Tränen, und er konnte nicht umhin, an ihre Kontaktlinsen zu denken und froh zu sein, daß ihr Aussehen ihr immer noch wichtig war – und ihr Lächeln zu erwidern? Sie sagte: Mister Murphy hat recht, meinst du nicht auch? Und er antwortete: Ja, natürlich.

Das war das, aber er sah, wie er sich befreien konnte. Er würde ein Hochzeitsgeschenk für Charlotte daraus machen: auf den Nießbrauch verzichten und die Schenkungssteuer auf den Gesamtwert des Hauses bezahlen. Er war sich sicher, daß die Steuergesetzgebung das immer noch so vorschrieb. Der Markt war flau, aber nicht für Immobilien dieser Güteklasse. Er würde viel Geld zahlen müssen. Er wollte Murphy anrufen und die Zahlen mit ihm durchgehen, aber wie hoch sie auch sein mochten, sein Herz sagte ihm, daß er es schaffen konnte und wollte. Noch ein Aspekt der Lage war zu beachten. Wenn er schnell genug handelte und sich eine andere Bleibe erwarb, dann konnte er Steuern sparen, die Steuern auf den Gewinn beim Verkauf des Apartments in der Fifth Avenue. Er hatte es in seinem ersten Ehejahr von dem Geld gekauft, das er von seiner Mutter geerbt hatte. Es war groß und elegant, so daß sie nicht umziehen mußten, als er Sozius geworden war. Aber der Kaufpreis, der ihm damals den Atem verschlagen hatte, war im Rückblick fast nichts, weniger als ein Fünfzigstel der Summe, die der Verkauf ihm eingebracht hatte. Er hatte sich buchstäblich die Hände gerieben, so viel Genugtuung bereitete es ihm, zu beobachten, wie der Wert der Wohnung in schwindelerregende Höhen stieg, und zu erkennen, daß er damit einen üppigen Notgroschen besaß. Ja, das wäre gar nicht schlecht: In der Sprache seines Anlageberaters hieß so etwas: den Familienbesitz erhalten – er würde den Steuerfreibetrag ausschöpfen und ungefähr siebenhunderttausend Dollar Schenkungssteuer zahlen, einen Teil der Million Dollar Steuern auf den Gewinn beim Verkauf des Apartments sparen und das Grundstück jetzt auf Charlotte überschreiben: Schenkungs- und Vermögenssteuern waren zur Zeit zwar hoch, aber es stand zu befürchten, daß sie ihren Gipfel noch längst nicht erreicht hatten.

Eine Schwachstelle hatte sein Transaktionsplan; die Auswirkungen auf seine Einkünfte würden, abweichend von einem runden kapitalistischen Modell, ungünstig sein: In seinem Finanzplan war er davon ausgegangen, die Gewinnsteuer zu zahlen und den Restgewinn vom Verkauf des Apartments seinem Kapital zuzuschlagen. Und er hatte nicht vorgehabt, sich ein Haus zu kaufen, das so viel kostete wie der erstaunliche Preis, den das Apartment erzielt hatte; aber genau das würde er tun müssen, wenn er erreichen wollte, daß ihm die gesamte

Kapitalgewinnsteuer erspart blieb. Er war gar nicht auf die Idee gekommen, ein Haus zu kaufen; sein Plan – sofern ein solches Ding in seinem Kopf überhaupt Form angenommen hatte – war gewesen, einfach zu bleiben, wo er war, an einem Ort, wo er sich allmählich immer mehr zu Hause fühlte, an dem er hing, der, grob gesagt, für ihn die Einlösung des Geburtsrechts – oder ist es nur ein Traum? – aller amerikanischen Ruheständler bedeutete: ein schuldenfreies Haus! Er rechnete weiter. Um seinen neuen Plan ganz zu verwirklichen, müßte er fast drei Millionen Dollar von seinem Barvermögen für Charlottes Steuern und für den Kauf eines neuen Hauses aufwenden, das er gar nicht haben wollte und theoretisch auch nicht brauchte. Dieses Geld in Kommunalobligationen investiert, hätte ihm, davon konnte man ausgehen, ein Jahreseinkommen von einhundertfünfzigtausend verschafft, steuerfrei. Damit wäre es nach dem neuen Plan vorbei. Er würde zwar immer noch das Gehalt von seiner Kanzlei haben – einhundertachtzigtausend Dollar jährlich – und die Einkünfte aus seinen Sparguthaben, vielleicht noch einmal hundertfünfzigtausend steuerfrei, wenn er das Geld ebenfalls in Kommunalpapieren anlegte. Es schoß Schmidt durch den Kopf, daß einem Durchschnittsamerikaner diese Summe sehr üppig für einen allein lebenden sechzigjährigen alten Kauz ohne unterhaltsbedürftigen Anhang vorkommen mußte, aber war ein Durchschnittsamerikaner ein Leben im Stil Schmidts gewohnt? Hatte er ebenso hart wie Schmidt gearbeitet?

Mehr noch: Dieser verständnislose Mitbürger wußte vielleicht nicht, daß die Kanzlei Wood & King ihre Verpflichtungen so gestaltet hatte, daß Zahlungen an Sozii im Ruhestand mit deren siebzigstem Geburtstag endeten. Das war fünf Jahre nach dem normalen Beginn des Pensionsalters. Deshalb war der Vertrag, den Schmidt ausgehandelt hatte, in gewisser Weise großzügig. Die Pension war reduziert, weil er die Kanzlei vorzeitig verließ, aber sie sollte bis zur selben magischen Altersgrenze gezahlt werden. Der Grund für diese Großzügigkeit war kein Geheimnis: Sie war der Lohn dafür, daß er freiwillig ausschied, obwohl er noch fünf Jahre hätte bleiben und wie gleichaltrige Kollegen einen Spitzenanteil vom Firmeneinkommen beanspruchen können. Diese Rechnung machten sie bei ihrer Unterredung nicht auf, weder Jack DeForrest, der Chef der Sozietät, noch Schmidt selbst, aber er konnte sich gut vorstellen, daß schon viele junge Sozii Jack daraufhin angesprochen hatten – ihr Wortführer wahrscheinlich Jon Riker –, eifrig bedacht, DeForrest vorzuwarnen: Von Schmidt wäre nur noch Leerlauf zu erwarten, falls er die letzten Jahre in der Kanzlei abdiente. Arbeitsscheu hätten sie ihm nicht unterstellt; es wäre schon mehr als genug gewesen, darauf anzuspielen, daß Marys Krankheit ihn sehr mitgenommen habe und daß die Finanzarbeit, die in seine Zuständigkeit fiel, der Kanzlei doch nur noch spärliche Einnahmequellen erschließe. Nun gut, Schmidt hatte selbst gewünscht, sich von der Bürde der aktiven Arbeit zu befreien. Man mußte ihm den Stuhl nicht vor die Tür setzen; eine Sorge weniger für Jack.

Schmidt erinnerte sich, daß er als sehr junger Sozius für den Pensionsplan der Kanzlei W & K gestimmt und dabei die Skurrilität der Idee, Pensionszahlungen nach fünf Jahren einzustellen, zum Lachen gefunden hatte. Beim Arbeitsessen hatte Jack DeForrest, im selben Jahrgang der Law School wie er und damals sein bester Freund, neben ihm gesessen. Er hatte Jack zugeflüstert: Das ist gut! Das Presbyterium von St. James glaubt wirklich, daß ein Menschenleben siebzig Jahre währt! Zufällig waren die Herren Wood und King, beide zugegen und beide jenseits des kanonischen Alters, Mitglieder der betreffenden illustren New Yorker Institution. Weil sie die Firmengründer waren, behandelte der Pensionsplan sie anders als alle anderen – mit ausgesuchter Höflichkeit, die Schmidt, respektvoll, wie es der Folgegeneration anstand, sehr begrüßt hatte. Was ihn selbst betraf, wie hätte er, damals noch nicht sechsunddreißig Jahre alt, sich vorstellen können, daß die sagenferne Grenze seines siebzigsten Geburtstages irgendwann einmal gar nicht mehr fern scheinen würde und daß er dann wohl oder übel über die finanziellen Nachteile eines diese Grenze überschreitenden Lebens nachzudenken hätte? Damals wußte er nur, daß er soweit alles sehr gut gemeistert hatte; er sah keinen Grund, nicht weiterhin von äußerem und innerem Glück begünstigt zu werden.

Als er so seinen Schaukelstuhl in Bewegung hielt, schien ihm der einzuschlagende Kurs klar und unausweichlich vorgezeichnet. Schluß mit dem Grübeln über Steuern und Einkommensverlust. Das Haus ging an Charlotte, und er zog aus. Unter einem Dach mit dem Charlotte ehelich verbundenen Jon Riker zu wohnen – und zwar in den Sommerferien, an allen Sommerwochenenden und werweiß-wievielen anderen Wochenenden noch, immer dann, wenn sie das Haus benutzen wollten –, das wäre ja vielleicht noch zu überlegen gewesen, wenn dieses Zusammenwohnen sich auf seinem eigenen Terrain abgespielt hätte, in einem Haus, das wirklich sein Eigentum war, in dem er die Regeln festsetzte. Aber keinesfalls in einer Pseudokommune, in der er sich verpflichtet fühlte, diese beiden jedesmal um ihre Meinung zu fragen, wenn entschieden werden mußte, ob man den Klempner bestellen, das Haus von außen blau anstreichen oder eine Hecke herausreißen solle! Er verzichtete auf den Versuch, die Kapitalgewinnsteuern auf das Apartment zu sparen.

Statt zwei Millionen Dollar in ein Haus wie Marthas Villa zu stecken, kaufte er sich lieber einen Schuppen in Sag Harbor, wohnte neben Marys ehemaligen Verlagskollegen, gab das Rasieren und die Friseurbesuche auf, bummelte in L. L. Bean-Klamotten durch die Gegend und verschaffte sich seine sommerlichen Mahlzeiten auf den Partys bei Buchpräsentationen, wenn die Einladungen dazu nicht allmählich versiegten! Und falls Riker dann eines Tages beschließen sollte, sich endlich Nachwuchs leisten zu können, dann wäre er, Schmidt, immer noch in der Lage, seine Enkelkinder dann und wann zu verwöhnen. Die Aussicht auf das großartige Abenteuer, seinen Lebensabend voll auszuschöpfen, tat sich wie ein Abgrund gähnend vor ihm auf.

Er stieg die Kellertreppe hinauf und trat in die Küche. Jetzt saß Riker am Tisch, einen Teller mit halbverzehrten verlorenen Eiern vor sich. Eine Brille mit Stahlrand und leicht getönten Gläsern auf der Nase, das Attachéköfferchen zu Füßen, sah er auf von einem Stapel Papier, in dem er korrigiert hatte.

Charlotte ist unter der Dusche. Hat sie es dir schon gesagt? Sie meinte, ich sollte als erster mit dir sprechen, aber ich wußte, daß du es lieber von ihr hören wolltest. Ich hoffe, du weißt es zu schätzen, daß ich sie zu einer ehrbaren Frau mache!

Er stand auf und streckte die Hand aus, die Schmidt ergriff und schüttelte. Die langen Finger, die Charlotte erforschten, hatten Haare auf dem ersten und zweiten Glied. Wo gehört der Ring hin, an die rechte oder die linke Hand? Ohne Zweifel würde Jon einen Ring tragen. Ihm fiel auf, nicht zum ersten Mal, daß der Haaransatz dieses hochgewachsenen, sehr gutaussehenden jungen Mannes auch nicht mehr ganz so war wie früher. Wahrscheinlich sah Jon das mit Besorgnis; womöglich steckte in einer der vielen Taschen des Attachéköfferchens ein kleiner Handspiegel.

Hübsch gesagt! Danke für die altmodische Regung. Glückwunsch!

Du erfährst es als erster, Al. Noch nicht mal meinen Eltern habe ich es gesagt.

Schmidt schätzte es gar nicht, wenn man ihn Al nannte, Albert fand er nicht ganz so schlimm, so hieß er eben, da war nichts zu machen. Er fragte sich, warum Riker nicht geschickter mit ihm umging. Krach mit Charlotte beim Frühstück, derweil das Vaterherz im Keller brechen wollte? Wollte der Junge ihm etwas heimzahlen, weil ihn eine bizarre Rückblende auf seine Vergangenheit als junger Mitarbeiter plagte, auf die Zeit seiner Angst vor Schmidt? Hatte er Hintergedanken?

Dann ruf doch an. Es ist nach Zehn. Und laß bitte deine Kreditkarte stecken.

Danke, Al. Ich gehe zum Telefon im Zimmer. Auf die Weise erwische ich Charlotte, bevor sie herunterkommt; dann kann sie gleich selbst mit ihnen sprechen.

Tu das. Seit wann nennst du mich Al?

War nur ein Versuch. Ich wollte sehen, wieviel ein Schwiegersohn sich erlauben kann. Sei nicht so empfindlich!

Schmidt räumte das Frühstücksgeschirr ab, wischte die Eiweißreste von Rikers Teller und spülte alles sauber. Es machte ihm Spaß, nach den Mahlzeiten aufzuräumen. Von Anfang an – die Arbeit im Haushalt hatten Mary und er sich geteilt, denn Mary legte Wert darauf, daß Schmidt genauso wie sie für Hausarbeiten und Charlotte zuständig war – hatte er sich das Geschirrspülen ausgebeten. Die Tätigkeit beruhigte ihn; aus demselben Grund putzte er auch gern Fußboden und Arbeitsflächen in der Küche und fegte überall aus. Das waren schlichte, unverfängliche Arbeiten; wenn man genug Zeit für sie hatte, konnte man sich nach getaner Tat am Anblick der sauberen Flächen weiden, ein Gefühl der Vollkommenheit empfinden, sich in der Illusion wiegen, die Ordnung wiederhergestellt zu haben. Er nannte das Putzen seine Beschäftigungstherapie.

Natürlich hatten sie während der Woche nie viel Mühe mit dem Haushalt oder mit der kleinen Charlotte gehabt, sie waren jedenfalls dadurch nie so belastet wie manche ihrer Freunde. Sie hatten seit ihrer Heirat eine Putzfrau, die jeden Tag kam, weil Mary ihre erste Stelle als Lektoratsassistentin hatte und Manuskripte mit nach Hause brachte, während er den in New Yorker Kanzleien üblichen späten Dienstschluß einhalten mußte. Als Charlotte auf die Welt kam, hielt zugleich eine Kinderfrau ihren Einzug, eine fette, finster aussehende, aber sehr liebevolle texanische Dame, ehemals mit einem Unteroffizier der Air Force verheiratet, die bei ihnen blieb, bis Charlotte in Brearley in die zweite Klasse ging – sie war, soweit Schmidt bekannt, das einzige nachweislich weiße Kindermädchen aus den Südstaaten –, und außer ihr wurde eine ganze Reihe Haushälterinnen angestellt, deren Qualität und Lohn mit Schmidts Einkommen periodisch stiegen. Weder die Haushälterinnen noch die Kinderfrau arbeiteten an den Wochenenden, und die Haushälterinnen kochten zwar, servierten aber nicht, weil Mary und Schmidt so spät aßen. Das hatte zur Folge, daß Schmidts Hauptaufgabe im Haushalt unter der Woche das Geschirrspülen war und daß Mary die Essensreste, den Senf und, wenn sie ein Curry aßen, das Chutney wegräumen mußte. Das machte sie gut; Schmidt war beim Einordnen immer ein trauriger Versager gewesen, und wenn er jetzt kleine, mit Alufolie zugedeckte Schüsselchen verstauen mußte, erinnerte er sich daran. Die Wochenenden waren komplizierter. Sie fuhren fast immer aufs Land, es sei denn, eine Party oder ein Konzert, das sie auf keinen Fall versäumen wollten, hinderte sie daran. Wenn Schmidt samstags oder sonntags im Büro arbeiten mußte, was unangenehm oft geschah, so lange, bis er nicht mehr das Gefühl hatte, ein junger Sozius zu sein, und sich Papiere durch Boten nach Hause schicken ließ, dann fuhr Mary mit Charlotte und dem Babysitter allein. Auch Babysitter gab es eine ganze Reihe: zuerst Studentinnen vom Hunter College, die gegen Logis und ein Taschengeld arbeiteten, und später dann, als sie meinten, Charlotte solle Französisch lernen, Au-pair-Mädchen. Eines davon war Corinne gewesen.

Wenn er am Samstagmorgen noch in der Arbeit steckte, versuchte er, einen Nachmittagszug zu erwischen, um bei ihnen zu sein, und wenn es dafür zu spät war, kam er manchmal am Sonntag früh, um wenigstens eine Weile Tennis zu spielen oder einen langen Spaziergang am Strand zu machen und dann Mary bei der Rückfahrt in die Stadt abzulösen. Solange Martha noch lebte, galten in ihrem Haus die Regeln der Arbeitsteilung nicht. Sie meinte, Charlotte gehöre in Frauenhände – ihre, Marys und die des Babysitters –, es sei denn, das Kind ging an den Strand oder zur Ponyreitstunde oder zur Nachmittagsvorstellung ins Kino nach East Hampton: Dann durfte der Vater in Erscheinung treten. Und es kam überhaupt nicht in Frage, daß jemand die Nase in die Küche steckte und die Arbeit machte, für die Marthas Köchin und Küchenhilfe da waren, beide genauso unerbittlich irisch wie ihre Zigaretten rauchende, stark trinkende Arbeitgeberin.

Mary und Schmidt behielten die Köchin bis zum Pensionsalter; sie zu entlassen wäre undenkbar gewesen. Ob sie aus Florida zurückkommen würde, um Schmidt zu versorgen, jetzt, da er auf die Weide getrieben war und sich sein Futter selbst suchen mußte? Die Frage hatte ihn nicht losgelassen. Als die Köchin sich zur Ruhe setzte, hielten sie das Haus in Schuß, so gut sie konnten, unterstützt von einem Schwarm polnischer Frauen, die einmal wöchentlich in verbeulten Chevys angefahren kamen, Diät-Colas in der Hand, Lockenwickler im Haar, die überdimensionalen Hinterteile und Busen in vorwiegend zitronengelb, bonbonrosa und orange schillernde Freizeitkleidung gezwängt, Frauen, die wie ein Wirbelwind durch das Haus fuhren und sich nach drei Stunden mit freigiebig ausgeteilten feuchten Küssen – Mary, Charlotte und sogar Schmidt wurden bedacht – wieder verabschiedeten.

Wie war er eigentlich dazu gekommen, es für absolut notwendig zu halten, daß Charlotte jedes Wochenende aufs Land gebracht werden mußte, und wieso hatte er sich selbst zunehmend unwohl, verloren, belästigt vom Stadtgeruch und der Sonntagsleere auf den Straßen gefühlt, wenn er zufällig einmal nicht hinausfuhr? Diese Gewohnheit hatte er sich erst mit der Ehe zugelegt. Schmidts Eltern hatten kein Haus auf dem Land besessen. Ferien hatten sie nie gemacht, allenfalls waren sie zu den Jahrestreffen der ehemaligen Law-School-Absolventen und zu Kongressen des Anwaltsverbandes außerhalb der Stadt gefahren. Schmidts Vater hatte Vorbehalte gegen Urlaub und seine Mutter gegen die damit verbundenen Ausgaben. Die Samstage und Sonntage wurden in der Stadt verbracht; Schmidt lernte Gras und Bäume im Central Park kennen und Schwimmen in einem großen, schilfbewachsenen Teich, zu dem eine Institution im Norden des Staates, die sich Camp Round Lake nannte, das Wegerecht besaß. Schon als Achtjähriger war er dort im Sommerlager gewesen, und später dann, bis zu seinem zweiten Jahr im Harvard College, hatte er als Berater fungiert.

Die Sektflöte zerbrach ihm zwischen den Fingern, als er sie unter heißes Wasser hielt, um Charlottes Lippenstift abzureiben. Er hob die Scherben mit einem Papiertuch aus dem Abfluß und sah, daß das Papier sich im Nu dunkelrot färbte. Der Schnitt in seiner Handfläche war glatt, aber tief, und offenbar ließ das Blut sich nicht einfach zum Stillstand bringen, indem er einen Papierbausch darauf preßte. Er suchte nach dem Heftpflaster, das er, so meinte er, auf dem Bord über der Spüle hatte liegen sehen. Dort lag es nicht mehr. Mittlerweile floß das Blut in dicken Tropfen auf den Boden, die Arbeitsplatte und auf die offene Schranktür, schneller, als er es mit dem Schwamm in seiner heilen Hand aufwischen konnte. Es war eine lächerliche Situation, er kam sich vor wie der Zauberlehrling. Allmählich wurden ihm die Beine schwach.

Dad, was hast du dir getan? Setz dich sofort hin, mach eine Faust und halte sie ganz hoch. Ich verbinde den Schnitt.

Nur ein zerbrochenes Pottery-Barn-Sektglas. Vier Dollar und fünfundsiebzig Cents. Zerbricht man nicht bei jüdischen Hochzeiten Glas, damit es Glück bringt? Ich wollte wohl schon mal üben.

Er sah Jon an.

Da mußt du noch viel lernen, Al! Der Bräutigam zerbricht das Glas mit dem Fuß, nicht der enttäuschte Vater mit der Hand, und vorher trinken Braut und Bräutigam Wein daraus. Denk dran, Wein trinken sie, nicht Blut. Menschenblut zu trinken liegt den Juden nicht, aber sie sind Meister in Schuldgefühlen. Deshalb trinken sie den Wein zum Zeichen, daß sie das denkbar größte Glück vor sich haben, und sofort danach muß der Mann das Glas zerbrechen, zur Erinnerung an die Zerstörung des Tempels. Das schafft ihnen Schuldgefühle über ihr Glück und bringt sie wieder auf den Boden der Tatsachen zurück.

Charlotte hatte inzwischen seine Hand mit Gaze und Klebeband umwickelt. Sie küßte ihn oben auf den Kopf – eine Zärtlichkeit, die ihn immer dahinschmelzen ließ.

Laß mich den Abwasch machen, sagte sie, und halte bitte die Hand vom Wasser fern, bis die Wunde sich geschlossen hat. Du solltest eigentlich zum Arzt gehen und sie nähen lassen.

Niemals! Ich kann mir doch nicht meinen Rekord durch so eine Kleinigkeit verderben: Ich habe noch keinen einzigen Schnitt und keine Naht in meiner Haut. Danke, mein Schatz, daß du den alten Muffel so lieb behandelst. Und dank dir, Jon, daß du mir den Kopf gewaschen hast. Dabei fällt mir ein: Was meinen deine Eltern denn dazu, daß du eine Schickse heiratest? Hast du mit ihnen gesprochen? Erlauben sie die Ehe?

So am Boden zerstört wie du sind sie nicht. Albert, komm doch zur Vernunft. Charlotte und ich sind seit beinahe vier Jahren zusammen. Wir lieben uns. Wir wohnen zusammen. Und mich kennst du seit zehn Jahren.

Ja, freilich, Jon. Ich freue mich doch. Ich brauche nur Zeit, mich an die Vorstellung zu gewöhnen.

Dad, Jons Eltern möchten, daß du und wir Thanksgiving mit ihnen feiern.

Das war eine ganz natürliche Entwicklung – so viel begriff Schmidt sofort –, aber eine, mit der er nicht gerechnet hatte. Mary hatte zu Thanksgiving, Weihnachten und Ostern Regie geführt. Natürlich hatten sie diese Feiertage zu Lebzeiten Marthas mit ihr verbracht und danach weiterhin in diesem Haus, mit Ausnahme eines Thanksgivingfestes, als Charlotte Windpocken hatte. In den guten Jahren hatten sie gewöhnlich junge Leute aus Schmidts

Büro eingeladen. Daß Charlotte außer Haus feierte, war nicht in Frage gekommen, deshalb mußte Riker, wenn die Angaben über die Dauer seiner Anstellung stimmten, all die Feiertage mindestens viermal mit ihnen zusammen verbracht haben.

Das ist sehr freundlich. Ich kann es den Doktoren Riker nicht verdenken, daß sie Jon auch einmal an einem Feiertag bei sich haben möchten, nur ist es für mich vielleicht noch zu früh, Thanksgiving mit anderen zu feiern. Das hat aber nichts mit dir zu tun, mein Schatz; Jon und du, ihr müßt natürlich zusammensein.

Und dann fügte er hinzu, weil es ihm plötzlich eingefallen war: Es sei denn, du möchtest die Rikers hierher einladen, Charlotte. Zusammen schaffen wir es bestimmt, einen Puter zu braten.

Damit würdest du sie kränken. Sie sagten, daß sogar meine Großeltern diesmal eigens nach New York kommen, statt daß sich die Familie in Washington bei ihnen versammelt. Auch mein Bruder wird dabeisein.

Den Bruder hatte Schmidt noch gar nicht ins Familienalbum gesteckt, den hatte er glatt vergessen. Das mußte der Knabe sein, der im Wharton das Handtuch geworfen hatte und für eine Handelsgesellschaft arbeitete – auch in Washington.

War der verheiratet? Oder vielleicht schwul? Hatte Mary ihm das nicht erzählt?

Vielleicht müssen wir das nicht heute entscheiden. Wir haben erst die dritte Oktoberwoche. Es ist noch viel Zeit bis Thanksgiving.

Das stimmt, aber bitte, Albert, bitte verdirb uns und dir nicht das Fest.

II

Am folgenden Dienstag rief Jon Rikers Sekretärin bei Schmidt an. Jon habe sie gebeten, Mr. Schmidt etwas auszurichten: Weder er noch Charlotte würden am Wochenende hinauskommen, sie blieben in der Stadt, und Jon lasse fragen, ob seine Eltern Mr. Schmidt zum Thanksgiving-Essen erwarten dürften, um vierzehn Uhr dreißig.

Ich bin im Bilde, erklärte Schmidt und ließ seine Stimme unbeschwert und heiter klingen – beinahe beschwingt, als ob ihm gerade das Schönste auf der Welt widerfahren wäre. Es war ein Ton, den er, bildete er sich jedenfalls ein, zur Perfektion gebracht hatte, als seine Praxis darniederlag, der Ton, den er angeschlagen hatte, um seinen potentiellen Mandanten zu danken, wenn sie anriefen und sagten, Schmidts Präsentation sei hervorragend gewesen, wirklich höchst eindrucksvoll, aber man habe sich entschieden, einem anderen Anwalt das Projekt anzuvertrauen, das Schmidt für Wood & King erhofft hatte.

Sagen Sie, läßt Jon jetzt alle seine Privatanrufe von Ihnen erledigen? fragte er weiter, aber kaum waren die Worte heraus, da schämte er sich schon, weil Rikers Sekretärin eine nette Frau war, die schon länger bei W & K arbeitete als Riker und die genausogut wie Schmidt begriff, daß diese Form der Absage eine Kränkung war. Natürlich konnte sie nicht wissen – so hoffte er –, daß er soeben einen Warnschuß vor den Bug bekommen hatte. Deshalb fügte er noch hinzu: Alles in Ordnung. Sollte nur ein kleiner Scherz sein. Wir Ruheständler tun ja alles, um unseren Lebensabend heiter zu halten.

O, Mr. Schmidt, das müssen Sie uns verzeihen! Sie wissen, wie Jon ist. Er kam heute morgen sehr früh und hinterließ schriftliche Instruktionen für den ganzen Tag, und seitdem ist er in einer Besprechung mit Mandanten, die noch sehr lange dauern wird. Das geht schon die ganze Woche so. Deshalb habe ich mir gedacht, es wäre besser, wenn ich Sie selbst anrufe, statt ihn daran zu erinnern, daß er es erledigt. Es tut ihm bestimmt sehr leid, wenn er erfährt, daß Sie verärgert waren.

Genau das darf er nicht erfahren. Denken Sie daran: Als ehemaliger Sozius und Sekretärin haben wir ein Recht auf Aussageverweigerung! Kein Wort darf über Ihre Lippen. Und würden Sie mich jetzt bitte mit Mr. DeForrest verbinden?

Schmidt hatte sich überlegt, daß er diesen Anruf, der vermutlich ohnehin auf Rechnung von W & K ging – er hätte wetten mögen, daß Riker seine Sekretärin angewiesen hatte, Anrufe und Faxe an diesen ehemaligen Sozius, auch wenn es sich dabei um seinen zukünftigen Schwiegervater handelte, als Geschäftskosten zu verbuchen –, ruhig verlängern könne. Die Rentabilität der Kanzlei war nicht mehr sein Problem.

Der Umgang mit Mr. DeForrest war ein reines Vergnügen, sofern man nicht gerade den Nachweis über den eigenen Nutzen für W & K führen mußte, den der Potentat nach Arbeitsstunden auf Kundenrechnungen maß; dieser Nachweis konnte mißlingen, und dann galt es, die Bedingungen auszuhandeln, unter denen man bereit wäre, die Kanzlei zu verlassen; dabei hörte das Vergnügen auf. Immerhin war eines sofort deutlich: Er hielt noch, wie seinerzeit Mr. Wood und Mr. King, an der Gewohnheit fest, bei Anrufen den Hörer selbst abzunehmen, wenn er nicht gerade einen Besucher hatte oder mit einem Problem beschäftigt war, dessen Komplexität keine Unterbrechung duldete. Diesmal hatte der geniale Kopf offenbar eine Ruhephase, denn das erste Klingeln war noch nicht verstummt, da ertönte im Hörer schon ein vertrauter, vorsichtshalber jovialer Baß und gleich danach: Schmidtie, alter Gauner, laß mich bloß nicht länger zappeln, nicht eine Sekunde. Versprich mir jetzt sofort, daß du Thanksgiving zu uns kommst. Dorothy wird sich schrecklich freuen! Wir haben dich noch nie bewegen können, an dem Tag gemeinsame Sache mit uns zu machen!

Ich rufe an, um zu sagen, daß die Aussichten nicht günstig sind. Jon Riker hat mich zu seinen Eltern eingeladen, und ich weiß nicht, ob ich mich dem gewachsen fühle. Wenn ich statt dessen zu eurer Party gehe, wäre er wirklich vor den Kopf gestoßen.

Aha, Jon hat endlich den Heiratsantrag vom Stapel gelassen!

So ungefähr, aber mach es bitte nicht publik.

Das ist seine Sache. Können Dorothy und ich nicht ältere Rechte geltend machen? Vielleicht können wir ihn und Charlotte dazubitten, aus besonderem Anlaß? Weißt du, eigentlich versuche ich, diese Geselligkeiten auf die Geschäftsleitung und einige wenige Senioren zu beschränken. Das mit der Einladung möchte ich mir noch mal überlegen, vielleicht mit Harry besprechen.

Laß es. Jon würde sich bestimmt sehr geehrt fühlen, aber dies ist nicht der richtige Augenblick. Mir wäre es lieber, wenn du und Dorothy mich ein andermal einladet.

Schmidtie, du brauchst doch nicht auf eine Einladung zu warten. Pack einfach Zahnbürste und Pyjama ein und bleib über Nacht, wann immer du willst. Hast du noch eine Minute Zeit?

Ohne die Antwort abzuwarten, redete die Stimme weiter und wurde immer freundlicher im Ton. Jon hat dir wohl schon erzählt, daß die Geschäftsleitung sich den Pensionsplan angesehen hat? Hier herrscht allgemein, nicht nur bei den jungen Sozii, die Neigung, etwas zu unternehmen, damit eine faire Verteilung der Lasten gesichert ist. Wir haben einen Ausschuß zur Untersuchung des Problems eingesetzt, und dieser hat einen Fachmann beauftragt, die Sache versicherungsmathematisch durchzuprüfen und uns auf dem laufenden zu halten, was die großen Firmen machen. Die Planung ist noch nicht ausgereift, verstehst du, wir haben noch nicht entschieden, was wir der Kanzlei empfehlen werden, aber im ersten Schritt möchten wir alle Sozii im Ruhestand bitten, mitzuziehen.

Was mitzuziehen?

Den ganzen Umwandlungsprozeß und die Grundeinstellung – daß nichts gegen Veränderungen einzuwenden ist, die wir eventuell unternehmen möchten, um mehr Fairneß zu schaffen.

Das solltest du mir lieber schreiben, Jack. Ich kann eigentlich nicht über Veränderungen diskutieren, solange ich nicht weiß, wie sie aussehen. Und was das mit mir zu tun haben soll, verstehe ich sowieso nicht. Meine Angelegenheit ist durch einen Vertrag mit der Kanzlei geregelt, und den habe ich mit dir ausgehandelt.

Trotzdem fällt er unter den Pensionsplan, Schmidtie. Das weißt du auch. In dem Plan gibt es Klauseln, die der Kanzlei gestatten, nach eigenem Ermessen Veränderungen vorzunehmen, aber wir wollen nicht, daß es darüber zu Verstimmungen kommt. Deshalb bitten wir euch, mitzumachen. Ich muß schon sagen, ich bin doch etwas überrascht, daß ausgerechnet du dich darüber aufregst. Du hast eine ganze Menge auf die hohe Kante legen können, du hast keine nennenswerten Ausgaben, und du brauchst kein Kapital.

Noch habe ich mich nicht aufgeregt, und vielleicht bleibt es auch dabei, wenn ich deinen Vorschlag gelesen habe. Wie gesagt, ich verstehe nicht, was er mich angehen kann oder soll.

Na gut. Ich hoffe nur, du versaust dir nicht den Draht zur Kanzlei. Du bist hier gut gefahren, und die Leute schätzen dich. Mach das nicht kaputt. Möchtest du noch mit jemandem verbunden werden? Die Einladung zu Thanksgiving gilt immer noch; möchtest du dir's noch mal überlegen?

Nein auf beide Fragen, aber noch mal danke für die Einladung!

Wie allgemeingültig die Mahnung zur Vorsicht doch war, schon eindrucksvoll. Schmidt ging in die Küche, goß sich ein großes Glas Bourbon ein und setzte sich damit an den Küchentisch. Der Regen, der am Morgen als unentschlossenes Nieseln begonnen hatte, war inzwischen zum Wolkenbruch gediehen. Er schlug gegen die Fensterläden. Schmidt besaß weder Hund noch Katze, brauchte sich also keine Sorgen um ein Haustier im Unwetter zu machen. Das Dach am Altbau war am Ende des Sommers noch einmal überholt worden. Das technisch bessere Dach des Badehauses hatte noch Garantie. Soviel er wußte, gab es nirgendwo Löcher, im Keller bestimmt nicht, auch in der Garage nicht, wo der Toyota, den Schmidt für Mary gekauft, und der VW Golf, den er Charlotte geschenkt hatte, friedlich neben seinem Saab schlummerten. Nein, absolut kein Grund zur Beunruhigung. Im Gegenteil, dieser Regenguß kam zur rechten Zeit, er bot den Bäumen, Büschen und den mehrjährigen Stauden eine Chance, sich vor dem ersten Bodenfrost noch einmal vollzusaugen. Und doch stand alles ganz schlecht.

Schmidt wußte: Peinliche Konfrontationen, Verhandlungen, in denen man dem Gegner erst mit der Peitsche und dann mit Zuckerbrot winken mußte; Hinterhalte, denen man nur durch ein Wunder entrinnen konnte; Dra-

oder Drohungen zum Annehmen eines Vertrages zu bringen: es hatte genügt, daß er immer offenkundig und über allen Zweifel erhaben im Recht war. So kam es, daß er den bewegendsten Augenblick seiner Karriere erlebte, als ihm die Rechtsabteilung der Versicherungsgesellschaft, die seine Mandantin war, bei einem Festessen im Club 21 anläßlich einer erfolgreich beendeten Transaktion zum Dank eine Plakette überreichte: Sie zeigte einen Ritter in voller Rüstung, darüber stand sein Name und darunter der Wahlspruch: »Dieu et mon droit«. In Anerkennung der Überzeugungskraft von Schmidties Gerechtigkeitssinn, kommentierte der Hauptanwalt und fügte lachend hinzu: und seiner überwältigenden Rechtschaffenheit.

Nein, er durfte nicht mit Riker streiten. Nichts brauchte er dringender als den Frieden mit seiner Tochter, ein stillschweigendes Einverständnis mit ihr, einen Zustand wie die seltenen Augenblicke der gelösten Selbstvergessenheit, wenn die gegen die Atlantikküste rollende Brandung sich soweit besänftigt, daß nur ein leichtes glitzerndes Kräuseln auf der Wasseroberfläche bleibt und man sich auf dem Rücken treiben lassen und mit offenen Augen in den Septemberhimmel schauen kann. Statt dessen war er grob mit dem Jungen umgesprungen, Charlotte empfand es bestimmt so, und das ausgerechnet an dem Tag, an dem sie ihm mitgeteilt hatte, daß die beiden heiraten wollten! Daß der vulgäre junge Mensch ihn provoziert hatte, tat nichts zur Sache. Die Beherrschung zu verlieren, das empfand er als eine Niederlage, die er sich nicht vergeben und vergessen konnte. Wenn er – aus Gründen, die nicht zu erörtern waren, ohne als verschärfende Umstände zu wirken – Riker nicht weiter so behandeln konnte wie früher im Büro, und nicht nur dort, sondern auch unter seinem Dach, beim Frühstück, beim Abendessen all die Jahre, als der junge Mann schließlich längst mit Charlotte schlief;

wenn er nicht mehr wahrhaben wollte, daß Mary und er das unter konventionellen Gesichtspunkten wünschenswerte Ergebnis schon erwartet und akzeptiert hatten; wenn er sich so benahm, dann würde er Charlotte zwingen, für Riker und gegen ihn Partei zu ergreifen und sich – mit Recht – zu verhalten, als habe die Beleidigung ihr gegolten. Mary hätte den Ausweg aus dieser verfahrenen Situation gefunden, genau wie sie hoffnungslos verwikkelte Drachenschnüre entwirren und alle Probleme zwischen ihm und Charlotte in Ordnung bringen konnte, indem sie mal mit dem einen, mal mit der anderen sprach, nicht weitersagte, was ihr anvertraut wurde, und beiden so lange gut zuredete, bis nach Stunden oder nach vielen Tagen endlich einer von beiden Streithähnen die naheliegenden nötigen Worte herausbrachte, die nichts zu bedeuten hatten, aber die Sonne wieder scheinen ließen.

Und ein Streit mit DeForrest und dem Ausschuß über den Pensionsplan? Er konnte sich vorstellen, wie Riker Charlotte die Zweischneidigkeit des Arguments deutlich machte. Charlotte zweifelte nicht daran, daß er mehr als genug Geld hatte. Wie hätte es auch anders sein können? Über Geld hatten Mary und er in Charlottes Gegenwart nie gesprochen – auch wenn sie allein waren, wurde dieses Thema kaum berührt. Solange er bei seinen Eltern wohnte, hatte das ständige hemmungslose Gezeter seiner Mutter über Geld die Geräuschkulisse des Familienalltags gebildet; daran wollte er in dem Leben, das er sich selbst eingerichtet hatte, nicht erinnert werden. Selbstverständlich hatte er Charlotte ab und an darauf aufmerksam gemacht, daß er kein reicher Mann sei, aber diese Mahnung hatte, wie er selbst wußte, ungefähr so überzeugend geklungen wie seine zum Ritus gewordene Aufforderung, sie solle am östlichen Ende der Long-Island-Schnellstraße ja nicht zu schnell fahren, da sie bestimmt erwischt würde. Wenn man bedachte, wie Mary und er gelebt hatten, sorglos und in materieller Unabhängigkeit, ohne sich Gedanken zu machen, wie das Wohlleben finanziert wurde, so als ob es keine Rechnungen auf der Welt gäbe, dann war es nicht weiter verwunderlich, daß Charlotte ihn für einen reichen Mann hielt – wie hätte sie sich dem Schluß entziehen können? – und seine Gegenerklärung, er sei nicht einmal annähernd reich, nur seiner Gewohnheit, sich ständig selbst herabzusetzen, zuschrieb. Was würde sie von ihrem Vater denken, wenn sie erfuhr, daß er sich mit aller Kraft – und mit hoher Wahrscheinlichkeit vollkommen vergeblich – gegen die klugen Maßnahmen sträubte, die die Sozietät anstrebte, Maßnahmen, die mit Hilfe von Fachleuten ersonnen worden waren, um sicherzustellen, daß Pensionäre nicht zum Mühlstein am kollektiven Hals der jungen Sozii wurden?

Er sah auf die Küchenuhr. Charlotte hatte das Büro längst verlassen, war danach vermutlich zu ihrem Tanzunterricht gegangen und saß inzwischen zu Hause, die Mikrowelle in Bereitschaft, und wartete, daß die letzte Sitzung des schwer arbeitenden Riker zum Ende kam. Was stellten sie in die Mikrowelle? Kleine Steaks bestimmt nicht; gegrillter Thunfisch mußte es sein – natürlich, Sushi, aber gekocht! Instant-Tortellini! Und dafür hatte die arme Mary so streng alles Fast food aus ihrem Haushalt verbannt, die TV-Dinners, das tiefgekühlte Kalbfleisch mit Parmesan und Kartoffelkroketten, den Pizzadienst, die rhombenförmigen Pappschachteln mit Hühnchen und Wasserkastanien vom Chinesen an der Third Avenue. Nein, Leinenservietten hatten es sein müssen, ein Tisch, gedeckt wie für einen wählerischen Erwachsenen, auch wenn Charlotte ganz allein daran aß, was oft vorkam, weil er, Schmidt, viele Jahre lang bis spät abends arbeitete und Mary Buchpräsentationen hatte, bei denen sie nicht fehlen konnte – und zum Dank für die ganze Mühe war Charlotte zu einem kraftsportgestählten, gewichthebenden Yuppie erblüht! Ihre Tochter im Lycra-Trikot, die Heimkehr des Bankrott-mejwen erwartend. Und der – vermutlich gewohnt, in Hemdsärmeln zu essen, die Brusttasche gespickt mit Kugelschreibern und Bleistiften, womöglich ungebadet und unrasiert!

Ganz ruhig bleiben, Schmidtie. So erreicht man keinen häuslichen Frieden!

Mit ziemlicher Sicherheit konnte er sie in Jon Rikers Apartment erreichen, bevor er nach Hause kam; vielleicht war das besser, als sie im Büro anzurufen. Da würde sie ihn vielleicht in die Warteschleife schalten und sich dringenderen Geschäften widmen! Andererseits machte er sich klar, daß er seinen Spruch: die Einladung von Jons Eltern, ihren Puter zu essen – Untertitel: sie und ihre Verwandten kennenzulernen –, nehme er mit Freuden an, schließlich jederzeit sagen konnte, je eher, desto besser, und sinnvollerweise dann, wenn Riker zu Hause war, vorausgesetzt er verschluckte die bitteren Witzeleien, die ihm bei der Annahme der Einladung auf der Zunge lagen. Ja, auch wenn Charlotte bei seinem Anruf allein war, mußte er sich vor Ironie hüten. Dann fiel ihm die nächstliegende, die symmetrische Lösung ein: Er konnte Jons Sekretärin bitten, Jon seine Zusage auszurichten, dann brauchte er mit keinem der beiden zu sprechen!

Er wählte die Nummer der Sekretärin, erreichte nur ihren Anrufbeantworter, unterdrückte mühsam das Kichern, sagte: Bitte teilen Sie Mr. Riker mit, daß Mr. Schmidt die Einladung zum Essen an Thanksgiving gern annimmt, die Mr. Rikers Eltern freundlicherweise ausgesprochen haben.

Das war nun entschieden; er sah ein, daß jetzt kein

Weg mehr an dem Thanksgiving-Schlamassel vorbeiführte; ihm blieb allenfalls noch die Zuflucht zu einer gut inszenierten Angina oder Bronchitis im letzten Moment. Eine traurige Lösung, aber ganz von der Hand zu weisen war sie nicht. Inzwischen würde er Charlotte im Büro anrufen und zum Mittagessen einladen, sobald sie Zeit hätte. Er mußte unbedingt mit ihr sprechen, bevor er sich Jon Riker, den Eltern Riker und den Riker-Verwandten und -Freunden aussetzte. Sprechen worüber? Das würde ihm schon noch einfallen, dafür war noch Zeit genug, und warum sollte er nicht mit seiner Tochter essen gehen, auch wenn er nichts Dringendes oder Neues zu sagen hatte? Vielleicht ließ er sich erzählen, wie sie so lebte; sie müßte ihm viel zu erzählen haben. Schmidt fand, daß er sich so intelligent verhielt, als ob er Marys Rat gesucht und befolgt hätte.

Schmidt haßte Reste und vollgestopfte Kühlschränke. Er kaufte für jede Mahlzeit einzeln ein und ergänzte seine Vorräte alle zwei Wochen durch einen Großeinkauf im dörflichen Co-op. Das schlechte Wetter und seine lastende Schwermut hatten ihn den ganzen Tag im Haus festgehalten. Das einzige Geschäft, in dem er jetzt vielleicht noch etwas bekam, war der Feinkostladen mit dem irreführenden russischen Namen, der Aufschnitt und schamlos überteuerte Lebensmittel verkaufte. Aufschnitt lockte ihn nicht. Er konnte Sardinen, hartgekochte Eier und das Brot essen, das schon im Haus und bezahlt war, und die Mahlzeit mit Bourbon oder mit dem Côtes du Rhône hinunterspülen, den er am Abend zuvor, als er aufgewärmte Hamburger verspeiste, nicht ausgetrunken hatte. Schmidts Widerwillen gegen Reste erstreckte sich nicht auf angebrochene Weinflaschen, vorausgesetzt, der Wein hatte nicht länger als zwei Tage gestanden und wurde bei warmem Wetter im Kühlschrank aufbewahrt. Sardinen, hartgekochte Eier und Brot hatte er schon mittags gegessen, aber fehlende Abwechslung war kein Hindernis; zum Frühstück aß er schließlich auch jeden Tag das gleiche, und Sardinen und Eier schmeckten ihm. Die Alternative war, zum Essen auszugehen, nicht zu einem Freund, denn kein Freund hatte ihn eingeladen, sondern in ein Restaurant. Er holte sich Eiswürfel, die Whiskeyflasche und ein Glas und trug alles ins Wohnzimmer. Das Feuer im Kamin war vorbereitet. Das hatte er morgens erledigt, nachdem er den Frühstückstisch abgeräumt und sein Bett gemacht hatte. Es brannte mit dem ersten Streichholz. Er schenkte sich Whiskey ein und ließ sich auf dem Sofa mit Blick auf den Kamin nieder.

Plötzlich überkam ihn der sehnliche Wunsch, auszugehen und mit jemandem zu reden, auch wenn es nur die Kellnerin war, den Klang seiner eigenen Worte zu hören. Vielleicht schlief er danach besser. Es ging nicht darum, ein warmes Essen zu bekommen; das konnte er sich verschaffen, wenn er Rührei statt hartgekochter Eier machte. Die Kosten sollten ihn auch nicht abschrecken, obwohl die Preise der Restaurants am Ort, gemessen an der Qualität des Essens und der Bedienung, unglaublich hoch waren. Seit seiner Meditation im Keller hatte er noch weiter herumgerechnet: Einen Antrag auf Essensmarken würde er nicht stellen und auch nicht wie ein Eremit leben müssen, wenn er ein bescheidenes, nicht zu teures Haus kaufte. Von dem, was er dann jährlich an laufenden Kosten einsparen würde, könnte er schon viele Mahlzeiten im Restaurant bezahlen. Aber wenn er zum Essen zu O'Henry's ginge – und das würde er, weil er sich gern mit Carrie unterhielt, der Kellnerin dort, deren Namen er kürzlich erfahren hatte –, dann mußte er damit rechnen, auf dem Weg zu seinem Tisch von den Unheilsschwestern gemustert zu werden. So hießen die drei

Autorenwitwen, die sehr häufig dort zu Mittag und zu Abend aßen – oder täglich sogar, darauf hätte er wetten mögen, es sei denn, eine von ihnen oder eine aus dem größeren Kreis ähnlich gut gestellter Hexen gab zu Hause eine Einladung. Er kannte sie schon seit Jahren und hatte sie immer im Vorbeigehen mit einem Lächeln und einem Winken gegrüßt. Mary war gelegentlich stehengeblieben und hatte ein paar Worte mit ihnen gewechselt – sie gehörten zu ihrer Welt –, und er hatte in respektvollem Abstand gewartet. Er hatte begriffen, daß er Luft für sie war, er, ein Rechtsanwalt, ein verheirateter Mann, Gatte einer Lektorin, die nicht die Ehre gehabt hatte, die Werke der verblichenen Ehemänner zu publizieren. Seine neue Persönlichkeit schien eine alarmierende Undurchsichtigkeit angenommen zu haben; wenn er noch ein paarmal lächelnd an ihnen vorüberging, konnte es damit enden, daß eine heisere Aufforderung, sich zu ihnen zu setzen, ihn traf. Konnte er das ablehnen, ohne die Damen zu beleidigen? Einmal mochte er davonkommen, aber die Höflichkeit gebot, daß er bei der nächsten Gelegenheit dann von sich aus fragen mußte, ob er sich zu ihnen setzen dürfe, wenn sie nicht offensichtlich schon im Aufbruch waren. Falls die Tatsache, daß er Anwalt gewesen war, nicht eine unüberwindbare gesellschaftliche Barriere darstellte, würde seine Präsenz kein Präzedenzfall sein. Beim Mittagessen sah man ab und zu Männer am Hexentisch. Zwei davon kannte Schmidt sogar. Beide waren ortsansässige Autoren, lang, dürr und zitterig; arbeiten konnten sie eigentlich nur früh morgens oder spätabends, entweder vor dem mittäglichen Martini-Konsum oder lange, nachdem sie sich durch Schlaf davon erholt hatten. Schmidt wußte nicht recht, ob er ausgerechnet in diesem Serail gedeihen würde. Es war denkbar, daß eine kostenlose Rechtsberatung gebraucht wurde – wie man die Anzahlung für die Reise nach Sri Lanka wiederbekommen könne, die unmittelbar vor den jüngsten Tamilenaufständen gebucht und erst zwei Tage vor dem Abreisetermin annulliert worden war; oder vor welchem Gericht man Klage führen könne, um zu verhindern, daß in der Ukraine eine Biographie des verstorbenen Ehemanns erschien, die auf seine Vorliebe für kleine Jungen anspielte –, aber falls sie nicht seine Dienste in Anspruch nehmen wollten, dann mußte er fürchten, die Hexen und noch mehr ihre Männerfreunde würden ihn dermaßen von oben herab behandeln, daß er nur Reue über seinen angeblichen Reichtum, den flachen Bauch und seine fortdauernde Unfähigkeit, der undankbaren Muse zu dienen, empfinden würde. Dazu kamen andere Nachteile. Wollte er zum Beispiel, daß der übermäßig beflissene Eigentümer, der seinen Gästen Plätze anwies, wenn er nicht gerade damit beschäftigt war, sich an der Bar einen Schluck hinter die Binde zu gießen oder einen hochwichtigen Paß auf dem Bildschirm zu verfolgen, ihn automatisch zum Tisch der Witwen führte? War er bereit, die Rechenaufgaben zu übernehmen, wenn es an der Zeit war, nach dem rauschenden Gelage die Zeche und das magere Trinkgeld aufzuteilen und herauszufinden, wer was und wieviel getrunken hatte? Auf diesen Fall paßte die Regel von Groucho Marx: Wenn der Club ihn als Mitglied aufnehmen wollte, würde er nicht beitreten. »Die Leute« würden vielleicht meinen, er sei nun ein hoffnungsloser Fall, reif für die Anonymen Alkoholiker und die Sozialarbeiter. Aber war es wahrscheinlich, daß bei O'Henry's – außer der Kellnerin Carrie und Mr. Whittemore, dem Kaufmann mit dem Laden auf der anderen Straßenseite, bei dem er seine Spirituosen in einem von gegenseitiger Hochachtung geprägten Verhandlungsklima kaufte – Leute auftauchten, deren Meinung ihn auch nur im geringsten kümmerte?

Niemand fiel ihm ein. Marthas Freundinnen, die Mary und ihn mit der Güte alter Damen in ihren Kreis einbezogen hatten, waren gestorben oder in Pflegeheimen untergebracht oder in weit entfernte Ruhestandsquartiere gezogen. Im Prinzip konnte freilich jeder Hausbesitzer aus der Nachbarschaft, sogar jeder zufällige Besucher, der in der Lage war, die drei Unheilsschwestern und ihren Anhang zu identifizieren, zu O'Henry's gehen, um Hamburger mit Chili zu essen – sie waren gut dort –, oder, beliebter Zeitvertreib der ortsansässigen Spießer und der Sommergäste, einen Blick auf die dort heimischen Literaten zu werfen. Aber Schmidt hielt keinen Kontakt mehr zu den Spießern seiner Klasse, die Häuser in der Umgebung besaßen. Damit war es vorbei, als der Tennisclub sich weigerte, den jüdischen Hals-Nasen-Ohren-Arzt aufzunehmen, der ein großes Haus gegenüber dem Clubeingang gekauft hatte – zu überhöhtem Preis und eigens, um in der Nähe der Tennisplätze zu sein, auf denen er zu spielen hoffte. Mary war im Zulassungsausschuß und trat aus dem Club aus, zugleich im Namen der ganzen Familie, als die fatalen schwarzen Kugeln in die Wahlurne geworfen waren. Schmidt hatte sich nicht beklagt, nicht einmal darüber, daß sie ihn nicht vorher gefragt hatte. Später stand Tennis nicht mehr zur Diskussion, weil Mary das Spielen aufgeben mußte, nur vorübergehend, hatten sie zuerst geglaubt, nach dem falschen Alarm wegen ihrer Angina, der besonders bedrohlich geklungen hatte, weil Herzkrankheiten in ihrer Familie lagen. Schmidt hatte nicht spielen wollen, wenn das bedeutete, sie im Stich zu lassen; sie spielte leidenschaftlich gern Tennis. Schmidt und Mary setzten ihr geselliges Leben mit Marys Freunden fort: mit anderen Lektoren, mit Autoren aller Arten, Literaturagenten und deren Anhang, von denen viele in der Nähe wohnten. Alles in allem waren sie interessanter als die Spießer, und oft spielten sie gut Tennis. Manche waren reich und standen außerdem im Licht der Öffentlichkeit und konnten Tennispartien auf ihren Privatplätzen organisieren. Als das Gespräch darauf kam, weil eine Klatschspalte ein Mittagessen auf einer Terrasse mit Blick auf die Küste erwähnt hatte, stellte Schmidt fest, offen gesagt mit einer gewissen Befriedigung, daß seine Kollegen ihn um den schicken Bekanntenkreis beneideten. Dem Diktat ungeschriebener Gesetze gehorchend, wohnten sie alle nicht im Waldgebiet in der Umgebung, sondern hatten sich näher an der Stadt angesiedelt, hauptsächlich in Westhampton. Vor kurzem hatte Schmidt sich überlegt, daß seine gesellschaftliche Situation sich gewandelt habe: Nun konnte er eigentlich wieder in den Tennisclub eintreten. Aber Charlottes Heiratspläne waren ein Hemmschuh für diesen Plan; er hatte nicht die Absicht, Rikers Trojanisches Pferd zu werden.

Schmidt war überzeugt, daß er in dem angenehmen Kreis, in dem Mary und er verkehrt hatten, keine eigenen Freunde besaß. Für Marys Freunde und Kollegen war er meist nur der Ehemann der Gastgeberin gewesen, und in dieser Funktion war er auch von ihnen eingeladen worden. Sie waren beliebte Gastgeber gewesen: dabei hatte es nicht geschadet, daß ihre Parties in einem besonders schönen alten Haus stattfanden und daß die Speisen und Getränke, die sie anboten, deutlich über dem Niveau dessen lagen, was bei Empfängen anläßlich von Buchpräsentationen zu erwarten war. Aber er merkte, daß die Gäste Marys wegen kamen und Gegeneinladungen aussprachen: Sie war eine einflußreiche Lektorin, und sie war sehr beliebt. Ihre eigenen Autoren waren natürlich anhängliche zuverlässige Gäste; das galt auch für viele andere, die hofften, in ihrem Verlag publiziert zu werden.

Die Einladungen zu großen Parties trafen im Sommer nach Marys Tod weiterhin ein. Meistens sagte Schmidt ab oder entschloß sich in letzter Minute, zu Hause zu bleiben, obwohl er zunächst eine Zusage gegeben hatte. Er hatte keine Lust, mit dem Glas in der Hand auf diesen weiten Rasenflächen unter gut geschnittenen Bäumen herumzustehen, am Rand der Menge, als sei der Partylärm eine Zentrifugalkraft, die ihn nach außen geschleudert habe, zu traurig oder zu schüchtern, um sich zur Gastgeberin durchzudrängeln oder in Unterhaltungen einzumischen – kein Grüppchen öffnete sich von allein, um Schmidt aufzunehmen; kein Journalist eilte herbei, um ihn zu begrüßen –, die nichts mit seinem Kummer zu tun hatten. Außerdem war er sich dessen sicher, daß alle seine Bemühungen, einen Beitrag zur Konversation zu leisten, nur damit enden würden, daß er fürchtete, Mary nicht genügt zu haben. Zu einer kleinen Einladung zum Essen an einem Wochentag oder am Sonntagabend, so wie Mary und er sie gewohnt waren, wäre er wohl ganz gern gegangen; aber bis auf wenige Ausnahmen, die er sich im nachhinein mit der Anwesenheit einer Dame ohne Begleitung am Tisch erklären konnte, klingelte sein Telefon nicht mehr. Er wurde nicht eingeladen. Vielleicht lag das daran, daß man ihn auf größeren Parties nicht gesehen hatte; vielleicht meinten die Leute, er habe sich entschlossen zu reisen. Daß die Einladungen zu den Massenveranstaltungen weiterhin eintrafen, stand nicht im Widerspruch zu seiner Hypothese. Sein Name war einfach auf der Einladungsliste der Standard-Sommerparty von Familie X oder Y, und die Adressen auf den Einladungsbriefen waren – ganz typisch – von der Sekretärin eines Familienmitgliedes geschrieben. Mehr steckte nicht dahinter. Als er einmal der Einladung zu einer Buchpräsentation gefolgt war, hatte die Gastgeberin, eine Literaturagentin, die etliche von Marys Autoren vertrat, erst Schmidt ihr Beileid ausgesprochen, dann die übliche hassenswerte Entschuldigung, daß sie ihm nicht geschrieben habe, vorgebracht und im Anschluß daran eine Bemerkung gemacht, die ihn kränkte und ihn verfolgte.

Sie müssen ganz heiße Ware auf dem Markt sein! Frisch verwitwet, wieder zu haben, und im Besitz eines eigenen Hauses in den Hamptons! Nur ein einziges Kind, ein erwachsenes noch dazu! Die Frauen haben bestimmt schon Zelte in Ihrer Einfahrt aufgeschlagen!

Ich bin zu alt, hatte er erwidert, aber den Einwand tat die Gastgeberin ab; das sei Unsinn, er solle nur an Ed Tiger und Jack Bernstein denken, beide älter als er und beide gerade Vater geworden. Wenn Sie sich in eine jüngere Frau verlieben, ist alles möglich!

Möglich vielleicht, aber dazu war Schmidt nicht bereit, auf eine jüngere Frau wollte er sich schon gar nicht einlassen, die eigene Kinder großzuziehen hatte oder am Ende gar nicht gegen ihre biologische, sondern mit seiner chronologischen Uhr gewinnen wollte. So nannte man das wohl, wenn er sich recht erinnerte. Und ihm kam es sehr unwahrscheinlich vor, daß er je in Versuchung geriete; sie lockten ihn alle nicht, weder die weiblichen Gäste des Hauses, denen er seine Einladung zu solchen Essen verdankte, noch diese muntere Literaturdame, noch die anderen Frauen in seiner Bekanntschaft, wenn man einmal annahm, daß sie, trotz Ehe oder *en ménage*, tatsächlich Kandidatinnen für sein Bett und vielleicht seine Hand waren, bloß weil er theoretisch zu haben war und noch nicht von der Fürsorge lebte. Die Zeit hatte diesen Frauen nicht besonders übel mitgespielt. Schmidt hatte eher den Eindruck, daß hier ein Altersgebrechen vorlag, das seine Zeitgenossinnen ganz generell befiel: sie verloren ihre Attraktivität ebenso wie ihre Haare; alles veränderte sich zum Schlechteren: das Weiß ihrer Augen und Zähne verfärbte sich gelblich, der Atem roch säuerlich, die Brüste wurden schlaff oder übergroß, die Taille schwammig, der Bauch aufgebläht, braune Flecken und Besenreiser aus winzigen schadhaften Venen breiteten sich in der Knie- und Wadengegend aus, scheußlich geschwollene, fast schon deformierte Zehen wurden in Sandalen zur Schau gestellt oder in schwarze Pumps eingezwängt. Spaßeshalber hatte er Mary immer erzählt, was er eigentlich für wahr hielt: daß sein Libidoverlust, der sich nicht auf sein Liebesleben mit ihr auswirkte (und das blieb noch lange so; erst ganz am Ende war das Mitleiden mit ihrem Körper stärker als Begehren und Gewohnheit), weniger auf sein eigenes Älterwerden als auf das Altern der Frauen rings um ihn zurückzuführen sei.

Wie konnte man es über sich bringen, fragte er dann, sich auf die eine oder andere Dame aus dem Bekanntenkreis beziehend, wie konnte man sich wünschen, mit ihr ins Bett zu gehen, zum ersten Mal vielleicht gar? Kannst du dir vorstellen, wie man an Häkchen und Knöpfen fummelt und dabei ständig fürchten muß, daß einen das Entsetzen packt, wenn man sieht, was unter ihren Kleidern ist; wie sich die Finger nicht weiter wagen wollen, aus lauter Angst, daß sie Unangenehmes spüren, sobald sie zum Schoß vorgedrungen sind?

Schmidt hätte sofort zugegeben, daß mit seinem eigenen Gesicht, Mund, Rumpf und Gliedern auch nicht viel Staat zu machen war. Als junger Mann hatte er in jeden Spiegel gespäht; wenigstens diese eine schlechte Gewohnheit hatte er inzwischen abgelegt. Das hatte offenbar zur Folge, daß er am Ende des Tages häufig nicht mehr wußte, ob er sich eigentlich rasiert hatte, und dann die Hand ans Kinn führte und nach Stoppeln fahndete. Er meinte, als Frau würde er einen Körper wie den seinen nicht neben sich im Bett haben wollen. Wenn nicht alle Frauen unweigerlich so reagierten, dann mußte die Natur sie irgendwie gegen Häßlichkeit gefeit haben – eine Gabe, die so beneidenswert war wie das Talent, freundliches Entgegenkommen für Begehren auszugeben. Warum hatte die Natur den Männern das Leben nicht genauso leichtgemacht?

Belebt durch diese Gedanken, putzte Schmidt sich die Zähne, steckte Geld und Kreditkarte in die Hosentasche und machte sich auf den Weg zu O'Henry's. Unter solchen Umständen, das wußte er, bewegte er sich wie ein Puma. Er zog sich die tropfende Öljacke schon an der Tür aus, hielt sie mit der rechten Hand hoch und ging mit abgewandtem Gesicht an der Schranke zum Restaurant vorbei. Dann streckte er sofort den Arm nach dem Garderobenständer aus, mit einer geschmeidigen, unerträglich langen Bewegung, die er beibehielt, bis er die Bühne überquert hatte und am anderen Ende des Raumes außerhalb der Gefahrenzone war. Dort nahm Carrie, die sich auf die Zehenspitzen stellen mußte, ihm seine Last ab. Schmidt hätte am liebsten einen schweren, nach feuchter Wolle riechenden venezianischen Umhang als Mantel gehabt, er hätte sich ganz hineingehüllt und einen Zipfel vors Gesicht gehoben, bis nur noch ein Sehschlitz freiblieb, durch den seine Augen die ihren suchen und festhalten konnten. Sie führte ihn zu einem Tisch. Die Sicht auf die Unheilsschwestern und die kleine Rauchwolke, die über ihnen hing, war durch nichts verdeckt. Aber die ungestörte Heiterkeit ihres Gelages war ein beruhigendes Indiz für Schmidt: Sie hatten seine Tarnung nicht durchschaut.

Als Carrie ihm das Kotelett, seinen Hauptgang, servierte, war die Bar von einer dichten, sehr lautstarken Menge umlagert, aber im Restaurant herrschte schläfrige, lässige spätabendliche Ruhe. Die beiden orientalischen Aushilfen deckten die Tische mit Papiertüchern und Papierservietten für das Mittagessen am nächsten Tag. Carrie blieb an Schmidts Tisch stehen, die Hand auf die Lehne des leeren Stuhls gestützt. Wie immer, wenn sie ihn bediente, betrachtete er sie aufmerksam: eine Haut, die in diesem Licht fast grün wirkte, schwarzes, sehr krauses Haar, das sie zu einem langen festen Pferdeschwanz geflochten hatte, große dunkle Augen, darunter Ringe, die tiefer wurden, wenn sie müde war, und eines Tages, falls ihre Züge so klar blieben, wie sie jetzt waren, ihre Ähnlichkeit mit Picassos *Büglerin* vollkommen machen würden. Sie ist jünger als Charlotte, dachte er, höchstens Zwanzig, und doch so müde. Sie hatte etwas Lateinamerikanisches. Konnte auch Negerblut dabei sein. Ihre Stimme verriet Schmidt nichts über ihre Herkunft: rauh, wie überstrapaziert von zu lautem Weinen, auch ganz flach, weder geschult noch vulgär. Die Kellnerinnen bei O'Henry's trugen schwarze lange Hosen unter ihren langen weißen Schürzen. Wie wohl ihre Beine aussahen?

Sie haben einen langen Tag hinter sich, sagte er zu ihr.

O ja. Sie warf den Kopf hin und her, wie um den Schlaf abzuschütteln. Massenweise Leute mittags an so einem lausigen Tag, und abends wieder Massen.

Ihr Hals war auch ganz wunderbar, wie der Hals eines müden Schwanes.

Können Sie sich zwischen den beiden Mahlzeiten irgendwo ausruhen?

Er stellte sich vor, wie sie auf dem Fahrersitz in ihrem Auto schlafend lag, den langen Hals zurückgeworfen, den Mund offen. Schweißtröpfchen auf der Oberlippe.

Wenn ich nicht einkaufen muß, fahre ich manchmal nach Hause. Ich wohne in Sag Harbor.

In Sag Harbor gab es Häuser, die Motorboote mit abblätternder Farbe auf Anhängern neben sich stehen hatten; dort hingen die elektrischen Weihnachtsmänner schon lange vor dem Fest und blinkten bis zum Frühjahr vor sich hin. Vermutlich konnte man dort auch Einzelzimmer mieten. Aber vielleicht war sie ja die Tochter von jemandem, oder sie wohnte mit einem Ehemann von gelbbrauner Mischfarbe dort, der Gasflaschen auslieferte. Oder vielleicht lebte er von seiner Hände Arbeit und reparierte Bewässerungsanlagen in Gärten? Nein, dann würde sie in Hampton Bays wohnen. Das war eine Ortschaft, die er vom Vorbeifahren kannte; sie lag an der Fernstraße, und er stellte sich vor, daß die örtlichen Handwerker dort wohnten. Er hatte nie in diesem Ort angehalten.

Das ist sehr praktisch – und hübsch!

Mir gefällt's. Meine Freundin hat mir bei der Wohnungssuche geholfen.

Also war sie ungebunden und lebte nicht bei ihren Eltern. Hätte Charlotte gesagt: Meine Freundin? Möglich war es; er besann sich darauf, daß er in seinem Büro junge Anwältinnen hatte sagen hören: In den Ferien will ich mit meiner Freundin in Bhutan wandern. Also war die Verwendung dieses Wortes weit verbreitet.

Und ich habe früher in New York gewohnt. Jetzt lebe ich hier.

Das weiß ich. Sie lachte. Sie sind populär in Bridgehampton. Hier kennt Sie jeder, nehme ich mal an.

Ach so.

Genauso hatte er sich das immer vorgestellt: Der Verein der lokalen Beutelabschneider, und alle gaben gewaltig damit an, wie sie ihn schröpften! Daß man Rechnungen pünktlich zahlte, garantierte in Bridgehampton noch lange keine gute Versorgung mit Dienstleistungen, und

Popularität gewann man damit allein erst recht nicht. Schmidt, der Sieger im Wettbewerb der achtbaren Sommergäste um die größten Ausgaben! Fast hätte er sie gebeten, den Jungs auszurichten, nun sei Schluß mit der Party; solange sie gedauert habe, sei sie ganz nett gewesen, und er freue sich, daß sie sich gut amüsiert hätten.

Was ist denn? Habe ich was Falsches gesagt?

Ein großer Mann stellte das Wedeln mit seiner Kreditkarte ein. Nun schnipste er mit den Fingern. Sie wollte eine Grimasse ziehen, lächelte dann aber sofort, nur die Neigung dieses wirklich wunderbaren Halses – sie hatte den Kopf leicht zur Seite gebogen – ließ andeutungsweise ihre Abwehr erkennen. Als sie von Schmidts Tisch wegging, streifte ihre Hand seine Schulter, und sie flüsterte: Ich komm gleich wieder!

Immer, wenn sie einen Moment lang nichts zu tun hatte – und die Momente wurden länger, als er seine Mahlzeit beendet hatte, dann rauchte und dann noch viele Tassen Espresso trank –, kam sie an Schmidts Tisch, blieb neben dem leeren Stuhl stehen und erzählte von sich, als wäre das die natürlichste Sache von der Welt. Er erfuhr, daß Carrie die Kurzform von Caridad war, daß ihre Mutter Puertoricanerin war, ihr Vater aber nicht, daß der Vater den Namen – sie kicherte, bevor sie ihn aussprach – Gorchuk hatte (Schmidt schloß daraus, daß er kein Farbiger sein konnte, eher Russe, und diese Folgerung führte dann dazu, daß er sich fragte, ob er wohl Jude sei) und in Brooklyn für die Schulverwaltung gearbeitet habe, daß ihre Mutter immer Spanisch mit ihr spreche. Und daß sie nach einem Jahr im Brooklyn College die Ausbildung vorübergehend unterbrochen und den Job angenommen habe, um Geld zu verdienen; ihre Eltern könnten ihr nämlich keines geben. Später wollte sie dann studieren, um Sozialarbeiterin zu werden und eine Anstellung bei der Stadt zu bekommen; aber eigentlich wollte sie Schauspielerin werden.

Eine banale Geschichte, dachte Schmidt, aber besser so, als hören zu müssen, daß sie die Tochter eines mexikanischen Investment-Bankers und eine Aussteigerin war. Ungefähr die Hälfte der jungen Leute in der Postabfertigung seiner alten Kanzlei hatten genau die gleiche Geschichte, aber dieser Job, sechs Tage in der Woche jeden Tag zehn Stunden auf den Beinen, das war etwas anderes als die Bummelei bei Wood & King. Sie schaffte es offensichtlich auf liebenswürdige Weise, sich nicht knechten zu lassen. Im Gegenteil, sie hatte eine gewisse persönliche Eleganz, etwas Couragiertes, beinahe Stolzes an sich; das war ihm gleich aufgefallen, als er zum ersten Mal zusah, wie sie Bestellungen annahm und mit Tellern, die von Pommes frites überquollen, vorbeihastete.

Allmählich gähnte sie jedesmal, wenn sie am Tisch stehenblieb. Die Party war vorbei, aber noch nicht ganz: Schmidt ließ ihr ein üppiges Trinkgeld da, es war schamlos höher als sonst. Was sollte er machen? Schließlich arbeitete sie für Trinkgeld, oder? Ein schöner Puma war er! Er gestattete sich, auf der nassen Nebenstraße mit überhöhter Geschwindigkeit nach Hause zu fahren.

III

Nein, vor Thanksgiving hatte sie keinen einzigen freien Termin für ein Mittagessen mit ihm. Ihr Team arbeitete Tag und Nacht an der Tabakkampagne.

Dann sehe ich dich und Jon am Wochenende, schlug Schmidt vor. Er wird dann wahrscheinlich wie üblich Arbeit aus dem Büro mitbringen, und solange er sich damit herumschlägt, können wir beide einen Spaziergang am Strand machen. Wir haben uns schon lange nicht mehr in Ruhe unterhalten. Das fehlt mir.

Dad, liest du die *Times* nicht mehr? Alle Welt schließt sich dem Kreuzzug gegen das Rauchen an. Wir arbeiten daran, die Leute zu bremsen, bevor sie dich zur Umerziehung in ein Konzentrationslager karren.

Schmidt lachte betont laut.

Im Ernst, was ich mache, ist in deinem ureigenen Interesse! Dad, es ist so gut wie sicher, daß ich an den beiden nächsten Wochenenden im Büro sein muß. Jon wird wahrscheinlich auch in der Kanzlei bleiben müssen – wenn er nicht unten in Texas ist. Und wenn ich nicht ins Büro muß, dann will ich eigentlich nur noch schlafen.

Dann solltest du wirklich die Zeit finden, dich mit mir in der Stadt zu treffen. Es muß ja nicht zum Essen sein. Das habe ich nur vorgeschlagen, weil ich dich zu Sushi einladen wollte, aber wenn du dir aus rohem Fisch nichts mehr machst, dann such dir aus, was du magst. Ich muß mit dir reden, Charlotte. Auf das Essen kommt es mir gar nicht an.

Daraus wird nichts, Dad. Ich habe keine Zeit, mich zu entspannen, ich kann nur noch an Tabak denken und sonst gar nichts. Es hat doch keinen Sinn, mit mir reden zu wollen, wenn ich in diesem Zustand bin. Wenn du über Jon und mich sprechen willst, dann warte bitte damit, bis du bei den Rikers gewesen bist. Hat dir Jons Sekretärin übrigens gesagt, wie sehr sie sich freuen, daß du Thanksgiving kommst?

Das brachte ihn in Rage.

Ja, auch das hat sie mir ausgerichtet. Netter wäre es vielleicht gewesen – um nicht zu sagen: höflich –, wenn du oder Jon mir das selbst mitgeteilt hätten, meinst du nicht auch?

Dad, ich wünschte, du schenktest mir was, und wenn es nur zehn Dollar wert wäre, für jeden Anruf, den ich von deiner Mrs. Cooney in deinem oder Moms Auftrag bekommen habe! Aber meistens ließ mein liebender Vater mir etwas ausrichten! Im College haben sie Witze darüber gemacht! Diese Schmierzettel, auf denen meine Mitbewohnerinnen oder die Leute im *Crimson* mir aufgeschrieben hatten: Miss Schmidt, wieder ein Anruf aus dem Büro Ihres Vaters: Das Auto wird bei Islip auf Sie warten; Mr. Schmidts Sekretärin hofft, Miss Schmidt wird sich freuen, wenn sie hört, daß zwei Karten für das *Grateful-Dead*-Konzert für sie besorgt sind; Mrs. Cooney hat die Ergebnisse der Blutuntersuchung; Miss Schmidt möchte doch zurückrufen! Der größte Witz war die Nachricht, daß Mrs. Cooney Miss Schmidt wissen lassen möchte, daß Mr. Schmidt am Nachmittag nach sechzehn Uhr zur Verfügung stehe, um mit ihr über ihre Mutter zu sprechen. Das war unmittelbar, nachdem wir zum erstenmal Angst um sie hatten! Gib Jon doch eine Chance!

Ich war und ich bin dein liebender Vater, und ich habe mein Bestes getan. Es war nicht leicht damals, ich hatte meine Arbeit und die Sorgen um Mary, und ich habe versucht, dafür zu sorgen, daß wir, du und ich, in Verbindung blieben, und ich mußte mich um das Haus und das Apartment kümmern.

Na und? Ich bin deine liebende Tochter, und ich bin sehr beschäftigt, und Jon wird dein Schwiegersohn, und so viel wie er hattest du in deinem ganzen Leben nicht zu tun!

Hat Jon dir das erzählt?

Das braucht er gar nicht. Ich lebe nämlich mit ihm, falls du dich erinnerst?

Allmählich frage ich mich, ob es überhaupt noch Sinn hat, dich um ein Treffen zu bitten oder diese Eltern Riker zu besuchen, die sich so ungeheuer auf mein Kommen freuen!

Dad, wir können uns treffen und reden, wenn dir danach zumute ist, nach Thanksgiving, wenn ich wieder Zeit habe. Ich weiß aber nicht, wozu das gut sein soll, es sei denn, du gibst Jon und mir das Gefühl, daß du dich über unsere Heirat freust und uns glücklich wissen möchtest. Es liegt nicht nur an deinem Benehmen letzten Sonntag. Du bist schon seit dem Tag von Moms Beerdigung so. Mit Jon redest du nur, wenn du etwas Gemeines zu sagen hast, und die restliche Zeit tust du, als wäre er Luft für dich.

Meine Güte! Ich hätte nicht gedacht, daß du mir so viel vorzuwerfen hast – Altes und Neues! Laß uns das Gespräch lieber beenden, solange wir überhaupt noch miteinander reden.

Der Sturm hatte sich endlich aufs Meer verzogen, und die Sonne erfüllte die Küche mit gelbem Licht. Schmidt merkte, daß die Helligkeit seinen Augen weh tat. Er setzte sich auf seinen Stuhl am Tisch, drehte den Rücken zum Fenster und steckte sich eine Zigarre an. Er hatte eine Abmachung mit einem Großhändler, der ihm Zigarren in einem Privatmarken-Kästchen zuschickte. Die

Werbung deutete an, daß sie in Wahrheit aus Kuba kamen. Das machte keinen großen Unterschied; für den Preis waren sie gar nicht schlecht. Tabakkampagne, also wirklich! Wußte sie denn nicht mehr, daß er den Mist, den ihr Auftraggeber verkaufte, nicht anrührte? Wer hätte ahnen können, daß ein *Summa* in Komparatistik, ein makelloses Französisch, Sommerpraktika bei den berühmten kleinen Zeitungen, die Mary ihr vermittelt hatte, daß all ihre Begeisterung, ihre Begabungen zum Fenster hinausgeworfen waren. Freilich, Wood & King hatte die Verteidigung in Asbestprozessen übernommen! Das mußte ihm niemand ins Gedächtnis rufen; er war nie stolz darauf gewesen. Sie versuchten auch, Serienmördern die Todesstrafe zu ersparen – pro bono! Aber sie versuchten wenigstens nicht, der Allgemeinheit weiszumachen, Asbest sei eine großartige Errungenschaft. Außerdem: Was hatte seine Arbeit oder die Tatsache, daß seine Kanzlei kostendeckend arbeiten mußte, mit Charlottes Entscheidung zu tun? Niemand hatte sich bemüht, Schmidt die Tore zu einer besseren oder weiteren Welt zu öffnen – schon gar nicht sein Vater, der Alte.

Er fühlte sich wie zerschlagen, konnte sich kaum noch rühren; die Knochen taten ihm weh. Wie viele Jahre sollte das noch so weitergehen? Er war sechzig und bei guter Gesundheit: Noch zehn? Fünfzehn? Noch dreiundzwanzig, wie bei seinem Vater? Jeder Tag wie dieser oder noch schlimmer, viel schlimmer wahrscheinlich? Altes Herzweh, abgestandene Enttäuschungen, längst vergangene Niederlagen – warum kamen die Erinnerungen immer wieder hoch und streckten ihm die Zunge heraus? Eine Karriere in Öffentlichkeitsarbeit! Seine Tochter hatte sich für eine Beschäftigung entschieden, die viel Geld brachte und parasitär war. Über dieser Arbeit hatte sie sich zwangsläufig verhärtet und war abgestumpft gegen Vulgarität und Gemeinheit. Die Ehe mit Riker würde ein übriges tun. Dieser Erpressungsversuch war der schlüssige Beweis dafür. Den hatte sich Riker ausgedacht, nicht Charlotte. Hatte er die Eltern hineingezogen, um Rat gefragt? Er mußte ihr erklärt haben, nun sei es an der Zeit, den Vater in die Knie zu zwingen. Mach dem Alten klar, daß er sich zu fügen hat – oder dich nicht mehr zu sehen bekommt! Das war stahlharte Verhandlungskunst, das waren die Killerinstinkte, von denen er selbst in den Firmenbesprechungen gefaselt hatte, damals, als zur Diskussion stand, ob dieser beschnittene Gockel zum Sozius befördert werden sollte.

Er hörte Autotüren schlagen. Mittwoch – das konnte nur die polnische Putzkolonne sein. Er war zu nervös, sich zu rasieren, zu nervös, mit den Putzfrauen im Haus zu bleiben. Die Vorhut, Mrs. Zielnik und Mrs. Nowak, fiel in die Küche ein und packte ihn am Arm. Abgeküßt entfloh er in den Oberstock und wischte sich die Wangen mit dem Ärmel ab. Das Bett in Charlottes Zimmer war nicht gemacht. Gut so; sie würden wissen, daß es an der Zeit war, die hochzeitlichen Laken zu wechseln. In der Ecke sah er Rikers Turnschuhe, obenauf dicke Socken – bestimmt ungewaschene. Er ergriff diese Teile mit spitzen Fingern, hielt sie auf Armeslänge von sich weg, trug sie ins Bad und ließ sie auf den Fußboden fallen, klappte Toilettensitz und Deckel nach unten und spülte, ohne hinzusehen, man konnte ja nie wissen. Ein Gerät zur Zahnfleischpflege, das Schmidt in Drogerieschaufenstern, aber noch nie in diesem Bad gesehen hatte, stand auf der Ablage. Aus Angst vor einem Brand durch Kurzschluß zog er den Stecker des Geräts aus der Steckdose. Daneben standen in einem Glas zwei Aufsatzstücke aus Plastik, für den Gebrauch im Mund gedacht, das eine mit hellblauem, das andere mit rosa Griff. Eheliche Hygiene!

Kein Zweifel an der trauten Zweisamkeit: Einer würde auf dem Klo hocken und pressen und der andere derweil fortschrittliche Mundwaschungen vornehmen. Wieder im Schlafzimmer, zog er die Betten ab und warf die Wäsche auf den Boden. Da waren sie, die Wochenendflecken – sahen aus wie knabenhafte Nachtopfer im Ferienlager.

Als er seinen dicken Pullover angezogen hatte und die Vordertreppe hinunterging, waren die Staubsauger im Einsatz. Mit der einen Hand winkend, mit der andern auf seine Ohren deutend, damit die Frauen auch verstanden, daß der Lärm jede Unterhaltung ausschloß, ging er durch die Diele. Damit hatte er sich die wöchentlichen neuesten Nachrichten von Mrs. Zielniks Ekzem und der nervtötenden Blasenkrankheit von Mrs. Nowaks Mann erspart. Wenigstens ein Grund zur Dankbarkeit.

Er hörte das Meer schon von der Straße aus, bevor er den Parkplatz für Anwohner erreichte. Der Strand war vom Sturm verwüstet, und übrig blieb nur noch ein schmaler, scharf begrenzter Streifen. Tangbüschel, rund und adrett wie braune Blumensträußchen, lagen in parallel angeordneten gebogenen Bahnen auf dem Sand und markierten die Wellensäume der schrittweise zurückweichenden Brandung. Schmidt ließ seine Mokassins in den Dünen und wanderte nach Osten, dicht am Wasserrand entlang, wo der Sand am härtesten war. Die Brecher rollten pausenlos an, ohne Unterbrechung folgte jedem Aufschlag das saugende Geräusch der zurückweichenden Brandungswelle. Unvorstellbar, daß er sich durchkämpfen könnte durch dieses Wasser, das schwer vom Sand war und wild kreiselnd tobte, solange es Kraft für den nächsten Aufprall sammelte. Warum hatte er es nicht gleich nach Marys Tod getan, so wie er es sich ausgemalt hatte? Aus dem Woody-Allen-Film, der aussah, als hätte

Bergman ihn gedreht, stammte die Szene, die ihm vor Augen stand; nur daß diesmal er die Gestalt auf der Leinwand sein würde: Ein dünner, ziemlich hochgewachsener Mann, nach seiner Haltung zu urteilen, nicht mehr jung, mit Baumwollhosen und einem weiten Parka, steht an diesem Strand und starrt auf ein Meer wie dieses, aber das Licht ist nicht ganz so hell. Tagesanbruch, denkt man sich. Er steht am Wasserrand. Eine Welle außer der Reihe, den anderen weit voraus, überspült seine Segelschuhe, durchnäßt seine Hose bis zu den Knien. Der Mann weicht nicht zurück; mit dem Ärmel wischt er sich den Tränenschleier aus dem Gesicht. Dann tritt er doch ein paar Schritte zurück, schaut nach links und rechts und zum Himmel, trabt los, ziemlich mühsam – aber besser geht es nicht auf dem nassen Sand und mit Schuhen, die schon bleischwer sind – und stürzt sich in die Brandung. Er ist ein erfahrener Schwimmer, das sieht man, obwohl die lächerliche Kleidung ihn behindert. Er schafft es über den ersten Wellenkamm, dann über den zweiten, als ob er mit Enkelkindern im Wasser herumtobte; die dritte Welle ist zu groß, er taucht hindurch und kommt gerade rechtzeitig wieder hoch, um jede neu anrollende auch zu packen, bis er die Brandung hinter sich hat und endlich losschwimmen kann. Er macht ganz unmögliche Kraulzüge, die Arme in den viel zu weiten Ärmeln heben sich mühsam und ruckartig, der Kopf taucht ohne jeden Rhythmus auf und ab, alles wirkt völlig unkontrolliert. Von einem gewissen Punkt an – die Szene ist so seltsam, daß der Zuschauer aus der Distanz und der Mann selbst vielleicht auch das Zeitgefühl verlieren – hat er offenbar genug. Er strebt der Küste zu, und er macht es klug. Er liegt auf dem Rücken, die Brecher im Auge behaltend, und läßt sich treiben, wie es ein müder Schwimmer tut. Ein riesiger Brecher hebt sich vor ihm. Der Mann wiederholt seine Tauchaktion, bis er sich bei einer Welle übel verschätzt: Ein wild rudernder Arm kommt nicht gegen sie an. Und doch, er taucht noch einmal auf, einen Moment, kurz wie ein Aufschrei, wird herumgewirbelt, er schwimmt nicht mehr. Dann ist nichts mehr von ihm zu sehen.

Warum hatte er es nicht getan?

Möwen flogen über ihm, laut krächzend. Was für ein herrlich klarer Tag! Schon konnte er das Haus am Rand von Georgica sehen. Schlimm, daß er sich den Sonnenschein zunutze machte und einfach am Strand spazierenging, aber was erwartete man denn von ihm? Die Ortsansässigen arbeiteten fleißig, reparierten verstopfte Toiletten oder füllten Öltanks auf und stellten Rechnungen für selbige Arbeiten aus, die Autoren schrieben oder tranken im Süßwarenladen eine Tasse Kaffee, die drei Unheilsschwestern hingen am Telefon, die Pensionäre mit Apartments in New York oder Paris befanden sich in diesen Apartments und zogen sich zum Mittagessen um, und die anderen alten Fürze konnten oder wollten sich nicht mehr bewegen. Vielleicht spielten sie im Seagull Motel Canasta! Mary war noch lieber als er an diesem endlosen Strand entlanggegangen. Ein Boden ohne bleibende Fußspuren: Warum hatte der Ozean ihn nicht davor bewahrt, daß er hier allein und voll wirrer schwarzer Gedanken vor sich hintrotten mußte? Hatte ihn der Mut verlassen? Das war gut möglich, auch wenn die Wahrheit sich als Mitleid für den eigenen Körper ausgab, der noch unbeschädigt war, noch Lust auf Bewegung hatte, wie ein Hund, der dem Kommando: Bei Fuß! nicht gehorcht, sondern mit einem durchgeweichten Tennisball zwischen den Zähnen noch weiter herumtollen will, diesen Körper, der so gar nicht bereit war, sich auf den Meeresgrund reißen und wundscheuern zu lassen, der den Seegang und die Auslöschung nicht auf sich nehmen wollte. Nichts gegen Woody Allen, aber es gab doch auch weniger brutale Methoden. Tabletten zum Beispiel: Diese in Mengen übriggebliebenen Pillen in Pappbechern. Mary brauchte nicht alles, was der Chirurg ihr verschrieben hatte. Er hatte sich eingeredet, er müsse sie beerdigen, es wäre nicht richtig – grausam sogar wäre es –, wenn Charlotte allein hinter Vater und Mutter herräumen, deren unsagbaren privaten Müll ausmisten müßte. Aber lange hatte es nicht gedauert, bis er das wahre Gesicht seines schmählichen Rückzuges erkannt hatte: Neugier war es, und die Sehnsucht nach Einsamkeit, beide Regungen obszön wie ein Kribbeln. So viele Jahre lang, eigentlich seitdem er erwachsen war, hatte er an Marys Seite gelebt. Warum sollte er nicht allein weitersegeln können, über die Säulen des Herkules hinaus, und die Äpfel der Hesperiden kosten, bevor die Wellen über seinem Kopf zusammenschlugen?

Er hatte Mary nicht versprochen, daß er es tun würde, auch wenn er oft in Versuchung gewesen war. Aus Sorge um sie – sie war so müde – und aus Abneigung gegen Pathos hatte er es unterlassen. Der letzte Rest Energie, der ihr noch blieb, durfte nicht in starren Floskeln vergeudet werden: Nein, das darfst du nicht, du bist doch noch jung, denk an Charlotte! Doch, ich muß, ich will ohne dich nicht leben! Aber bis zum Ende hatte sein Entschluß festgestanden: Er wollte es tun, zur rechten Zeit, dann, wenn er ihr nicht alles noch schwerer machte.

Hih! Der Ozean ist immer noch naß, die Morphine immer noch handlich und trocken!

Die Polenfrauen würden noch eine Stunde lang in seinem Haus sein; das zeigte ihm ein Blick auf die Uhr. Ein Essen in ihrem Beisein war undenkbar. Diese Kommentare zu seiner Ernährung. Oder Mrs. Subicki würde ihm

Gesellschaft leisten wollen und ließe sich auf dem Küchenstuhl neben ihm nieder, ihr Hinterteil zu beiden Seiten des Sitzes in gewaltigen Polstern herabquellend, die Beine in elastischen Kniestrümpfen gemütlich ausgestreckt, die monströsen Füße von den Schuhen befreit, wegen der Bequemlichkeit, griffe in die Plastiktüte von Gap, fischte ein angebissenes Weißbrot mit Fleischwurst und Mayonnaise heraus – ganz hatte sie es wohl auf der Putzstelle vor Schmidt nicht geschafft – und verspeiste es in aller Ruhe. Die hartgekochten Eier und Sardinen konnten warten – bis zum Abendbrot oder zum Mittagessen am nächsten Tag.

Nicht die drei Hexen erwischten Schmidt. Er hatte nicht einmal gemerkt, ob sie auf ihrem Stammplatz bei O'Henry's saßen. Selbstsicher und beschwingt steuerte Schmidt auf einen Tisch im Gelobten Land zu, ohne den Eigentümer eines Blickes zu würdigen, und zwar aus zwei Gründen: Möglichst nahe an seinem Platz vom Abend zuvor wollte er sitzen – der Tisch selbst war schon besetzt, zwei männliche Exemplare vom Genus kleiner Versicherungsagenten hatten sich dort breitgemacht; er fand, es verbiete sich von selbst, anderswo Platz zu nehmen und dem süßen Kind das Gefühl zu geben, sie habe etwas falsch gemacht, als sie so freundlich zu ihm war, oder sie habe sich nicht freundlich genug für das Trinkgeld bedankt; aber er konnte dem beflissenen Eigentümer auch nicht unverblümt erklären, daß er von Carrie bedient zu werden wünschte. Die wohlüberlegte Taktik war jedoch vergeblich: Er hörte die vertraute komische Stimme seines Mitbewohners im College. Ein sympathisch stämmiger Mann mit einem Gesicht wie Michael Caine, der etliche Schichten naturfarbenen Kaschmirs auf der Haut trug, erhob sich und umarmte ihn. Ein günstiger Zufall in der Wohnraumverwaltung hatte die beiden Studenten in ihrem Freshman-Jahr zusammengewürfelt; bis zum Examen hatte die gegenseitige ungebrochene Zuneigung gehalten.

Endlich! Ich habe schon nicht mehr daran geglaubt! Halb drei, und kein Schmidtie! Mrs. Cooney hätte das nie zugelassen.

Du hast recht! Ich weiß gar nicht, was ich sagen soll. Ich kann nur sagen: Es tut mir furchtbar leid.

Cooney II oder *Cooney kehrt zurück!* Welcher Titel gefällt dir besser? Können wir diesen Engel von einer Sekretärin mitsamt ihrem Telefon in deinem Badehaus installieren? Ihre Anrufe fehlen mir so: Dürfen wir noch einmal nachfragen: Bleibt es bei dem Mittagessen heute um zwölf Uhr dreißig? Oder mein Lieblingsspruch: Wir befinden uns noch in einer Konferenzschaltung mit einem Mandanten. Würden Sie uns verzeihen, wenn wir uns um fünfzehn Minuten verspäten?

Auf dem Tisch stand eine Flasche, die Gil bereits angebrochen hatte. Zu dumm; was war nun mit Carrie; wie sollte Schmidt Gil an einen anderen Tisch bugsieren, wenn er schon bestellt hatte? Vielleicht war es ganz gut so. Sie würde von der Tür zur Küche hersehen, und vielleicht wußte sie ja – und wenn nicht, fand sie es heraus –, wer Gil war. Dann mußte Schmidts Prestige in den Himmel wachsen.

Ein Glas billigen Rotwein? Die anständigen Flaschen sind unverschämt überteuert.

Er schenkte Schmidt ein Glas ein.

Danke, beim Mittagessen trinke ich nicht mehr. Nein, ich möchte doch ein Glas. Gil, ich komme nicht nur zu spät. Ehrlich gesagt, ich hatte vollkommen vergessen, daß wir zusammen essen wollten. Bloß weil ich aus dem Haus mußte, bin ich überhaupt hier; sonst hätte ich dich ganz und gar versetzt. Die Sikorski-Truppe ist drin und verteilt den Staub um. Ich habe neuerdings so wenige Verabredungen, daß ich mir nicht mehr die Mühe mache, auf den Kalender zu sehen.

Noch ein Grund, Cooney wiederzuholen. Warum hast du uns nicht angerufen, wenn du nichts zu tun hast? Du weißt doch, Elaine und ich freuen uns sehr, wenn du mal zum Essen kommst. Wir wollen immer mit dir essen!

Das ist mir neu. Ihr arbeitet doch immer nur. Ich möchte nicht die Geburt eines neuen Meisterwerks stören.

Essen müssen wir schließlich – wie jeder Mensch!

Hier war Gil nicht aufrichtig, aber Schmidt hatte keine Lust, das zu sagen. Seiner Meinung nach konnten sie nur deshalb so tun, als seien sie immer noch enge Freunde, weil er sich dazu erzogen hatte, gewisse Konventionen genau einzuhalten. Eine davon – und zwar eine, die, so wie die Dinge jetzt standen, dringend aktualisiert werden mußte –, bestand darin, daß man zu glauben hatte, Elaine liebe tief im Herzen Mary und ihn mehr als die berühmten Leute, ihre wirklichen Freunde, mit denen sie und Gil tagein, tagaus zusammen waren, und sie sei ganz unglücklich – ach wie todunglücklich! – über die geheimnisvollen, unüberwindlichen Kräfte, die sich immer hindernd einmischten, die absolut verboten, daß Gil und sie mit den Schmidts »spielten«. Spielen nannte sie all das, was Paare eben gemeinsam tun, die eine besondere, heimliche Vorliebe füreinander hegen: spontan nach einer Off-Broadway-Show irgendwo zum Essen gehen, zusammen in die Anden reisen und dergleichen mehr – statt Mary und Schmidt nur bei großen Gesellschaften zu sehen, zum Beispiel auf Empfängen im Anschluß an Voraufführungen von Gils Filmen. Schmidts Mittagessen mit Gil folgten einer anderen Konvention. Kurz nachdem Gils *Rigoletto* in Cannes gezeigt und ausgezeichnet worden war, spürte Schmidt – er konnte es aus gelegentlichen

Bemerkungen Gils über gewisse Freunde heraushören –, daß es im ganzen wohl besser war, Gil nicht anzurufen, sondern abzuwarten, bis die Initiative zu einem gemeinsamen Mittagessen von ihm ausging. Und doch lehrte die Erfahrung, daß Gil manchmal beängstigend lange überhaupt kein Lebenszeichen gab, ohne jeden Grund – weder konnte er beleidigt noch an der Westküste sein –, und daß Schmidt dann irgendwann selbst aktiv werden mußte, wenn er es nicht *de facto* zum endgültigen Bruch kommen lassen wollte. Dieses Verhalten war korrekt, daran hatte Schmidt gar keinen Zweifel: Mrs. Cooney, die viel mehr verstand, als sie zugab, hatte es stillschweigend gebilligt. Manchmal erwähnte sie ganz beiläufig, aber wahrscheinlich nach einem prüfenden Blick auf den einschlägigen Terminplan in ihrer Schreibtischschublade, sie habe mehrere freie Termine in Schmidts Kalender gefunden; fragte dann, ob sie vielleicht Mr. Blackmans Assistentin anrufen solle – sie hätten ja schon länger nichts mehr von ihm gehört –, um das Übliche zu verabreden. Das hieß: Mittagessen um zwölf Uhr dreißig, und zwar, je nachdem, wer mit der Einladung an der Reihe war, entweder in Schmidts Club oder in einem Restaurant im Seagram Building, das Gil und andere gepflegte Damen und Herren mit idiosynkratischen Ernährungsgewohnheiten, die der Chefkellner auswendig gelernt oder in seinen Computer eingespeist hatte, wie einen Club frequentierten.

Man mußte sich fragen, warum Gil die wohldosierte Zurückhaltung seines alten Freundes Schmidt ganz natürlich fand, warum er sich immer wieder abrupt und ohne Erklärung unsichtbar machte; Schmidt glaubte die Antwort auf diese Fragen zu kennen, und sie machte ihn traurig. Offenbar war Gil ganz allmählich, aber sehr gründlich von einer Mischung aus Geistesabwesenheit und

Gleichgültigkeit befallen worden, die sich so festgesetzt hatte, daß er gar nicht mehr an Schmidt dachte, wenn seine Assistentin ihn nicht manchmal daran erinnerte, ebenfalls nach einem Blick auf die Terminplanung, daß es wieder einmal Zeit für Schmidt sei, oder wenn Gil selbst, was inzwischen immer seltener vorkam, plötzlich Lust auf einen gewissen Klatsch verspürte, so wie Schmidt manchmal ein plötzlicher Heißhunger auf Knackwurst mit Kartoffelsalat überfiel. Schmidt hatte den Verdacht, daß mit Gil dasselbe geschah wie mit ihm, der auch manchmal vergaß, einen Jahresbeitrag für das Harvard College, den Verein zur Förderung von Geburtenplanung, das armenische Jazzfestival, die Pfadfinderinnen und so weiter zu zahlen, wenn ihn nicht die Mrs. Cooneys, die für die einschlägigen Institutionen arbeiteten und hoch dafür bezahlt wurden, daß sie derartige Versäumnisse verhinderten, rechtzeitig daran erinnerten, mit dem nötigen Taktgefühl natürlich, um ihn nicht durch zu häufige Mahnungen zu verärgern. Schmidt hing so sehr an Gil, daß er die kränkende Vernachlässigung über sich ergehen ließ wie schlechtes Wetter. Sie hatte ihn nicht davon abgehalten, damals, als er noch weniger Ahnung vom Tod gehabt hatte, sich an dem Gedanken zu freuen, daß Mary, wenn Schmidts letzte Stunde schlüge, ganz selbstverständlich Gil an sein Bett rufen würde. Diese tröstliche Aussicht war nun dahin. Wenn Charlotte und Jon überhaupt jemanden an sein Bett rufen würden, nachdem sie ihn in ein Krankenhaus verfrachtet hatten, dann wohl diesen Clown Murphy oder einen anderen Anwalt vom gleichen Kaliber.

Hast du wieder einen Film in Arbeit?

Ja und nein. Ich habe eine Idee und ein Skript, die ich festhalten sollte, aber irgendwas gefällt mir daran nicht. Elaine hat auch ein Projekt – für eine Show, die sie vielleicht am Whitney organisieren möchte. Wir sitzen hier in unserer Höhle, basteln und bosseln und trinken. Ich schreibe Sachen auf und streiche alles wieder durch. Und du?

Bei mir hat sich's ausgebastelt. Ich merke allmählich, wie schwer mir die Entwöhnung vom Anwaltsdasein fällt. Ich zerbreche mir den Kopf über Mandanten, über die Kanzlei, über Mrs. Cooney – ob sie sich in Santa Fe wohlfühlt –, über dies und das. Ich könnte mit dem Zubringerbus in die Stadt fahren, in der Kanzlei zu Mittag essen und mich auf dem laufenden halten, aber ich hasse es, ins Büro zu gehen, und ich hasse es, meine ehemaligen Kollegen anzurufen. Dann würde ich mir wie ein unerwünschtes Gespenst vorkommen! Das erinnert mich an meinen Vater. Er hat nach seiner Pensionierung auch immer gesagt: Alles geht mir ständig weiter im Kopf herum.

Ich habe dir dringend geraten, dich beurlauben zu lassen, solange Mary dich brauchte, aber ja nicht an vorzeitigen Ruhestand zu denken. Es gibt einen Menschenschlag – alle Landes- und Staats- und Bankangestellten und die meisten Zahnärzte –, das sind die geborenen Rentner. Die streben dem Ruhestand entgegen, kaum daß sie auf die Welt gekommen sind. Jugend, Sex, Arbeit, alles nur unumgängliche Zwischenstationen, Umwandlungen von der Raupe über die Puppe und den Kokon, bis das Wunder der Metamorphose sich vollendet und der Welt den Schmetterling in Gestalt des Rentners schenkt. Ruhestand: Golfclubs, witzige Schuhe und Designersonnenbrillen für den Zahnarzt; Wohnwagen und Grillgerät mit Propangasflamme für die Angestellten am unteren Ende der Lohnskala! Du und ich, wir sind von anderem Schlag. Uns müssen Mißgeschick und moderne Medizin in die Mangel nehmen, sonst werden wir nicht mürbe. Ich danke Gott und freue mich, daß ich sagen kann: Du bist noch ganz und gar nicht reif für die Rolle des lebendig Toten! Was dir fehlt, ist ein Job! Ich werde mir was für dich einfallen lassen.

Schmidt bekam Herzklopfen. Gil wollte ihm Arbeit anbieten: Er sollte wohl den Finanzierungsplan für den nächsten Filmvertrag seiner Produktionsgesellschaft entwerfen. Oder vielleicht Berater werden – nur durfte es keine rein juristische Arbeit sein. Dann konnte er sie annehmen, ohne mit den Klauseln des Pensionsplanes von W & K in Konflikt zu geraten, die jede Tätigkeit in einer Anwaltspraxis ausschlossen!

Schön wär's. Aber Gil hatte nichts zu bieten außer Ratschlägen, die eine Geduldsprobe für Schmidt waren. Der Mann, der bei Wood & King den Ton angibt, dieser DeForrest, das ist doch ein Freund von dir. Kannst du nicht mit dem was vereinbaren? Wenn sie die Anteile der Sozii nicht umverteilen wollen, könntest du doch als Sozius auf Gehaltsbasis wiedereinsteigen? Als Senior-Berater oder so?

Schmidt lachte.

Dafür ist es zu spät. Das Rad kann man nicht mehr zurückdrehen. Ich habe ziemlich günstige Bedingungen ausgehandelt – jedenfalls nach W & K-Maßstäben –, ich habe keine Mandanten mehr – auch die wurden umverteilt und sind offenbar sehr zufrieden. Und wo sollte ich denn in der Stadt wohnen? Reden wir lieber von erfreulicheren Dingen: von den Blackman-Kindern zum Beispiel!

Die Kinder haben Zeit, die können noch warten. Aber du hast ein Problem. Im Ernst, Schmidtie, fällt dir nichts ein, was du gern tun würdest? Wie wäre es mit einer Stiftung? Oder, besser noch, du gehst in ein paar Aufsichtsräte. Wie hieß dieser Rechtsanwalt mit der schlechten Haut noch, der Geld für Reagan gesammelt hat? Der hat genau das getan.

Das ist mein wunder Punkt! Ich habe eben immer nur für W & K gearbeitet. Ich bin ein Produkt, das niemand braucht. Deshalb kann ich nicht mehr zurück. An Stiftungen habe ich auch gedacht. Aber selbst wenn irgendein harmloser kleiner Verein bereit wäre, mich anzuheuern, weiß ich nicht, ob ich Lust dazu hätte! Erstens hat die Sache einen Haken, wenn man sie praktisch betrachtet: Ich müßte wieder in die Stadt ziehen, wenn ich einen solchen Job annähme, und das würde mich mehr Geld kosten als ich verdienen könnte. Aber für mich fällt mehr ins Gewicht, daß ich Wohltätigkeitsorganisationen und die Leute, die sie leiten, noch nie ausstehen konnte. So stelle ich mir die Hölle vor. Man sammelt Geld für die Armen und legt erstmal einen fetten Brocken davon für Gehälter und Betriebskosten beiseite. Und als Nächstes muß man sich Projekte ausdenken, für die man den Rest ausgeben kann. Und dann das Ganze wieder von vorn! Gähnend langweilig, ich würde mir den Kiefer ausrenken!

Als er sah, daß ein Schatten über Gils helles Gesicht zog, lenkte Schmidt schleunigst ein: Ich meine ja nicht alle gemeinnützigen Vereine, zum Beispiel nicht das Heim für Schauspieler mit Alzheimer, das du unterstützt, das ist sehr nützlich, und ich hasse auch nicht alle Stiftungspräsidenten, sondern nur die meisten. In Wahrheit ist es schlicht und einfach so, wie ich dir sage – mich braucht keiner. Weder meine Kanzlei, noch Stiftungen, noch Aufsichtsräte. Ich habe nicht die richtigen außerberuflichen Aktivitäten aufzuweisen, also habe ich nicht das richtige Profil.

Schmidtie, du hast nur eines nicht: die richtige Einstellung!

Glaub mir. Ich bin wie der Kerl im Bus, der nur mal schnell pinkeln gegangen ist, und als er wiederkommt, sieht er, daß sein Platz besetzt und kein anderer frei ist. Was soll er machen? Aussteigen? Du weißt, was das bedeutet, wenn es nur diesen einen Bus gibt. Dann ist es schon besser, alt auszusehen und sich im Stehen am Griff festzuhalten. Dann sehe ich eben alt aus, das ist mir egal. Du hättest nur nicht in dem Moment pinkeln gehen dürfen, als dein Kumpel DeForrest sich zum Vorsitzenden der Sozietät hat wählen lassen. Das habe ich nie verstanden. Du hast mir doch erklärt, daß du den Job hättest haben können, wenn du nur ein Wort gesagt hättest. Dann würdest du jetzt die Kanzlei leiten, dann würdest du deine Sozii fragen, ob sie eigentlich noch von ihren Mandanten oder sonstwem gebraucht werden!

Schmidt streute sich Salz auf die Pommes frites. Er hatte mit den Fingerspitzen zierlich ein, zwei aufgepickt, so als wollte er sie eigentlich auf dem Teller lassen. Sie schmeckten nicht schlecht. Zum Teufel mit der Abstinenz. Er beschloß, sie alle aufzuessen, bis zum letzten Krümel. Was hatte er denn davon, sich das bißchen Fett zu versagen? Manchmal war Gils gutes Gedächtnis eher irritierend als liebenswert. Monatelang sah man ihn nicht, und eines Tages nahm er die Unterhaltung genau an dem Punkt wieder auf, an dem man sie abgebrochen hatte; ausgerechnet die schmückenden Details, die er gleich wieder hätte vergessen oder gar nicht erst hören sollen, behielt er im Gedächtnis.

Das ist der springende Punkt. DeForrest wollte den Job haben. Mehr als ich. Ich weiß eigentlich gar nicht, ob ich einen Grund hatte, ihn zu wollen. Vielleicht wollte ich nur die Gewißheit, daß ich ihn hätte haben können. Das reicht aber nicht.

Und DeForrest?

Den Ehrgeiz, Vorsitzender der Sozietät zu werden, hatte

er schon seit Jahren; zeitweilig benahm er sich geradezu kindisch. Dazu kam, daß er die Anwaltsarbeit ziemlich leid geworden war. So geht es vielen Anwälten, aber mir war das erspart geblieben. Also war es ganz natürlich, daß er den Job bekam. Außerdem hatte er alle möglichen neuen Ideen und Änderungsvorschläge – ein wahres Manifest. Ich hatte kein Programm – ich hätte wohl nur versucht, alles beim alten zu lassen.

Und was hätte dagegen gesprochen? Du hast diese Kanzlei immer geschätzt, und genug Geld schienst du auch zu verdienen. Wünschst du dir jetzt, du wärst nicht so nachgiebig gewesen?

Eigentlich nicht. DeForrest hätte vielleicht Streit angefangen und gewonnen. Das wäre für mich sehr hart und schlecht für die Kanzlei gewesen. Und gegangen wäre ich sowieso, zum gleichen Zeitpunkt, und jetzt wäre ich in derselben Lage.

Schmidt ließ es bei dieser Antwort. Wozu hätte er eingestehen sollen, daß Jack DeForrest ihn zum Verzicht überredet hatte, indem er ihm wieder und wieder versicherte, sie würden beide bekommen, was ihnen am wichtigsten sei? Schmidtie, du willst die Praxis gestalten, und das solltest du auch tun, und das Kopfzerbrechen über Organisation und Verwaltung überlaß mir, das macht dir doch keinen Spaß. Ein inoffizielles glückliches Duumvirat. Leider hatte es nicht funktioniert; Jack teilte mit niemandem. Über Nacht war Schmidt zurückgestuft, und keiner konnte übersehen, daß etwas schief gegangen war: Er blieb in seiner alten Position, bei seinen eigenen Mandanten und seiner eigenen schrumpfenden Praxis – Zielscheibe der Nörgeleien von Riker und Konsorten.

Er lächelte Gil zu und schenkte sich die Hälfte des Weinrestes aus der Flasche ein.

Wollen wir jetzt den heiteren Ton anschlagen? Was machen die hinreißenden Blackman-Töchter?
Arbeiten immer noch hart für ihre hoffnungslosen Magazine. Sitzen immer noch in derselben Sackgasse. Weigern sich, erwachsen zu werden. Lisa hat keinen Freund und dreht langsam durch. Nina hat wieder einen, er verdient nichts und wird nie etwas verdienen. Genau gesagt, läßt er sich seine Stimme umschulen, von Bariton auf Tenor, weil er meint, er sähe aus wie ein Tenor. Sein Stimmtrainer ist Albaner. Und sein Vater ist orthodoxer Priester in Scranton! Ich möchte wohl wissen, wie die väterliche Stimme klingt. Lisa und Nina spielen immer noch mit Puppen. Vielleicht hatten sie zuviel Puppengeschirr.

Und Elaines Mädchen?

Schmidt hatte den Namen vergessen – das wäre Gil nie passiert.

Lilly. Die liebe Lilly. Nichts Neues. Ein harmloses langweiliges Wesen. Ich wünschte, sie wäre häufiger bei ihrem Vater. Dann könnten Elaine und ich leichter zusammen verreisen. Seine Freundinnen sind praktisch genauso alt wie Lilly. Ich versuche, Elaine klarzumachen, daß dem Kind auf diese Weise die Spielgefährtinnen gleich mitgeliefert werden – eine Erleichterung für ihn, wenn er sich um seine Tochter kümmern muß. Aber Elaine sieht das anders. Warum benehmen wir, du und ich, uns immer wie die Glucken, wenn es um unsere Kinder geht?

Weil wir sie lieben.

Nein, weil wir Schuldgefühle haben. Ich habe Grund dazu – ich habe meine Töchter und ihre Mama verlassen und lebe mit Silly Lilly und deren Mama, also kann ich nicht erwachsen werden und mich wie der Vater erwachsener Frauen verhalten. Aber du? Du und die arme Mary, ihr wart immer perfekt, und wenigstens einmal hast du bekommen, was du verdienst: die wunderschöne, intelligente und auf ganzer Linie erfolgreiche Charlotte! Was Neues?

Sie erklärte mir letztes Wochenende, daß sie heiratet. Keine Überraschung: Jon Riker ist der Glückliche.

Ah, Schmidtie, das ist eine gute Nachricht, wundervoll! Du hast wieder eine richtige Familie. Warum mußte ich das erst aus dir herausfragen?

Ich wollte es dir erzählen, aber dann sind wir in meinen Kümmernissen steckengeblieben.

Ich bin ja so erleichtert! Beide haben ehrliche erwachsene Berufe, und sie heiraten, statt mit Puppenstuben zu spielen! Ich habe mich geirrt, du brauchst keinen Job, du hast ja einen! Du wirst der unentbehrliche Babysitter sein! Mary wird das wohl gewußt haben. Sie war bestimmt ganz glücklich darüber. Elaine wird dich anrufen. Sie wird begeistert sein. Und ein bißchen neidisch!

Ich weiß nicht, ob Mary es wußte. Ich glaube eher, die beiden haben sich erst danach entschlossen. Und wenn du die Wahrheit hören willst: Ich habe die Nachricht gar nicht gern gehört. Wir hatten Krach danach, er war leise, aber mörderisch, und ich weiß nicht, wie ich wieder einlenken soll.

Erzähl mal – alles.

Stolz und eine gemeinsame Vorliebe für den nüchternen Diskurs: Schmidt hätte es zwar nicht fertiggebracht, Gil zu erklären, daß er litt, wenn er sah, was aus ihrer Freundschaft geworden war; daß er einen Augenblick gehofft hatte, irgendwie für Gil arbeiten zu können. Alles andere aber war leicht zu bewerkstelligen: Ein Komplize vertraut sich dem anderen an. Folglich waren sie oft indiskret. Schmidt hatte Gil zum Beispiel von Corinne erzählt. Und Gil, gerade erst berühmt und reich geworden, war zu Schmidt gekommen und hatte gesagt: Ich sollte doch glücklich sein, aber mir geht es miserabel, ich muß mich von Anne scheiden lassen, übernimm du das für mich. Und das, obwohl Schmidt sein Trauzeuge gewesen war und eigentlich keine Scheidungsprozesse führte. Schmidt übernahm den Fall und verhandelte härter und eifriger für Gil, als wenn es um sein eigenes Geld und sein eigenes Recht auf die Kinder gegangen wäre; er siegte auf der ganzen Linie und wunderte sich nicht, daß Anne kein Wort mehr mit ihm und Mary sprach.

Er wollte Gil antworten, aber nur einen Teil der Wahrheit sagen; daß er, Schmidt, nicht genug Geld habe, wollte er nicht erwähnen. Deshalb erzählte er Gil, daß das Haus ihm nicht wirklich gehöre, daß er unter diesen Bedingungen nicht mehr mit Charlotte und Jon, wenn sie verheiratet seien, dort leben könne; daß sie ihn zu einer Begeisterung zwingen wollten, die nicht in seiner Macht stünde; daß er eine Einladung der Riker-Eltern zu Thanksgiving angenommen habe, die zur Feuerprobe geworden sei.

Hast du Charlotte gesagt, daß du ihr das Haus geben und ausziehen willst?

Nein. Am Telefon konnte ich das nicht richtig erklären, und ich hatte Angst, sie würde es nur als feindseligen Überrumpelungsversuch auffassen, wenn ich mich nicht ganz klar ausdrückte. Sie wird Geld von mir brauchen. Darüber muß ich auch noch mit ihr sprechen. Ich will nicht, daß sie sich weigert, mein Geld anzunehmen.

Ich glaube, daß du das Haus verläßt und nicht mit ihnen zusammen dort bleiben willst, wird sie sowieso als feindseligen Akt empfinden, und wenn du noch so viel erklärst. Kannst du die Sache nicht auf sich beruhen lassen und dir ein paar Regeln ausdenken für die Zeiten, zu denen ihr gemeinsam dort seid? Es handelt sich schließlich nur um ein paar Wochenenden, wenn schönes Wetter ist. Ich kann mir nicht vorstellen, daß sie jedes Wochenende dort mit dir zusammensein werden.

Mary und ich haben alle Wochenenden in dem Haus zugebracht, auch als Martha noch lebte, und in den Sommerferien waren wir ebenfalls immer da.

Mary und du, das war etwas anderes! Ihr hattet sofort Charlotte, und das war einmal, in den Hamptons der sechziger Jahre! Was für ein rührender Film in Technicolor: Flachshaarige Kinder, sauber und niedlich angezogen, kommen gerade von ihren Ponyreitstunden am Strand. Der *pater familias* im Salonwagen, nach dem dritten Gin-Tonic mit offenem Mund eingeschlafen. Mom, sonnengebräunt, frisch rasierte Beine, harrt am Bahnhof im Chevy mit offenem Verdeck – oder hat sie den Ford-Kombi genommen? – und ist etwas besorgt: die Lasagne wartet im Ofen und sie auf ihre Regel. Das Au-pair-Mädchen hat gerade noch Zeit, in die Wanne im Badezimmer der Gasteltern zu steigen und sich die Zehennägel zu lackieren. Wo ist meine Kamera? Den Film kann ich gleich abdrehen! Das neue Drehbuch wird anders sein. Ich sehe Charlotte und Jon auf dem Colorado River oder bis zu den Hüften im Pulverschnee in Alta – Freuden, die dir und Mary gar nicht in den Sinn gekommen wären! Mittlerweile wirst du dich um die Bäume und die Risse im Schwimmbecken kümmern.

Sehr hübsch, Gil. Mach du den Film. Das Problem ist, daß es für mich nur schwerer wird, dort auszuziehen, wenn ich die paar Dinge in Ordnung gebracht habe, die noch repariert werden müssen. Vorläufig ist es noch ein Sommerhaus, auch für mich, und ein bißchen Spannkraft habe ich noch. Aber darum geht es eigentlich gar nicht. Du weißt, wie ich bin: Wenn ich eine Ecke finde, verkrieche ich mich in ihr, auch wenn mir niemand was tun will. Offenbar weiß ich einfach nicht, wie ich meine Gefühle ändern soll.

Aber du hast doch Charlotte noch gar nichts gesagt – oder Jon. Und die Eltern kennst du wirklich nicht?

Nie gesehen. Wir kümmern uns nicht um die Herkunft unserer jungen Anwälte oder Sozii, und ganz bestimmt führen wir keine Gespräche mit den Eltern, um herauszufinden, ob wir sie akzeptieren können. Ich glaube, sie sind beide Psychiater – aus der analytischen Schule.

Du bist doch mit Jon einverstanden. Warst du nicht neugierig auf seinen Vater und seine Mutter? Schließlich ist er der Mann, mit dem deine Tochter schon seit einer ganzen Weile lebt!

Mary war schon sehr müde, als es bei den beiden ernst wurde. Ich bin übrigens nicht neugierig, und ich bin nicht einverstanden! Ich bin nicht mit Jon einverstanden und mit Charlotte auch nicht. Das macht es noch schlimmer.

Wie kannst du nicht mit Charlotte einverstanden sein? Sie ist hundertprozentig in Ordnung. Sie hat immer gemacht, was ihr, du und Mary, wolltet, und sie hat es tadellos gemacht. Und der Knabe ist dein Sozius! Sozius in der angesehenen New Yorker Kanzlei Wood & King. So wird es doch wohl in der *Times* stehen? Das ist doch hochrespektabel, sollte man meinen.

Nur auf den ersten Blick. Ich hätte nie gedacht, daß ich mitansehen muß, wie Charlotte ein selbstzufriedener überarbeiteter Yuppie wird! Lieber wäre mir, sie hätte einen Zeitschriftenjob, der zu nichts führt, wenn ihr diese Art von Arbeit wirklich Spaß macht. Hätte sie doch so einen Job wie Mary, wie deine Töchter – vielleicht ist das der Grund, warum ich dich beneide!

Schmidtie, du weißt nicht, wovon du redest. Die Jobs, die Lisa und Nina haben, waren das einzige, was sie bekommen konnten. Schon richtig, sie mögen Zeitschriften und Leute, die für Zeitschriften schreiben. Aber sie selbst können nicht schreiben, nicht redigieren, und sie weigern sich, etwas über die Produktion zu lernen. Sie sind Touristinnen in der Zeitschriftenlandschaft, sie machen eine Safari im Landrover und bewundern die Elefanten aus sicherer Entfernung, nur mit dem Unterschied, daß sie von der niedrigsten Stufe der Abteilung Dokumentation aus zuschauen. Von ihrem Verdienst können sie nicht mal die Miete bezahlen – und ihr Vollkornmüsli schon gar nicht und auch nicht das stinkige Zeug, daß sie ihren Abessiniern verfüttern! Ich ernähre sie und den Sohn des orthodoxen Priesters. Die einzige Alternative wäre ein reicher Freund oder Ehemann. Aber so ein Fabelwesen ist nicht in Sicht.

Du kannst dir das leisten, ich auch, nur nicht so mühelos wie du. Laß nur, dies ist keine Adaptation eines Ibsen-Dramas, die du gleich wieder verfilmen könntest. Falls Jon dich interessiert: Er ist ganz in Ordnung, aber nicht so, wie ich mir meinen Schwiegersohn erträumt habe oder den Vater meiner Enkelkinder oder den Mann, mit dem ich zusammen in einem Haus wohnen wollte, das moralisch gesehen meiner Tochter gehört.

Laß uns noch einen Kaffee trinken, sagte Gil. Vielleicht könnten wir einen Kognak brauchen. Ich arbeite heute nachmittag nicht, und wir sind mit diesem Gespräch noch längst nicht am Ende. Was hast du gegen Jon? Ist er nicht genauso, wie du in seinem Alter warst – ein brillanter junger Anwalt auf dem Weg zu Ruhm und Reichtum?

Ich habe weder das eine noch das andere erreicht. Nein, ich war nicht wie Jon. Meine innere Einstellung war ganz anders – ausgerechnet du solltest mich nicht mit meinem Beruf identifizieren. Ich verrate dir ein tiefes Geheimnis: Im College war ich romantisch, romantischer als du, und die romantische Einstellung habe ich nie aufgegeben. Jon hat gar nicht erst damit angefangen. Das ist ein echter Unterschied. Er hat alles, was er braucht, um

Sozius in der Kanzlei W & K zu sein, aber es gibt andere Dinge, die W & K gleichgültig sind, mir jedoch nicht. Zum Beispiel die Frage, wieviel einem materieller Erfolg wert sein sollte. Vielleicht liegt das an seiner Herkunft, dem Tabuthema im Büro!

Was heißt Herkunft? Er ist der Sohn zweier Doktoren, und du kennst sie nicht einmal! Allmählich glaube ich, ihr Thanksgiving, ihr Erntedankfest, ist etwas, wofür du Gott danken solltest. Geh dankbar zu dem Essen und versuche, dich zu benehmen, wenn du schon einmal da bist. Die Eltern werden deinem angegrauten Charme erliegen! Das und die gute Hausmannskost werden dich aus deiner Ecke herauslocken.

Da habe ich so meine Zweifel.

Und dann kümmerte sich Schmidt nicht mehr darum, ob er eine von seinen und Gils Spielregeln verletzte.

Gil, sagte er, ich bin einsam und verloren. Laß mich zufrieden. Ich komme mir sowieso schon wie ein Riesenidiot vor. Mary hätte das nicht zugelassen. Ohne sie sehe ich keinen Sinn mehr.

Ich glaube, jetzt bestellen wir den Kognak.

Gil leerte sein Glas, bestellte sich noch einen Kognak und sagte zu Schmidt: Du hast recht. Ohne Mary bist du verloren – ich meine: verlierst du dich in deinen Gefühlen. Mit dem Haus hast du wahrscheinlich auch recht. Wenn du in einer neuen Umgebung bist, die du dir selbst eingerichtet hast, dann kannst du leichter einen neuen Anfang wagen. Du wärst dann eben ein motorisierter Babysitter. Aber zwischen dir und Riker geht irgendwas vor, da spielt eine unterschwellige Geschichte mit, die ich nicht verstehe. Was hast du gegen ihn? Sind das vielleicht die Schlüsselworte: Die Eltern – Psychoanalytiker? Die Herkunft? Kein Romantiker? Schmidtie, willst du damit andeuten, der Junge ist Jude?

So ist es.

Und du bist bestürzt, weil der letzte Sproß der Grove-Street-Schmidts einen Juden heiratet?

Das ist noch das wenigste.

Gil trank den zweiten Kognak aus.

Schmidtie, du machst es wirklich spannend. An dieser Stelle müßte dir siedendheiß einfallen, daß du mit einem Juden redest. Du solltest erröten und sagen: Ach Verzeihung, dich habe ich damit nicht gemeint, du bist ganz anders!

Bist du ja auch.

Du meinst: berühmt, ein Mensch, den du seit dreiundvierzig Jahren kennst und vor allem sozusagen ein Künstler!

Ist das etwa nicht besser?

Nicht wirklich. Zum Schwiegervater möchte ich dich jedenfalls auch nicht haben. Ruf mich an, wenn du Thanksgiving überstanden hast. Wenn diese Eltern Riker dich dann nicht auf ihre Couch gezerrt haben, versuch ich es vielleicht mal mit meiner.

Sie waren die letzten Essensgäste im Restaurant. Ihr Kellner war verschwunden. Gil zahlte an der Bar, wobei er eine leise Unterhaltung zwischen dem Eigentümer und einer traurigen fetten Frau unterbrach, deren Jerseykleid und Gummischuhe fast den gleichen Grünton hatten. Ihre Hände waren ganz aufgesprungen und rissig. In der einen hielt sie einen stark verdünnten Whiskey, in der anderen eine Filterzigarette. Der Black & White-Aschenbecher neben ihr war voller Kippen mit Lippenstiftspuren – sie stammten offenbar von ihr. Ein paar Hocker weiter starrten der Mann vom Videoladen und ein Begleiter, der Schmidt verdächtig nach Kinderpornograph aussah, trübsinnig in ihr Bier vom Faß. Keine Unterhaltung festzustellen. Schmidt kam auf die Idee, die Frau sei vielleicht die Schwester des Eigentümers, vielleicht zu Besuch aus Montauk, wo sie ein Motel betrieb, einzeln stehende Häuschen in den Dünen, Unterkünfte für Mafia-Handlanger; vielleicht war sie auch seine Buchhalterin. Die erste Hypothese würde erklären, warum beide die gleichen wimpernlosen himmelblauen Schweinsaugen hatten, zur zweiten paßte, daß er ihr so aufmerksam zugehört hatte.

Das Licht draußen war immer noch blendend hell. Schmidt ging gebeugter als sonst, weil Gil ihm den Arm um die Schulter gelegt hatte – eine bemerkenswerte Freundschaftsgeste, die nicht gestört werden durfte.

Hallo, Mr. Schmidt.

Das war Carrie, auf dem Bürgersteig, nicht in Kellneruniform, sondern in schwarzwollenen Leggins und einem roten Skiparka. Die Beine waren schön: lang und schlank wie der Hals. Dünn, aber wohlgeformt – harmonische Waden, Knie, die nicht auffielen, und kräftige energische Oberschenkel, die unter besagtem nicht jahreszeitgemäßen Kleidungsstück dem Ort des Mysteriums entgegenstrebten. Das arme Kind sehnte sich bestimmt nach einem wärmeren Klima; aber warum zog es dann nicht wenigstens lange Hosen an? Einem geschenkten Gaul schaut man nicht ins Maul, Schmidt! Schließlich ist dein Wunsch in Erfüllung gegangen: Endlich hast du ihre Beine gesehen.

Sie sah nicht so aus, als wollte sie die Straße überqueren. Hieß das, sie wartete darauf, mitgenommen zu werden?

Ich sah, wie Sie bezahlt haben, darum habe ich gewartet, wollte noch Hallo sagen.

Das ist Gil Blackman, Carrie. Carrie nimmt sich freundlicherweise manchmal die Zeit, mit mir altem Mann ein bißchen zu schwatzen, wenn ich meine einsamen Hamburger verzehre und ein Glas zuviel trinke.

Kommen Sie bald wieder!

Diese Heiserkeit, das war nicht nur ihre Abendstimme. Schmidt wünschte, sie würde weitersprechen, jedes Wort wäre ihm recht. Die Stimmlage des späten Abends, der Bar. Ein schlammverschmierter Honda Civic mit verbeulter Stoßstange und verschrammter Fahrertür parkte am Straßenrand. Sie schloß den Wagen auf und schwebte mit der schwanenhaften Anmut einer Spitzentänzerin hinein, die Arme zaghaft zu einer Abschiedsgeste erhoben, startete dann den Motor. Die Räder setzten sich in Bewegung. Im Wegfahren kurbelte sie das Fenster herunter und rief ihm zu: Schönen Abend noch! Zum zweiten Mal innerhalb von fünf Minuten war Schmidt ein Wunsch in Erfüllung gegangen.

Gar nicht übel!

Ein süßes Kind.

Arm in Arm erreichten sie den Parkplatz.

Also dann, ich stehe hier.

Hier: das war ein langer Jaguar. Gil seufzte, hob die Brauen und umarmte Schmidt. Ein Anfall atavistischer Sentimentalität? Wirkte sich schon aus, daß Schmidts Aufnahme – via Charlotte – in den Stamm bevorstand? Auch wenn er vermutlich allenfalls zum korrespondierenden Mitglied ernannt würde? Der Priester von Midian war mit sieben Töchtern gesegnet. Was wurde aus ihm, als Moses sich dem Stamm der Midianiter verband? Vervielfachten sich seine Herden? Diesen Fragen mußte man nachgehen.

Laß dich nicht unterkriegen, Schmidtie. Denk an Enkelkinder, Meer und Schwimmbecken, und ans Babysitting. Und das heißt nicht, daß du auf der Stelle nach einer zweiten Corinne Ausschau halten sollst, du alter Bock!

Schmidt schlenderte zu seinem Auto und wünschte, Gil hätte das nicht gesagt! Es lag so weit zurück; daß die

Erinnerung daran ihn immer noch verstören konnte, erklärte er sich damit, daß er sehr sparsam mit ihr umgegangen war, sie hütete wie eine Flasche alten Kognak, die man nicht zu oft entkorken darf. Der bewußte Sommer hatte schlecht angefangen, mit verregneten Wochenenden und Mücken. Viel zu früh hatte es einen Hurrikan gegeben. Der Sturm kostete sie den Steg, den Martha mit Erlaubnis Fosters hatte bauen und benutzen können, das Dingi und eine Rotbuche, so alt wie das Haus. Im Fallen blockierte sie die Garage, und wenn Schmidts Auto nicht gewesen wäre, das er während der Woche immer am Bahnhof stehen ließ, dann hätten sie ein Auto leihen oder sich mit Fahrrädern behelfen müssen, bis Fosters Knecht den riesigen Baum zu Scheiten zersägt hatte, die als Feuerholz zwei Winter oder länger reichten. Zum ersten Mal hatte man Mary das Recht zugestanden, im Juli und August zu Hause zu arbeiten, deshalb brauchten sie keinen Tageshort und konnten mit Charlotte richtige Ferien am Strand machen. Aber kaum hatte sich Mary mit Charlotte und Corinne, dem neuen Au-pair-Mädchen, im Sommerhaus eingerichtet (Schmidt hatte erst im August Ferien), da bekam sie Migräneanfälle von einer Heftigkeit wie nie zuvor, Anfälle, die sie vor Übelkeit und Erschöpfung taumeln ließen. Nach dem ersten Anfall zog sie ihre Meldung zum Tenniswettkampf zurück und hielt sich vom Strand fern. Das grelle Licht, das Wellenrauschen, der Wind, alles war unerträglich für sie. Die Westveranda hatte Fliegengitter; dort versuchte sie jeden Tag, ein paar Stunden lang Manuskripte zu lesen. Als sie Schmidt vom Bahnhof abholte, fragte sie ihn, ob er glaube, daß sie einen Tumor habe. Er erreichte David Kendall noch am selben Abend in Westchester; Kendall setzte sich dann sofort mit einem Neurologen in Verbindung. Die Putzfrau, Mrs. Durban, war bereit, im Haus zu übernachten und ein Auge auf Charlotte und Corinne zu haben, und am Sonntagabend nahm Schmidt Mary zur Untersuchung mit in die Stadt. Am folgenden Mittwoch gingen sie zusammen zum Neurologen. Wie er erwartet hatte, war das Ergebnis negativ. Er hielt die Kopfschmerzen für Nebenerscheinungen einer leichten Depression, die durch Spannungen bei Wiggins, dem Verlag, in dem sie arbeitete, ausgelöst oder verstärkt worden war. Die Depression müsse wohl behandelt werden – im Herbst, wenn die psychiatrische Zunft aus Wellfleet zurückgekehrt sei. Vorläufig werde er ihr Beruhigungsmittel verschreiben, die sie tagsüber einnehmen solle, und Schlaftabletten, damit sie nachts ordentlich schlafen könne. Er riet ihr, soviel wie möglich zu schlafen. Das sei auch eine Psychotherapie, und nicht die schlechteste.

Schmidt mußte Verträge für die Finanzierung einer Schiffshypothek noch vor Monatsende zur Unterschrift vorbereiten und hatte nur einen jungen Assistenten im ersten Jahr zur Unterstützung – die Kanzlei hatte ungewöhnlich viele Aufträge und war deutlich unterbesetzt, weil die Hälfte der Anwälte Urlaub machte –; trotzdem fuhr er am Nachmittag wieder mit Mary aufs Land. Er konnte ihr nicht gut vorschlagen, bis zum Freitag in der Stadt zu bleiben. Sie hatte ihm schon erzählt, daß Charlottes Stimme am Telefon klein und ängstlich geklungen habe; daß sie ihr Manuskript auf dem Tisch in der Diele vergessen habe; daß sie fürchte, Mrs. Durban werde den Schrank mit den Alkoholika plündern. Und es war ausgeschlossen, daß sie allein zurückfuhr. Als er vorsichtig gefragt hatte, ob sie am Bahnhof lieber sein Auto nehmen und selbst fahren oder ob er ihr ein Taxi bestellen solle, hatte er den verletzten Ausdruck in ihrem Gesicht gesehen. Er nahm seine Frage sofort zurück. Natürlich würde er mit ihr im Zug nach Bridgehampton zurückfahren und über Nacht bleiben. Er wolle Charlotte auch gern sehen. Welche Dummheit, nicht gleich an den Frühzug gedacht zu haben. Den werde er nehmen und rechtzeitig zur Besprechung in der Bank sein.

Sie dankte ihm und sagte dann in einem Nachsatz: Das trifft sich doch gut für dich. Diesmal wirst du all deinen Sozii und all deinen Freunden sagen können, daß du nicht einfach überarbeitet bist. Du hast außerdem noch eine Frau, die nicht ganz richtig im Kopf ist. Da werden alle Mitleid mit dir haben.

Dieser boshafte Seitenhieb überraschte Schmidt. Nie hatten sie ihre Auseinandersetzungen mit solchen Untertönen geführt; er wußte nicht, womit er das verdient hätte. War sie verstörter als der Neurologe angedeutet hatte? Er hielt sich an einen Vergleich: Es war wohl so wie die gewissen Momente, wenn einem plötzlich die Galle bitter hochkommt. Depressionen konnten auch einen Verlust der Selbstkontrolle bewirken. Was verbarg sie wohl noch?

Sobald es für Charlotte Zeit zum Gute-Nacht-Sagen war, brachte er auch Mary dazu, hinaufzugehen, und während sie ihre Vorbereitungen für die Nacht traf, bereitete er ihr ein Käsesandwich und einen Teller Tomatensuppe. Als sie mit dem Essen fertig war, gab er ihr eine Tablette von dem neuen Sedativum. Die Wirkung trat fast augenblicklich ein. Mary lag auf dem Rücken. Sie fing an zu schnarchen, mit offenem Mund; genauso hatte Schmidts Vater geschnarcht, wo, wie und wann immer ihn der Schlaf überfiel, prompt und zuverlässig Nacht für Nacht, solange Schmidt noch zu Hause gewohnt hatte. Jedes Knacken im Fußboden, jedes Räuspern hatte man im ganzen Haus in der Grove Street gehört. In seinem Zimmer, das durch einen schmalen Korridor mit rotem Läufer vom Elternschlafzimmer getrennt war, hatte Schmidt gehorcht und sich ausgemalt, wie seine Mutter wütend und ewig unterwürfig ganz am Rand des schwarzen Bettes zusammengekauert lag. Dieses Geräusch hatte Schmidt genau studiert. Nebensächlich zuerst, fast unterhaltsam, gleicht es dem Surren eines selbstgebastelten Modellflugzeugs oder dem Brummen einer wildgewordenen Fliege, man findet es weiter nicht störend, man weiß ja, das Geräusch hört gleich auf, sobald die Batterie des Spielzeugmotors leer ist. Mit dem Schnarchen ist es ganz anders: Es nimmt zu an Energie, wird erschreckend laut und eindringlich, dehnt sich aus, wird viel raumgreifender als der friedliche, selbstzufriedene Körper, aus dem es heraustönt, und nur ein Pfahl, durchs Herz des Schläfers getrieben, wird es zum Schweigen bringen.

Und das war nun Mary, die sich in Bus und Bahn zum Wachbleiben zwang, weil sie behauptete, man dürfe nicht in der Öffentlichkeit schlafen! Er setzte sich aufs Bett. Weil er wußte, wie sie sich schämen würde, wenn sie erfuhr, daß sie geschnarcht hatte, zwickte er sie in den Arm, rüttelte sie, versuchte dann, sie auf die Seite zu drehen. Nichts. Ein trunkener, unerbittlicher Satyr hockte in ihr und blies auf seiner schauerlichen Flöte immer wieder dieselbe Tonleiter, auf und ab.

Er steckte die Hand unter die leichte Sommerdecke, fand den Saum ihres Nachthemdes, schob ihn hinauf und streichelte ihre Oberschenkel. Als er zupfte und zog, teilten sie sich. Mary hatte sich von Jugend an die Beine rasiert, war aber in letzter Zeit zu Wachs übergegangen. Wegen der Kopfschmerzen hatte sie sich jüngst offenbar der Mühe nicht mehr unterzogen. Die Stoppeln waren borstig und erinnerten Schmidt an das erste Mal, als sie seiner Hand den Weg unter ihren Rock erlaubt hatte. Er hielt die Augen auf Marys Gesicht gerichtet, wartete auf eine Veränderung ihres Ausdrucks und deckte ihre Beine auf. Die Oberschenkel waren kräftig und schwer, ebenso ihre Hinterbacken, wie geschaffen für den Sattel. Mary schämte sich dieser Schenkel, aber Schmidt war immer wieder entzückt von ihnen und von Marys Hintern. Ganz vorsichtig, um sie nicht zu wecken, hob er ihre Knie an, bis sie bereit war, ließ nicht ab, über die Innenseite ihrer Schenkel zu streichen, bewegte die Hand allmählich immer weiter nach oben und öffnete ihr dann die Lippen. Sie war trocken. Er benetzte sich den Mittelfinger und begann eine kreisende Bewegung. Das Schnarchtempo beschleunigte sich nicht, es blieb ganz unverändert, aber sie wurde sehr feucht, und er bewegte seinen Finger, später zwei Finger, ganz leicht erst zwischen den Lippen, dann in ihr auf und ab, dann tiefer. Ohne Vorwarnung überkam ihn die Lust mit solcher Gewalt, daß er nicht einmal mehr Zeit hatte, seine andere Hand in seine Hose zu stecken. Als der Spasmus vorbei war, nahm er eine ihrer Hände, die friedlich über dem Bauch gekreuzt liegengeblieben waren, und schob sie an die Stelle, wo seine Hand gewesen war, breitete die Decke wieder über ihren Körper und löschte die Leselampe. Obwohl die Jalousien heruntergelassen waren, hatte das Zimmer noch Licht, die Tage waren lang. Marys Gesicht war vollkommen ruhig. Er fragte sich besorgt, ob ein so anhaltendes lautes Schnarchen – es war wohl anzunehmen, daß sie wie sein Vater bis zum nächsten Morgen durchschnarchte – irgendwann die Stimmbänder beschädigte. Aber vielleicht waren sie gar nicht beteiligt, vielleicht spielte sich das ganze Rasseln und Sägen irgendwo hinter der Nase ab. Er sah nach ihrer Hand. Sie lag noch an derselben Stelle, aber die Finger wirkten entspannt und belebt. Mary behauptete, sie berühre sich nie. Er wollte, daß sie lernte zu masturbieren, weil er hoffte, sie würde sich dadurch lösen, leichter kommen, nicht mehr nur großmütig sein, nicht mehr versichern müssen, sie habe es auch so genossen, er solle sich keine Sorgen machen.

Er zog einige Bahnen im Schwimmbecken und kleidete sich um. Dann ging er in die Küche; er war sehr hungrig. Keiner da, Corinne brachte wahrscheinlich noch Charlotte zu Bett oder hatte sich gleich in ihr Zimmer zurückgezogen, das am anderen Ende des Küchentrakts lag. Er gönnte sich ein Glas Bourbon; es wärmte ihn auf. Am Herd stehend, aß er den Rest von Marys Suppe und den Käse und wollte gerade Teller und Topf in die Spülmaschine räumen, da unterbrach sie ihn. Monsieur soll kein Geschirr spülen, sagte sie, das ist meine Aufgabe.

Er betrachtete sie neugierig. Corinne war barfuß. Deshalb hatte er sie auch nicht kommen hören; gut möglich, daß sie jetzt zum erstenmal ein Wort direkt an ihn gerichtet hatte. Er war seit Anfang Juni, als sie angekommen war, immer erst spät zu Hause gewesen, und an den Wochenenden schien sie scheuer als ihre Vorgängerinnen. Jedenfalls sprach sie fast akzentfrei Englisch, und nach Marys Auskunft war ihr Französisch sehr rein. Vielleicht lag ihre Schüchternheit daran, daß sie Halb-Indochinesin war. Mary hatte etwas vom Vater des Mädchens gesagt, genau wußte er es nicht mehr, war er nicht Beamter der französischen Verwaltung gewesen, in einem dieser Länder, deren Namen Schmidt nicht mehr hören konnte: Vietnam, Kambodscha, oder war es Laos? Eines davon; jedenfalls hatte er eine Einheimische aus guter Familie geheiratet und war erst spät mit ihr und dem Kind nach Frankreich zurückgegangen, einige Jahre nach Điên Biên Phu. Dann war er gestorben.

Mir macht es nichts aus, meine Unordnung aufzuräumen, entgegnete er. Ich finde eigentlich, das gehört sich so.

Bitte. Monsieur sollte im Salon sein.

Er goß sich noch einen Bourbon ein – nach kurzem

Nachdenken nahm er die Flasche und den Eisbehälter mit – und ging gleich, nicht auf dem Weg durchs Wohnzimmer, in die Bibliothek. Dort hielten er und Mary sich am liebsten auf, der Raum war im Sommer besonders angenehm, wenn alle Fenster offen standen. Als er sah, daß sie sämtliche Lampen angeschaltet hatte, fand er, Corinne sei eine Perle: offenkundig freundlich und geschickt im Umgang mit Charlotte, schön, schweigsam und sorgfältig bei der Hausarbeit. Er machte es sich auf dem Sofa bequem und schloß die Augen. Vielleicht sollte er wirklich hier schlafen? Oder er konnte im großen Gästezimmer übernachten und Mary erzählen, er sei dorthin gezogen, um sie nicht zu stören. Bei ihrem Schnarchen konnte er unmöglich Schlaf finden, und wenn ihm daran lag, daß sie die Anordnungen des Neurologen befolgte, dann konnte er ihr ebenso unmöglich sagen, daß sie schnarchte.

Entschuldigen Sie, Monsieur.

Sie war da, mit einem kleinen Glastablett voller Ei-Kanapees. Er bemerkte, daß sie sich umgezogen hatte: Sie trug Sandalen und statt der Jeans ein weißes Baumwollkleid.

Ich dachte, Monsieur würden diese vielleicht mögen. Monsieur hatten kein Abendessen.

Ja, gern. Danke.

Sie stellte das Tablett vor ihn hin und sagte wieder etwas. Darf ich fragen, ob Monsieur mir erlaubt, bei ihm zu sitzen?

Natürlich.

Stört es Sie, wenn ich etwas Musik anstelle? Ich liebe Mozart sehr.

Sie sprach den Namen ohne das *t* aus.

Bitte, suchen Sie sich aus, was Sie am liebsten hören. Sie hatte offensichtlich die Stereoanlage schon benutzt, denn sie griff ohne Zögern nach der Platte. Es war das Hornkonzert. Er erzählte ihr, er schätze es auch.

Danke.

Sie setzte sich neben ihn aufs Sofa. Ein starker Mandelgeruch ging von ihr aus. Sie sah, daß er prüfend die Luft einzog, und sagte, das sei ihre Handcreme. Manche Leute meinen, asiatische Haut hat einen unangenehmen Geruch.

Wie kann man so etwas sagen! Das ist ja schrecklich und außerdem Unsinn!

Ich habe Sie ärgerlich gemacht. Aber wir haben wirklich Angst davor.

Ich bin überhaupt nicht ärgerlich. Die Creme riecht jedenfalls sehr angenehm.

Sie lächelte ihn an und roch an ihrem Arm.

Hatte dieses Mädchen es auf ihn abgesehen? Wenn ja, dann würde die Gelegenheit nie wieder so günstig sein wie in diesem Moment. Er durfte sie sich nicht entgehen lassen. Aber er wußte nicht recht, ob er den Augenblick nutzen sollte, und fragte sie, ob sie etwas von seinem Bourbon oder lieber Wein trinken wolle. Sie können einen Schluck aus meinem Glas trinken, sagte er. Wenn es Ihnen schmeckt, hole ich Ihnen ein eigenes Glas.

Sie nippte an seinem Bourbon, fand, es sei ein starkes Getränk, aber sie möge den süßen Geschmack, holte ein Schwenkglas aus der Küche und hielt es ihm zum Einschenken hin.

Jetzt wollen wir die Platte hören, sagte er.

Sie nickte, plötzlich ganz unsicher.

Alles in Ordnung. Sie haben mich nicht gestört. Wir können zuhören und von Zeit zu Zeit ein bißchen reden.

Sie lächelte ihn dankbar an. Er hatte richtig geraten. Sie wollte sich mit ihm einlassen. Er griff nach einem

Kanapee und rückte bei der Gelegenheit etwas näher an sie heran.

Ausgezeichnet! Mein Lieblingsessen, wenn ich Whiskey trinke.

Er legte seine Hand mit der Innenfläche nach unten zwischen sich und sie auf das Sofa. Zwei Kanapees waren noch übrig. Warum essen wir sie nicht auf? fragte er. Seine Stimme hatte einen leicht belegten Klang angenommen. Vielleicht merkte sie es nicht.

Sie nickte wieder.

Er legte seine Hand auf das Sofa zurück. Einen Augenblick später sah er bei einem Seitenblick auf die Hand, daß ihre dicht daneben lag. Was war der nächste Schritt?

Möchten Sie ein Buch mit Bildern ansehen, während wir Musik hören? fragte er sie.

Oja. Welches?

Suchen Sie sich eins aus.

Auch hier kannte sie sich aus und wußte, was sie wollte. Sie nahm ohne Zögern ein Album mit Photos vom Grand Canyon aus dem Regal.

Schmidt lachte. Das Buch kann man gut zusammen ansehen. Ich schäme mich, daß ich noch nie dort gewesen bin. Vielleicht sollten wir mit Charlotte hinfahren.

Das Buch war sehr groß. Sie schlug es so auf, daß es auf ihren und seinen Knien zugleich lag, und fing an, die Seiten umzublättern. Ihr Kleid war ärmellos. Schmidt nahm einen großen Schluck Bourbon; allmählich war er nicht mehr fähig, an etwas anderes als die Wärme und den Mandelduft dieses Arms zu denken. Das Photo, das sie gerade betrachtete, zeigte den Rand einer Schlucht. Sie wies mit den Fingern auf die winzigen Gestalten der Touristen auf Maultieren und fragte: Würden Monsieur mir erlauben mitzukommen?

Ich würde darauf bestehen, Corinne. Sag nicht mehr:

Würde Monsieur dies, würde Monsieur das. Nenne mich bitte Schmidtie wie alle.

Das wage ich nicht.

Mach dir keine Sorgen. Das gehört dazu, wenn man in Amerika ist.

Er bewegte seinen Arm, so daß er ihren hautnah spürte. Sie warf ihm einen Blick zu, und er dachte, sie sei vielleicht errötet, aber genau konnte er es nicht sehen.

Was tat er eigentlich? Konnte es sein, daß er dabei war, sich mit dem Au-Pair einzulassen, und daß das Mädchen dazu bereit war? Das mußte zu einer Katastrophe führen. Das war, wie wenn man mit der eigenen Sekretärin schläft, ein roher Akt, zuerst im Büro vollzogen, auf dem Fußboden, falls keine Couch da steht, und später dann Gott weiß wo. In ihrer Einzimmerwohnung in Jackson Heights. Abends geht man kurz vor ihr aus dem Büro, läuft ein paar Straßen weiter und nimmt erst dann ein Taxi, damit andere Leute, die auch lange gearbeitet haben und auf Taxis warten, einen nicht sehen. Diese widerliche Geschichte, wie Coulters Frau ein benutztes Kondom in seiner Hosentasche fand, als sie den Anzug in die Reinigung bringen wollte: Jetzt war er dabei, auf Coulters Niveau zu sinken.

Darf ich von Zeit zu Zeit mit Ihnen reden? fragte sie. Ich bin so schüchtern.

Das Mädchen machte sich nur über ihn lustig. Er zog den Arm weg. Natürlich, versicherte er ihr, jederzeit. Charlotte ist ganz begeistert von dir, und Mary und ich sind sehr froh, daß wir dich gefunden haben. Oder daß du uns gefunden hast.

Seine Stimme hatte wieder einen normalen Klang. Gleich würde er das Buch zuklappen, vom Sofa aufstehen und im Gästezimmer zu Bett gehen können. Vielleicht nahm er sich noch einen Bourbon mit hinauf.

Sie waren heute so freundlich zu Madame. Ich habe Sie beobachtet. Sie sind freundlich zu allen. Aber ich glaube, jetzt sind Sie wütend auf mich.

Aber nein. Wie könnte ich? Worüber sollte ich wütend sein?

Weil ich Sie liebe und Sie sich Sorgen machen, daß Madame es merken wird. Aber das wird sie nicht. Bitte machen Sie sich keine Sorgen; das müssen Sie wirklich nicht.

Er fürchtete, gleich loslachen zu müssen, aber sie hob ihm ihr Gesicht in so eindeutiger Absicht entgegen, daß er sie küßte. Sofort schlang sie die Mandelarme um seinen Hals. Irgendwie war sie ihm auf den Schoß geglitten und hatte ihren Körper fest an den seinen gedrängt. Er nahm wahr, daß sie nun ihn küßte und ihre Zunge so heftig in seinen Mund drängte, daß er glaubte, sie ganz und gar verschlucken zu müssen. Zeit verging, und wortlos, denn dieser Kuß durfte nicht unterbrochen werden, zupfte sie ihn am Handgelenk und führte ihn in ihr Zimmer.

Ich bin ein gefallener Mann, wisperte er ihr ins Ohr.

Ein paar Wochen danach entschloß sich Mary, einen ihrer Autoren auf seiner Lesereise entlang der Westküste zu begleiten. Sein Buch war ganz unerwartet an die Spitze der Bestsellerliste geklettert. Die Migräneanfälle waren vorbei – hatte die freudige Erregung über den kommerziellen Riesenerfolg sie kuriert oder die Ruhe, die Pillen oder alles zusammen? Wer wußte das schon? Sie dachten nicht viel darüber nach. Inzwischen war Anfang August. Mary riet ihm, er solle seinen Urlaub auf jeden Fall nehmen und seine Pläne nicht umstoßen, um mit ihr zusammen Ferien zu machen. So wie sich alles entwickelt habe, könne sie fahren, ohne sich Sorgen machen zu müssen, ob Corinne und Charlotte allein in Bridgehampton zurechtkämen.

In der Zeit vor Marys Abreise war er regelmäßig mit ihr zu Bett gegangen, jeden Abend gleich nach dem frühen Abendessen. Die Wirkung der Tabletten trat immer noch prompt ein, aber Mary wollte mit dem Sedativum nicht warten, bis sie sich geliebt hatten. Sie hatte Angst vor jeder Pause zwischen Hinlegen und Einschlafen.

Wir können es doch machen, während ich einnicke, erklärte sie ihm, so habe ich es gern, das ist gemütlich. Ich glaube, ich kann dann besser schlafen. Du kannst ruhig lesen danach, das stört mich nicht. Du kannst Licht anmachen oder nach unten gehen.

Schmidt fand es auch angenehm. Er drehte sie auf die Seite, drängte sich gegen das kalte Hinterteil, fand seinen Weg und verlor sich in der Lust. War dies nicht die wahre Zauberflöte? Erregung an der Grenze zum Schmerz, moduliert, steigend und fallend, ununterbrochen bis zur Klimax. Glücklicherweise hatte das Schnarchen nachgelassen. Er wischte sich am Bezug ab, um Mary sein Zeichen zu hinterlassen und ging dann, ohne sich zu waschen, auf Zehenspitzen die Treppe hinunter.

Ich gehe so wie ich bin zu meiner Zauberfee, sagte er sich. Die Zeit ist stehengeblieben.

Daß Charlotte ihn nicht hören würde, wußte er. Der Treppenläufer war dick, und er bewegte sich sehr leise und vorsichtig. Erschreckend war nur der Gedanke, sie könnte in Corinnes Zimmer kommen, weil ein böser Traum sie geweckt hatte.

Corinne versicherte ihm, er brauche keine Angst zu haben. Sie klopft immer. Ich werde ihr sagen, sie solle warten, und dann mit ihr nach oben gehen. Du mußt unter meinem Zauberbann ganz still liegen.

Schrecken jagte ihm auch die Vorstellung ein, Corinne könne schwanger werden. Sie benutzte keine Verhütungsmittel, und als er sich einmal vor dem Ende aus ihr zurückzog, weinte sie. Er nahm an, daß das Risiko für Corinne geringer sei, wenn er seine erste Ejakulation schon mit Mary gehabt hatte, aber ob das zwölf Monate lang gutgehen würde – so lange war sie bei ihnen angestellt –, bezweifelte er.

Wenn das passiert, dann werde ich gehen, sagte sie. Dann wirst du nie wieder von mir hören.

Gegen Ende von Marys Reise fuhren sie mit Charlotte nach Montauk und aßen Hummer in einem Restaurant am Pier. Auf dem Heimweg schlief Charlotte im Auto ein und war dann zu Hause zu aufgeregt, um gleich weiterzuschlafen. Es war Neumond. Sie fragte, ob sie die Sternschnuppen anschauen und sich etwas wünschen dürfe. Sie schossen kreuz und quer über den Himmel. Schmidt war müde von der Fahrt. Er hatte eine Flasche deutschen Weißwein fast allein getrunken. Er zuckte die Achseln und sagte, sie und Corinne könnten tun, was sie wollten; er gehe nach oben. Das war wieder ein Fest für Charlotte. Der Wind hatte sich ganz gelegt. Unter den geöffneten Fenstern kicherten die Mädchen. Er hörte ihrem Flüstern zu und später dem Rauschen der Brandung jenseits des Teichs. Die Fliegentür fiel ins Schloß. Das mußte Corinne sein, die Charlotte zu Bett brachte. Offenbar hatte sie ihr noch vorgelesen. Es hatte lange gedauert. Endlich öffnete sich die Schlafzimmertür. Er zog sie in seine Arme und spürte, daß sie schon nackt war.

Warte, flüsterte sie. Ich muß mir ein Handtuch unterlegen. Und dann: Jetzt gleich, bitte, jetzt!

Das sollten wir nicht tun, flüsterte er zurück, das macht Flecken im Bett, aber sie legte ihre Hand auf ihn, und er konnte nicht widerstehen.

Es war das Blut auf dem Matratzenbezug, das Corinne nicht so gut weggeschrubbt hatte, wie sie glaubte: Mrs. Durban entdeckte es und machte Mary am Morgen nach ihrer Rückkehr darauf aufmerksam; Schmidt war derweil im Tennisclub und spielte ein Einzel gegen den Kniechirurgen, der im Jahr zuvor Clubsieger geworden war.

Charlotte ist in ihrem Zimmer und hat einen Wutanfall, weil ich gerade Corinne samt Koffer in den Zug nach New York gesetzt habe, erzählte Mary Schmidt, als er nach Hause kam. Wenn du schon eine Hure in meinem Haus vögeln mußt, dann hinterlaß wenigstens keine Flecken in meinem Bett.

Da hast du ganz recht, antwortete er und ging zum Schwimmen ins Becken.

Später am Tag feuerte Mary Mrs. Durban.

Die Frau trinkt, erklärte sie Schmidt. Die Schulferien sind fast vorbei. Ich behelfe mich mit den Polinnen, bis ich eine geeignete Hilfe finde.

An jenem Abend ging Schmidt, nachdem er Charlotte Abendbrot gemacht und sie zu Bett gebracht hatte – Mary war im Schlafzimmer geblieben, hinter geschlossenen Türen –, auf die Veranda hinter dem Haus, um zu rauchen. Sollte er im Gästezimmer schlafen? Was konnte er Mary sagen? Er fragte sich, ob Corinne ihm eine Nachricht ins Büro schicken würde. Vielleicht war es am besten, wenn sie das nicht tat. In dem Fall hatte er keine Möglichkeit, sie zu finden.

Er hörte Schritte. Es war Mary.

Es ist kühl draußen, sagte sie. Willst du nicht zu Bett kommen?

IV

Der Club, in dem Schmidt sich unter normalen Umständen die Zeit zwischen Ankunft und Mittagessen in der Stadt vertrieben hätte, war geschlossen, weil man nicht damit rechnete, daß die Mitglieder das Thanksgivingmahl außerhalb der Familie oder ohne Freunde begingen. Es sei denn, sie hatten weder Familie noch Gäste noch Freunde. In einem solchen Fall, so stellte Schmidt sich vor, vergruben sie lieber ihr beschämendes Geheimnis, scheuten die Öffentlichkeit und kamen erst wieder aus ihren Behausungen zum Vorschein, wenn das Essen, an dem sie ihrer Selbsteinschätzung nach hätten teilnehmen sollen, vorbei sein mußte; ihre Kleidung war trotzdem sorgfältig auf den festlichen Anlaß abgestimmt. Wenn sie nun aber in einem Haus wohnten, dessen Türsteher und Fahrstuhlführer jedes Kommen und Gehen genau registrierten und deshalb abschätzig und präzise wahrnehmen würden, daß Mr. oder Mrs. Sowieso in der Stadt und bei guter Gesundheit waren und dennoch weder Gäste empfangen noch das Haus verlassen hatten? Wahrten diese armen Seelen dann ihre Würde, indem sie sich in irgendwelche Chinarestaurants in den Außenbezirken begaben, wo ihre Anwesenheit nur sie selbst befremdete, aber bei den ausgelassenen Mit-Essern weder Neugier noch Mitleid erregte? Oder war es in einem solchen Fall einfacher, eine Frühvorstellung in einem Broadway-Kino aufzusuchen und sich den doppelten Schutz von Anonymität und Dunkelheit zu sichern? Was hätte Schmidt getan, wenn er in seinem Apartment geblieben wäre und sich entschlossen hätte, nicht aufs Land zu ziehen, wo man sich alles in allem leichter verbergen kann, und wenn er nicht die Fürsorglichkeit sowohl seiner Tochter, wie auch der Eltern des Mannes, der sie entschlossen zu einer ehrbaren Frau machen wollte, und zu allem Überfluß auch noch die Aufmerksamkeit seines ehemaligen geschäftsführenden Partners auf sich gezogen hätte?

Die herrliche Komplexität des Problems beflügelte Schmidts Schritte zum Harvard Club, diesem Tempel der Geselligkeit, nur ein paar Straßen von der Stelle entfernt, wo der Bus ihn abgesetzt hatte. Erinnerungen an Briefe mit Clubmitteilungen, die das Festtagsmenü anpriesen, ließen ihn zuversichtlich hoffen, daß der Club offen war; seine Mitglieder waren wohl nicht mit der Geißel falschen Stolzes geschlagen. Er war schon seit Jahren nicht mehr Mitglied, aber er sah keinen Grund, warum er nicht aus alter Anhänglichkeit die Toilette benutzen oder sich gar ein kleines Nickerchen in der Bibliothek gönnen sollte. Der Portier in der Eingangshalle war Schmidt unbekannt oder hatte sich das Gesicht liften lassen. Er schüttelte dem Mann die Hand und ging weiter zum großen Saal. Ruhe hatte dort geherrscht, keinen Laut hatte man gehört, nur leise in Lederbechern klappernde Würfel oder das wütende Schrillen einer Klingel, die einen Kellner anwies, mehr Martini zu bringen – für den Mann, der mit finsterem Gesicht über dem Backgammonbrett brütete. Das war einmal, jetzt aber beherrschten wild hüpfende kleine Mädchen mit pastellfarbigen Strumpfhosen und ihre in Bewunderung dahinschmelzenden Verwandten das Feld. Schmidt tastete sich wie ein Blinder ohne Stock durch die Howard-Johnson-Lustbarkeit hindurch, ging nur der Nase nach, bis sie den Bierdunst des Urinals, den Geruch der Seife und der Desinfektionsmittel fand, die billige schwarze Kämme in Behältern bedeckten. Er nahm einen Kamm heraus, wusch und trocknete ihn und fuhr sich damit durch die Haare. Zehntausend verkaterte

Harvardmänner hatten sich in diesem Spiegel in voller Größe betrachtet. Schmeichelhaft war das Spiegelbild nicht: Er sah noch schlechter aus als die jammervolle Person in seinen Kleidern, die ihm aus einem Schaufenster in der Fifth Avenue entgegengestarrt hatte. In letzter Zeit hatte er abgenommen; und seine Wangen waren häßlich eingefallen; die verkniffenen Lippen, die er aus Gewohnheit festgeschlossen hielt, um seine unregelmäßigen, nikotinverfärbten Zähne zu verbergen, kamen ihm besonders unerfreulich vor. Er versuchte, die Mundwinkel zu heben. Die zweistündige Busfahrt hatte seine Kleidung leicht in Unordnung gebracht. Er öffnete den Gürtel, knöpfte den Hosenschlitz auf, schüttelte die Hosenbeine und glättete die Enden seines Hemdes, knöpfte und gürtete sich wieder und rückte die Krawatte gerade. Der Tweedanzug hatte seinem Vater gehört. Er knitterte nie. Seine Schuhe glänzten.

Das Zeug, das ich am Leib trage, ist so teuer wie ein Monat Kost und Logis für eine obdachlose Familie, dachte Schmidt. Nichts wie weg von hier und auf zur Show bei den Rikers!

Er hatte falsch geraten. Das Miethaus in der East 57th Street, in dem sie wohnten, war weder ein aufgemotzter Prunkbau aus weißen Steinen noch bevölkert mit joggenden Mietern in Freizeitkleidern. Ein alter Ire an der Pforte zeigte auf das Ende der schwachbeleuchteten Eingangshalle, und von dort brachte sein Zwilling, nach einer Reihe von Fehlstarts, Schmidt mit dem Fahrstuhl in den obersten Stock. Gehen Sie einfach hinein, sagte er. Aus der Fahrstuhltür trat man direkt in das rechteckige Foyer des Apartments. An den weißen Wänden hingen im Licht von Punktstrahlern Drucke, auf denen höhlenartige Gebäude zu sehen waren. Obwohl der irische Zwilling von einem Bein aufs andere trat, offenbar entschlossen, erst zu gehen, wenn er sich vergewissert hatte, daß er wirklich einen Gast, der nach dem Naseputzen auf den Partylärm zusteuern würde, und nicht etwa einen achtbar aussehenden Einbrecher in die Wohnung gebracht hatte, blieb Schmidt stehen und betrachtete aufmerksam die Kunst im Hause Riker. Sie konnte ohne weiteres ein neutrales Gesprächsthema liefern. Wenn er nur etwas zu trinken bekäme; warum hatte er sich im Club nichts bestellt, warum nicht einfach die Rechnung mit einem Namen unterzeichnet, der ihm gerade einfiel – Jack DeForrest zum Beispiel?

Er wurde in seinen Gedanken unterbrochen: Die Fahrstuhltür schloß sich endlich geräuschvoll, und eine tiefe Frauenstimme drang an sein Ohr.

Gefallen Ihnen die Bilder? Das sind Piranesis Gefängnisansichten. Manche Leute können sie nur schwer ertragen.

Sie sind faszinierend. Ich bin Albert Schmidt.

Der müssen Sie sein. Alle anderen sind da. Und ich bin Renata, Jons Mutter.

Sie sah, daß er auf die Uhr schaute und fügte hinzu: Sie sind ganz pünktlich. Ich habe die anderen gebeten, früher zu kommen, damit Sie uns alle auf einmal sehen, wie auf einem Photo.

Sie war eine große, hochaufgerichtete Frau mit einem kastanienbraunen Rock und einem schwarz- und beigefarbenen Überwurf von grober Struktur, nach Schmidts Gefühl ein indianischer Poncho – sie trug nämlich Silberschmuck mit blauen Steinen –, über einem langärmeligen weißen Hemd. Schwarzes Haar mit grauen Strähnen, im Nacken zu einem Knoten zusammengefaßt. Ihre großen, strengen braunen Augen fielen Schmidt auf.

Wir freuen uns, daß Sie da sind, fügte sie hinzu. Kommen Sie, lernen Sie Ihre neue Familie kennen.

Myron, mein Mann.

Meine Eltern, Leah und Ronald Littman aus Washington. Dies ist ein besonderer Anlaß; normalerweise bringen wir Thanksgiving bei ihnen zu.

Meine kleine Schwester Suzie, Bob Warren, ihr Mann, und die Zwillinge Marilyn und Meg.

Nanu? Keiner hatte es Schmidt gesagt. Das war ja ein Goi wie er, nur fett; deutete dies Lächeln beim Händeschütteln etwa ein heimliches Einverständnis an? Die Mädchen waren mausgrau, nicht auseinanderzuhalten und kurzsichtig; sie kamen nach dem Vater.

Jons kleiner Bruder Seth.

Und hier endlich das glückliche Paar.

Soso. Schmidt ergriff die Hand, die Riker ihm entgegenstreckte, und küßte seine Tochter auf die Wange. Sehr hübsch, ich habe den Anzug meines Vaters an und sie das Kleid ihrer Mutter; aber Mary hätte zu diesem Essen nicht Marineblau getragen. Was geht in dem Köpfchen vor, warum schließt sie mich nicht in die Arme, hält meine Hand, bleibt an meiner Seite?

Was möchten Sie trinken, Albert?

Der männliche Dr. Riker, ein wenig kleiner als Renata, ein wenig mehr Schmidts Vorstellung von einem New Yorker Seelenklempner entsprechend, trat aus dem Familienphoto heraus. Wie Renata ging auch er tatsächlich auf Tuchfühlung mit Schmidt. Charlotte sprach eifrig auf die Großeltern ein. Wie redet sie die beiden wohl an? Leah und Ronald? Mrs. und Mr.? Benutzt sie komische selbstausgedachte Kosenamen?

Bitte, nennen Sie mich Schmidtie, entgegnete der dankbare Schmidt. Das gilt für alle hier. Al oder Albert nennen mich nur Leute, die mir per Telefon Staatsanleihen verkaufen wollen. Wenn es nicht zu viel Mühe macht, hätte ich gern einen Gin Martini.

Selbstverständlich machte es Mühe. Schmidt hatte die beiden respektablen schwarzen Damen wohl gesehen: Die eine servierte Gläser mit Rot- und Weißwein, die andere Häppchen, anscheinend kleine Quiches. Dr. Myron Riker würde den Cocktail selbst mischen müssen. Aber war jetzt Altruismus angebracht? Hilf dir selbst, so hilft dir Gott. Außerdem hätte Myron ja wohl Jon oder Seth oder den Wasp Warren schicken können, statt sich gehorsam selbst in Marsch zu setzen, um das Gewünschte, von welchem Aufbewahrungsort auch immer, herbeizuholen.

Als Myron wiederkam, trug er ein blankes Silbertablettchen, auf dem ein sehr kleiner blanker Cocktailshaker und ein Martiniglas standen. Er goß das Zeug ein. Winzige Eisplättchen blinkten in der Flüssigkeit. Eine Olive rollte auf dem Boden des Glases. So eine Überraschung. Schmidt eröffnete Myron, dies sei der kälteste und beste Martini, den er je im Haus eines anderen getrunken habe.

Im Shaker ist noch etwas. Nehmen Sie das doch auch. Bis zum Essen ist noch Zeit.

Zeit: Dieses Essen würde mindestens zweieinhalb, vielleicht drei Stunden dauern. Wenn er mit dem Taxi zum Busbahnhof fuhr – und warum sollte er nicht; Charlotte hatte nichts von einer gemeinsamen Unternehmung im Anschluß verlauten lassen –, würde er den Sieben-Uhr-Bus erwischen. Dann könnte er noch auf einen Hamburger und weitere Martinis zu O'Henry's gehen. Spät ins Bett und spät wieder aufstehen. Ein alter Knacker im Ruhestand konnte sich das leisten; nichts dagegen einzuwenden. Eine Glocke aus hauchdünnem Kristall, wie ein kostbares Weinglas, das man mit den Fingern fest umspannen und wieder loslassen, fest umspannen und loslassen kann, hatte sich auf ihn herabgesenkt, umhüllte ihn schützend und hielt die anderen in unbestimmtem, wohltuendem Abstand. Sie zersprang nicht, als er seinen Platz am Tisch zwischen Renata und Großmama Leah einnahm.

Erleichtert stellte er fest, daß diese ins Gespräch mit ihrem Enkel Seth vertieft war. Er hatte sich recht erinnert: Der Junge lebte ebenfalls in Washington und brachte offensichtlich viel Zeit in Leahs Haus zu. Hütete er das Haus, wenn sie verreist waren, oder wohnte er vielleicht überhaupt dort, in einer Einliegerwohnung? Schmidt hatte weder unmittelbares Interesse noch Zeit, eine Antwort auf diese Frage zu finden. Renatas Augen hefteten sich auf sein Gesicht. Er erwiderte ihr Lächeln durch die Kristallwand hindurch.

Ich bin etwas beschwipst, erklärte er. Myrons Martinis sind sehr stark. Aber sobald ich etwas von Ihrem Puter gegessen habe, wird das wieder vergehen.

Sie lächelte zurück.

Mörderisch sind sie. Er bewahrt den Gin in der Kühltruhe auf und den Wermut im Eisschrank. Das Eis schmilzt kaum darin. Außerdem kann ich mir vorstellen, daß Sie nervös sind.

Jetzt nicht mehr, aber zuerst schon. Sehr nervös. Ich weiß gar nicht mehr, wann ich zuletzt bei einem Essen war, ohne die anderen zu kennen. Ich glaube, noch nie.

Jetzt lachte sie.

Aber Charlotte und Jon kennen Sie doch wirklich. Er hat so viel Zeit in Ihrem Haus zugebracht, daß er für uns hier zum Fremden geworden ist!

Ich weiß nicht. Ich meine, kenne ich sie überhaupt in diesem Avatar? Wie ich mich ihnen gegenüber verhalten soll, weiß ich bestimmt nicht. Vielleicht sollte ich jemanden bitten, mich ihnen vorzustellen. Vielleicht übernehmen Sie das.

Es ist so traurig, daß Charlottes Mutter nicht hier ist. Ich bin überzeugt, Frauen finden sich instinktiv in solchen Situationen zurecht. Sie hätte Ihnen helfen können. Es tut mir leid, daß Sie mit so viel Kummer und nun auch noch mit der einschneidenden Veränderung in Charlottes Leben fertig werden mußten.

Sie haben mir freundlicherweise geschrieben. Ich erinnere mich an Ihren Brief. Er tat sehr gut. Ich stelle mir vor, in Ihrem Beruf haben Sie gelernt, wie man Dinge sagt, die die meisten Leute gar nicht artikulieren können. Ich weiß, ich habe nicht geantwortet; ich habe überhaupt keinen Brief beantwortet. Ich fürchte, ich werde es auch nie tun.

Das ist auch gar nicht nötig. Nehmen Sie doch noch von Myrons Wein, bevor der Champagner serviert wird. Ich glaube, er wird etliche Toasts ausbringen. Und bitte, bleiben Sie nach dem Essen noch, dann können wir beide uns unterhalten. Alle anderen haben schon Pläne; sie gehen alle irgendwohin. Wir werden allein sein.

Der Puter war in der Küche zerlegt worden. Eine der schwarzen Damen trug ihn um den Tisch herum, und die andere folgte mit einer Platte, auf der vorwiegend braungesprenkelter, offenbar mit gerösteten Zwiebeln bestreuter Kartoffelbrei lag. Dr. Myron hatte Glück. Schmidt hatte immer höchst ungern tranchierend oben am Tisch gestanden, auf der Suche nach dem Gelenk, an dem das Putenbein abzutrennen war; aufgefordert, individuelle Sonderwünsche zu erfüllen, nur dunkles Fleisch, nein, nur weißes, ja, dunkles und Haut; bemüht, mit dem langstieligen Löffel die letzten Reste der Füllung auszukratzen wie bei einer unhygienischen Curettage; gezwungen, den anderen nachzulegen, bevor er selbst hatte essen können, was auf seinem Teller lag. Ein lebenslanges Komplott gegen ihn, damit er nur ja nicht den Vogel kostete, bevor sich der Braten in schäbige kalte Reste verwandelt hatte; ein Komplott, was sonst! Er stellte fest, daß die gefürchteten Süßkartoffeln fehlten. Mary hatte sie für unumgänglich gehalten, aber selbst nie davon gegessen. Das würde Renata sicher unterhaltsam finden. Schmidt erzählte es ihr in allen Einzelheiten.

Seine Begeisterung für das Essen wuchs, auch wenn die Kristallwand allmählich sogar seine Stimme veränderte, so daß sie wie aus weiter Ferne kam, von einem Ort herüberklang, an dem er gar nicht war. Er sah zu Charlotte hinüber, die sich Fleisch nahm, und rief ihr zu: Nimm den Bürzel, Schätzchen, laß dir den Bürzel nicht entgehen.

Man hatte ihn immer für sie aufsparen müssen; er beschied alle anderen abschlägig, die es wagten, um den Bürzel zu bitten, und er hielt seinen inneren Oger im Zaum, der nach dem Bürzel gierte. Dieses Stück vom Puter mochte er nämlich auch am liebsten. Er hatte Charlotte gelehrt, Geschmack daran zu finden. Jahrelang aß sie zu Thanksgiving außer dem Nachtisch nur dieses eine Stückchen Fleisch.

Schon gut, Dad, nimm du ihn. Geschmack ändert sich. Das viele Fett widersteht mir.

Sie wendete sich beifallheischend an Jon. Schmidt malte sich aus, daß er ihr als Erwiderung unter dem Tisch den Schenkel drückte. Auch gut; er würde den verachteten Bürzel nehmen, falls er ihm angeboten wurde, und eine doppelte Portion Kartoffeln noch dazu. Inzwischen versuchte er noch einmal den Wein; er leerte sein Glas. Der Wein war besser als die Sorten, die er gewöhnlich trank.

Nach dem Essen wartete er in der Bibliothek auf Renata und fragte sich, ob sie hier ihre Patienten empfing; der Schreibtisch war so aufgeräumt und sah irgendwie offiziell aus; nur ein Photo stand darauf, wahrscheinlich im Sommerlager aufgenommen: Ihre Söhne in weißen Shorts, ein rotes Kanu tragend. Mary und er hatten Charlotte nie in ein richtiges Sommerlager geschickt, sie hatten das Gefühl gehabt, das würde ihnen die Ferien verderben. Außerdem hatte man direkt vor der Haustür die besten Gelegenheiten zum Tennisspielen, Reiten und Schwimmen. Mary hätte es gern gesehen, daß Charlotte Segeln lernte, und etliche Sommer hintereinander hatte er folgsam immer wieder angeboten, ein Segelboot ohne Kajüte zu kaufen, das sie in Sag Harbor vor Anker legen könnten. Aber am Ende wurde nichts daraus. Womöglich spürte Mary, daß er zögerte, Charlottes Tage, die ohnehin mit Picknick und Wassersport schon sehr ausgefüllt waren, durch eine zusätzliche Aktivität noch geschäftiger zu machen. Wann soll das Kind eigentlich sein Innenleben pflegen, wann kommt es dazu, ein Buch zu lesen? fragte er immer, wenn sie über Charlottes Beschäftigungsprogramm sprachen. Schließlich setzte er sich durch: Das Kind las wirklich genug in all den sonnigen Ferien, der Schulzeit und im College.

Und jetzt holte sie das Versäumte nach: Jon und sie waren als erste vom Tisch aufgestanden, noch bevor der Kaffee serviert wurde, um eine Runde zu laufen. Das konnte nur die Wahrheit sein, eine so dumme Lüge würde niemand erfinden. Erst Puter essen, aber die Soße dankend ablehnen, nur Brokkolipüree nehmen, dann um das Reservoir galoppieren oder eine noch ehrgeizigere Strecke ablaufen! Sahen Dr. & Dr. Riker das nicht auch als einen unglaublichen, wirklich unmöglichen Verstoß gegen die Regeln des guten Benehmens, oder war es für sie nur ein Beispiel für die Freiheit, so zu leben, wie man möchte, diese Freiheit, die sich andere junge Leute erst nach Jahren auf der Couch nehmen konnten? Er blickte sich suchend im Zimmer um, und richtig: da stand die Couch, links vom Schreibtisch, als Sofa mit Rückenlehne und Armstützen verkleidet, aber man konnte darauf liegen, vielleicht sogar ganz bequem, wenn der Kissenberg etwas anders verteilt wurde.

Ich denke, das Essen ist ganz gutgegangen, aber ich bin froh, daß es vorbei ist!

Er hatte sie nicht hereinkommen hören. Sie ging auf das Sofa zu, brachte die Kissen genau in die Ordnung, die er sich gerade ausgedacht hatte, streifte die Schuhe ab und legte sich hin; ihn dirigierte sie in einen Sessel.

Ist das ein Rollentausch?

Schmerzende Füße und schlechte Venen. Sie können sie nur durch die Wollstrümpfe nicht sehen. Langes Stehen macht mich müde.

Mich auch, aber ich habe Probleme mit dem Rücken, nicht mit den Beinen.

Mein Rücken ist auch nicht mehr das, was er mal war. Was halten Sie davon, ins Eßzimmer zu gehen und mir einen Scotch mit Soda und viel Eis zu mischen und sich selbst ganz nach Wunsch zu bedienen?

Meinen Sie nicht, ich hätte allmählich genug getrunken?

Sie kommen mir ganz nüchtern vor, aber tun Sie, was Sie möchten. Ich brauche was zu trinken.

Er sah nur Scotch auf der Anrichte, aber ihm fiel ohnehin nichts ein, worauf er besondere Lust gehabt hätte, bestimmt nicht auf den Champagner, für den Dr. Myron so passend zu den Trinksprüchen gesorgt hatte. Wenn man es recht bedachte, sprach eigentlich nichts gegen einen Whiskey am Thanksgivingnachmittag mit dieser Dame. Er brachte ihr das Glas, setzte sich in seinen Sessel und sah ihr zu, wie sie sich die Füße massierte.

Meinen Sie, ich hätte vorher mit den anderen verabredet, uns allein zu lassen?

Warum sollte ich? Daß Sie Charlottes und Jons Abgang organisiert haben, kann ich mir jedenfalls nicht vorstellen. Da müssen Sie genauso überrascht gewesen sein wie ich.

Nein, das war nicht meine Idee, aber ich wußte, daß sie es vorhatten. Wenn Charlotte mir nicht gesagt hätte, sie würden gehen, dann hätte ich ihnen nahegelegt, mich unter einem Vorwand eine Weile mit Ihnen allein zu lassen.

Und Myron und die anderen?

Da muß ich nachdenken. Genaugenommen habe ich es nicht so eingerichtet, daß wir allein sein können, aber als die Dinge diese Wendung nahmen, habe ich die Gelegenheit mit Freude genutzt. Zum Beispiel fand Myron, er müsse seine Mutter besuchen. Nein: »Müssen« sollte ich nicht sagen; er wollte wirklich gern zu ihr. Sie lebt in einem Altersheim in Riverdale. Normalerweise wäre ich mitgekommen. Und meine Eltern haben sich von Seth einladen lassen. Stellen Sie sich vor, sie wollen sich *Terminator* 2 ansehen.

Wirklich?

Ja, tatsächlich; wenn ich mich nicht mit Ihnen hätte verabreden wollen, wäre ich vielleicht auch mitgekommen und hätte Myron allein fahren lassen.

Und die Warrens?

Die Warrens haben nur einen Wunsch: wieder nach Philadelphia zu kommen. Aber sie wären noch eine Stunde geblieben, um mir Gesellschaft zu leisten, wenn ich sie darum gebeten hätte.

Sie hatte die Fußmassage beendet, ordnete die Kissen wieder neu und setzte sich mit gekreuzten Beinen ihm gegenüber.

Ich fühle mich sehr geschmeichelt.

Sehen Sie, hier ist etwas Wichtiges im Gang, und wie

es ausgeht, welche Wirkung es auf Charlotte und Jon haben wird, das hängt bis zu einem gewissen Grad von uns ab.

Von Ihnen und mir? Warum nicht von Myron? Warum nicht von Jon und Charlotte?

Von Myron nicht, weil nicht er dieses Gespräch mit Ihnen führt. Er ist aus dem Spiel. Ich dachte, es sei besser, wenn ich das übernehme. Unsere Kinder – natürlich, am Ende werden sie es wohl selbst schaffen müssen. Aber ich habe einen besonderen Moment im Sinn, nämlich diesen hier, und Ihre ganz besondere Verantwortung für etwas, was im übrigen die Angelegenheit der beiden ist. Sehen Sie, ich habe Charlotte sehr gern. Jon hat sie oft mitgebracht, wenn er kam. Wir haben keine Töchter. Charlotte und ich gehen manchmal donnerstags zu einem späten Mittagessen. An dem Nachmittag habe ich keine Patienten.

Das höre ich sehr gern. Sie ist mein einziges Kind. Ich habe vor zwei Wochen auch versucht, mit ihr essen zu gehen, aber dazu war sie zu beschäftigt.

Sie hatte sehr viel Arbeit. Aber ich könnte mir denken, daß sie auch gewisse Hemmungen hatte, sich mit Ihnen zu verabreden. Ich frage mich, ob Sie eigentlich das ganze Ausmaß Ihrer Autorität kennen.

Also wirklich!

Er hatte nicht geraucht, seit er bei den Rikers war, und tastete jetzt nach seiner Zigarilloschachtel. Störte es sie? Nein, es störte sie nicht. Sie stand auf, brachte ihm einen Aschenbecher und ging trotz seines Protestes aus dem Zimmer, um neuen Scotch zu holen.

Meine Füße haben sich wieder erholt, beruhigte sie ihn.

Ich sorge mich weniger um Ihre Füße als um unseren klaren Kopf. Was versuchen Sie mir zu erklären?

Etwas, was Sie schon wissen, aber sich nicht eingestehen wollen: daß nämlich Charlotte und Jon Sie und das Gewicht Ihrer Mißbilligung fürchten.

Wie angenehm für einen pensionierten Alten, daß er jungen Erwachsenen noch Angst einjagen kann!

Sie halten sich für witzig, aber es ist die reine Wahrheit. Wozu sind die jüdischen Mütter und die Hexen gut, was glauben Sie? Um das Gruseln zu lehren und um zu strafen. Sie sagen oder denken vielleicht nur: Du hast mich vernachlässigt, hast geglaubt, über mich verfügen zu können, hast alle Leute zu deiner Party eingeladen, nur mich nicht, oder hast mich zwar eingeladen, aber erst im letzten Augenblick. Warte nur. Ich habe den rechten Zauberspruch für diese Gelegenheit. Denn ein Zauber ist es immer. Ein Nadelstich, und die Prinzessin mitsamt dem Königreich sinkt in Schlaf. Oder sie setzen eine Miene auf wie Christus am Kreuz und die Schmerzensreiche Mutter zusammen, starren dich mit leidendem, vorwurfsvollem Blick an und sagen: Da siehst du, was du angerichtet hast! Und plötzlich ist die Sonne weg, nichts macht mehr Spaß. Schmidtie, du spielst mit dem Gedanken, sie böse zu verhexen.

Sie kreuzte die Beine wieder. Gut geformt waren sie, ganz gleich, wie es um ihre Venen stand. Er hatte seinen Zigarillo zu Ende geraucht. Fand er jetzt besser einen Platz, wo er das beschlagene Glas abstellen konnte, machte seine Verbeugung und bedankte sich für das Essen und den Schwatz? War seine Würde gefährdet, wenn er noch blieb, und wenn ja, lohnte es, sie zu wahren? Was würde sie über ihn sagen, wenn er ging, und was, wenn er blieb? Er zündete sich noch einen Zigarillo an, zog daran und beschloß, er werde versuchen, Dr. Renata ihre eigene Medizin kosten zu lassen.

Es ist noch gar nicht so lange her, erklärte er ihr, als ich noch praktizierender Anwalt war, da achtete ich jedesmal, wenn ich zum Essen ausging oder eingeladen war, sorgfältig darauf, mein bißchen juristische Fachkenntnis, mein Anwaltsgehabe und die Sprachmanierismen loszuwerden, sozusagen in der Garderobe abzugeben oder im Schirmständer zu deponieren. Nicht alle Rechtsanwälte machen sich diese Mühe, und ob es mir immer gelang, weiß ich nicht, aber versucht habe ich es ernsthaft. Ich verstehe sehr wenig von den sozialen Gewohnheiten der Psychiater, aber Sie haben gerade ein Patientengespräch mit mir geführt – so stelle ich mir jedenfalls solche Gespräche vor –, und nicht mit mir geredet wie mit einem Gast. Ich bin ein relativ geduldiger Mensch, aber ich bin nicht Ihr Patient. Ich bin nicht gekommen, um Ihren Rat zu erbitten.

Sie lächelte ihn breit und fröhlich an und zog zur Abwechslung die Beine unter sich. Er fragte sich, ob in ihrem Alter so strahlend weiße Zähne noch echt sein konnten. Wenn eine neue Technik erfunden war, und wenn es nicht weh tat, dann könnte man vielleicht einen Versuch damit wagen.

Ist das die längste nicht-juristische Ausführung, die Sie je vorgetragen haben? Da habe ich Sie wohl tatsächlich aus der Reserve gelockt.

Übrigens bin ich noch nicht ganz fertig; Sie haben mich unterbrochen; und das kann ich nicht leiden. Wenn Sie versuchen, Ihre Therapie, wie immer sie heißt, auf mich anzuwenden, dann will ich ein bißchen Anwalt spielen. Wir werden also das Problem in Teile zerlegen. Da haben wir zunächst das Teilproblem namens Charlotte. Nehmen wir einmal an – rein theoretisch –, ich kennte sie tatsächlich, vielleicht sogar so gut wie Sie. Schließlich haben ihre Mutter und ich sie großgezogen. Lassen wir sie also vorläufig beiseite, oder heben sie bis zum Schluß auf und kommen nun zu dem Teilproblem namens Jon Riker. Sie haben gerade die Behauptung aufgestellt, ich terrorisierte ihn. Ich sage Ihnen, diese Behauptung ist absurd. Er war immer einer meiner liebsten Mitarbeiter. Ich scheue mich nicht, Ihnen hier unter vier Augen etwas zu erzählen, was er sehr wohl weiß, aber Sie vielleicht nicht: Er arbeitete damals so viel für mich, daß er ohne meine uneingeschränkte Befürwortung nie zum Sozius befördert worden wäre. Ich habe ihn befürwortet. Aus großer Achtung für seinen Wert – und außerdem ganz selbstlos. Es war nämlich schon beschlossene Sache, daß er in einem anderen Arbeitsgebiet, der Prozeßführung, eingesetzt würde. Niemand kann mir vorwerfen, ich unterstützte einen Kandidaten, damit er in der Kanzlei bleibt und weiter meine Arbeit tut. Wenn Sie so viel Freude an Analogien haben, dann sollten Sie sich vorstellen, ich sei Jons gute Fee: Ich habe Ihrem Sohn seinen größten Wunsch erfüllt!

Sind Sie jetzt fertig?

Nein, aber ich habe so lange geredet, daß es in Ordnung ist, wenn Sie mich jetzt unterbrechen.

Genau das hat Jon Myron und mir erzählt: Sie hätten es möglich gemacht. Er war sehr dankbar dafür, wie wir alle – die ganze Familie. Wir wußten, daß Jon klug ist und hart arbeitet, aber wir wußten auch, weil er es immer wieder sagte, daß man bei Wood & King noch ganz am Anfang steht, wenn man nur verdient, zum Sozius befördert zu werden. Er war besonders dankbar, daß Sie ihn ganz wie immer behandelten und unterstützten, auch nachdem er angefangen hatte, mit Charlotte auszugehen.

Genaugenommen habe ich ihn ihr vorgestellt!

Aber dahinter steckte keine Absicht; jedenfalls hatten Sie diese Weiterentwicklung der Sache – daß Charlotte seine Freundin wurde – nicht beabsichtigt, meinte Jon.

Sehen Sie, in all den Jahren, als er für Sie arbeitete, hatte er das Gefühl, daß Sie sich zwar auf ihn verließen und ihm vertrauten, ihn aber nicht besonders mochten. Ihn als Person, meine ich. Er dachte, diese Vorbehalte gegen seine Person würden, auch wenn Sie das vorher nicht zugelassen hatten, doch zum Hindernis für die Zusammenarbeit werden, sobald er sich enger mit Charlotte befreundete.

Ich verstehe, sagte Schmidt. Sie wollen sagen, dadurch, daß er mit Charlotte ging – ich darf den Euphemismus der beiden übernehmen –, hat er sozusagen das Risiko verdoppelt. Das Herz und die Beförderung zum Sozius aufs Spiel gesetzt! Aber warum beklagt er sich jetzt? Er hat doch das Mädchen und den Job bekommen. Ist das nicht genug? Was will er denn nun noch?

Spüren, daß Sie ihn akzeptieren, gern haben! Sie haben nicht widersprochen, als ich erwähnte, daß er das Gefühl hat, sie mögen ihn nicht.

Ich mochte ihn immerhin so, daß ich ihn zum Sozius haben wollte, und die Hand meiner Tochter habe ich ihm auch nicht verweigert – wobei ich, unter uns gesagt, doch anmerken möchte, daß er nicht eigentlich um ihre Hand angehalten hat; die Förmlichkeit hat er sich erspart. Ich wiederhole: Ist das noch nicht genug? Er ist ja unersättlich – schließlich will er nicht mich heiraten!

Hatte er gerade etwas Langweiliges geäußert? Er war unzufrieden mit sich und fühlte sich nicht wohl in seiner Haut.

Sie nehmen es wirklich pedantisch genau mit der Wahrheit. Sie wissen, daß Sie Jon nicht mögen, und deshalb geben Sie keinen Fußbreit nach, nicht mal so viel, um die Möglichkeit anzudeuten, daß Sie ihn im Grunde doch ganz gern haben. Und dabei sitzen Sie hier und reden mit seiner Mutter, die natürlich genau das hören möchte.

Und trotzdem wollen Sie anscheinend, daß Charlotte sich wie eine brave liebende Tochter verhält! Was war das zweite Teilproblem, das Sie untersuchen wollten?

Der Terror. Schmidtie als die angsterregende Totemfigur. Das ist ebenfalls absurd. Vielleicht haben meine Kollegen und ich Dexter King gefürchtet, als wir so alt waren wie Jon jetzt. Es ist wahr: Ihn beim Vornamen zu nennen, habe ich erst über mich gebracht, als ich schon mindestens ein Jahr lang Sozius war, obwohl er mir werweiß-wie-oft gesagt hatte, er fände es richtig. Und bis zu seinem Tod hätte ich mich in seinem Büro nicht unaufgefordert gesetzt. Aber heute! Die jungen Leute in der Postabfertigung haben mir gelegentlich »Schmidtie« ins Gesicht gesagt. Und ihre Akzente sollten Sie hören! Ich habe übrigens nie so getan, als gefiele mir das! Und die Art und Weise, wie Jon und die anderen jungen Sozii Jack DeForrest und den wenigen Fossilien aus alten Zeiten, die in der Kanzlei noch übrig sind, Widerworte geben! Ich meine damit nicht, daß es verkehrt wäre, einen älteren Sozius in Rechtsfragen mit Einwänden zu bedrängen, das soll man sogar vom ersten Arbeitstag an tun; auch soll man eine eigene Meinung äußern, wenn überlegt wird, was man einem Mandanten erklärt oder verschweigt. Ich rede vielmehr davon, daß man den Senioren unter den Sozii in Fragen der Fairneß innerhalb der Kanzlei das Urteilsvermögen abspricht, daß man sie herausfordert und erwartet, sich damit durchzusetzen, einzig und allein deshalb, weil man jung ist und erben wird! Daran habe ich mich übrigens gewöhnt. Wenn die Leute einigermaßen höflich sind, dann ist es viel erfrischender, sich von ihnen in Bausch und Bogen herausfordern zu lassen, als sich dem Eliteschulen-Kult der Älteren anzupassen.

So ist es nicht; das glaube ich nicht. Jon und die andern jungen Anwälte hatten nicht deswegen Angst vor Ihnen, weil Sie so viel älter waren, sondern weil sie meinten, nicht so im Recht zu sein wie Sie, und weil Sie ihnen den Eindruck vermittelten, daß Sie dasselbe dachten. Die Vaterfigur, die im Recht ist und das letzte Wort hat – die ist sehr zum Fürchten. Und dann fürchteten die meisten, auch Jon, nicht Ihren Erwartungen zu entsprechen. So als ob Sie zwar wollten, daß die Jungen Erfolg hätten, aber dann sehr schnell von ihnen enttäuscht waren.

Nun bin ich ja gegangen, und sie haben eine Sorge weniger! Wenn Sie schon über alle diese Dinge mit Jon geredet haben – eigentlich merkwürdig, daß Charlotte nie mit mir darüber gesprochen hat, finden Sie nicht? –, dann müßten Sie auch wissen, daß meine Praxis nicht mehr wuchs. Ich verlor allmählich meinen Wert für die Kanzlei. Das ist noch ein Argument gegen die Terrortheorie.

So hat Jon das nie gesehen.

Das ist die erfreulichste Nachricht seit langem! Wenn sie nur wahr wäre. Aber wahr oder nicht, Sie haben mich in so gute Stimmung versetzt, daß ich auf der Stelle gehen muß, bevor sie wieder verdorben wird.

Im Gegenteil, Sie müssen bleiben. Wir sollten wirklich aufeinander zugehen.

»Aufeinander zugehen« gehörte nicht zu den Termini und Aktivitäten, die Schmidt schätzte. Er assoziierte sie mit Förderungsverordnungen, von denen er nichts hielt, und mit den Rechtfertigungen, die einem angeboten wurden, wenn ein neu eingestellter Anwalt dem W & K-Standard nicht entsprach. Deshalb erhob er sich, um eine, wie er hoffte, abschließende Bemerkung zu machen.

Renata, erklärte er, Sie möchten zu viel an einem einzigen Nachmittag erreichen. Natürlich werde ich weder bei der Hochzeit meiner einzigen Tochter noch bei anderen Familientreffen, noch irgendwann die Rolle der bösen Fee oder sonst einer unheilbringenden Märchengestalt spielen! Hat mein Benehmen Ihnen heute in irgendeiner Weise Anlaß zu solchen Befürchtungen gegeben? Das kann ich mir nicht denken. Andererseits können Charlotte und Jon sich mir gegenüber nicht wie zwei ungezogene, selbstsüchtige Bälger betragen. Ich bin ein einsamer Mann, und ich habe einen furchtbaren Verlust erlitten – Sie können ihn nicht ermessen, weil Sie Mary nicht kannten. Diese beiden sollen mich gefälligst nett behandeln – mehr nicht. Das haben sie nicht getan, die Einzelheiten erspare ich Ihnen, sie sind belanglos. Und kleine, minimale Zugeständnisse wenigstens müssen sie mir und meinen Eigenheiten schon machen. Ich weiß, daß ich nicht immer eitel Sonnenschein verbreite, obwohl ich mir wirklich Mühe gebe, die Fassade aufrechtzuerhalten. Daß ich manchmal sarkastisch bin, kann den beiden nicht neu sein – und auch nicht, daß ich eher belle als beiße.

Komm, Schmidtie, setz dich neben mich; hier auf der Couch ist noch viel Platz.

Wie konnte er dem nicht Folge leisten? Als sie sich dem Platz zuwandte, den er einnehmen sollte, fand sie eine neue Stellung für ihre Beine; und das faszinierte ihn, und ihr breites Schmunzeln von einem Ohr zum andern auch. Als er sich niederließ, nahm sie seine Hand, nicht um sie zu schütteln, sondern offenkundig, weil sie mit ihm Händchenhalten wollte. Einen Augenblick danach fragte sie ihn dann: Wie war eigentlich dein Leben mit Mary?

Er zog seine Hand weg und merkte, wie er rot wurde.

Was ist das für eine Frage, und wie kommen Sie dazu? Hat Charlotte sich über ihr Familienleben beklagt?

O nein. Sie hat immer ein idyllisches Bild gezeichnet – wie aus einem stilvollen Theaterstück. Zwei elegante höfliche Menschen, ernsthafte Arbeiter, die ihr keinen

Wunsch abschlugen, wenn das Gewünschte »Bildungswert« hatte, die sehr liebevoll mit ihr und freundlich, aber distanziert mit anderen Leute umgingen und sehr gern mit ihr allein waren.

Dann verstehe ich Ihre Frage wirklich nicht. Charlotte hat Ihnen offenbar einen zutreffenden, wenn auch etwas idealisierten Bericht gegeben. Wir waren zu unserer Zeit ein nettes New Yorker Paar.

Man hat aber den Eindruck, daß Sie ziemlich steif, vielleicht gezwungen waren, kann das sein?

Nein, das kann nicht sein. Sehr beschäftigt, wie Sie schon andeuteten, und glücklich in der Familie. Wir fanden nichts Verkehrtes an unserer Lebensweise, und das tue ich auch jetzt nicht. Aber nun gehe ich wirklich. Noch einmal vielen Dank für ein ganz außergewöhnliches Thanksgiving.

Bevor er aufstehen konnte, nahm sie wieder seine Hand. Bitte nicht ärgerlich sein. Ich muß Sie besser kennenlernen. Ich muß wissen, wie Sie Ihr Leben sehen. Ich möchte Ihnen nämlich helfen, Ihr Leben leichter zu nehmen. Sie werden staunen, wieviel leichter es die Kinder dann haben werden. Das ist alles.

Soll ich Ihr Patient werden? So etwas habe ich nämlich noch nie gemacht.

Sie lachte.

Mein Patient könnten Sie nicht sein; das geht bei Familienmitgliedern nicht. Eine Therapie würde ich Ihnen auch gar nicht empfehlen; Sie sind nicht im richtigen Alter dafür, und Sie haben sich ziemlich gut mit sich selbst abgefunden – bis auf die Auswirkungen des Verlustes, aber die werden mit der Zeit nachlassen. Eine Therapie setzt voraus, daß man sich ändern will. Das tun Sie nicht, und warum sollten Sie auch, wenn Sie diese harte Phase überwinden können?

Schmidt hatte einen völlig ausgetrockneten Mund, wie immer, wenn er sich so stark bedrängt fühlte, daß er seine Irritation nicht mehr beherrschen konnte. In seinem Glas war noch ein halb geschmolzener Eiswürfel. Den nahm er in den Mund und zerkaute ihn.

Und Ihre Hilfe, fragte er, wie soll sie aussehen?

Ein Freundschaftsangebot. Ich könnte Ihnen helfen, gewisse Sorten von Problemen rechtzeitig wahrzunehmen und ihnen aus dem Weg zu gehen. Wenn ich Sie erst besser kenne, kann ich Ihnen vielleicht dann und wann einen kleinen Puff geben, Sie in eine bessere Richtung schieben.

Hier ließ sie seine Hand los und stupste ihn in die Rippen.

So ungefähr. Keine Sorge.

Die Hand kam wieder, wärmer und sehr zärtlich.

Ich hatte ein gutes Leben mit Mary, erzählte Schmidt Renata. Ich wünschte, sie wäre noch am Leben und hätte mich überleben können. Etwas Besseres kann man nicht sagen, meine ich. Charlotte hat treffend beschrieben, wie wir waren; das habe ich schon gesagt. Wir waren uns sehr nahe. Wir waren eben von Anfang an beide Waisen: meinten es gut, freuten uns und hingen sehr aneinander.

Später war das auch noch so? Keine großen Krisen nach Charlottes Geburt?

Wichtige Krisen? Vielleicht hätte es eine geben können, nach einer dummen Indiskretion, auf die Mary stieß, aber sie ließ nicht zu, daß etwas Ernstes daraus wurde. Eine Verletzung blieb zurück, aber sie wurde nie wieder in Augenschein genommen oder auch nur erwähnt, auch wenn sie vielleicht nie ganz verheilt ist. Das ist alles.

Eine Frau. Und das ist alles? Sonst keine Frauen?

Nein.

Das war gelogen. Er überließ Renata seine Hand. Es

hatte die andere Welt gegeben, in die Mary keinen Fuß setzte, eine Welt, die meist aus Geschäftsreisen bestand. Schmidt hatte es immer so eingerichtet, daß er an einem Essen mit einem Assistenten oder Mandanten nicht teilnehmen mußte oder daß es früh zu Ende war. Dann konnte man ihn in der Bar seines Hotels finden, wie er sich suchend umsah, um sicherzugehen, daß sein Assistent nicht etwa auch dort saß, in einer verborgenen Ecke oder auf einem Barhocker, verdeckt von einem fetten Trinkgenossen. An manchen Abenden geschah gar nichts. Aber häufiger gelang es ihm, eine Frau zu finden, die allein trank. Frauen aller Arten: anspruchsvolle Bardamen, leichtlebige Telefonistinnen, heimliche Trinkerinnen, die allzu vertraulich mit dem Barkeeper umgingen und alles mögliche sein konnten: eine unverheiratete Friseuse, Bibliothekarin, Arztfrau. Zuerst eine alberne Unterhaltung, dann Sex in seinem Zimmer, an den er noch nach Monaten dachte, wenn er mit Mary im Bett war. Diese Hotelnächte brachten ein Element der Erregung in sein Sexualleben, das sonst gefehlt hatte – außer in der Zeit mit Corinne. Warum? Er hatte Mary nie um Dinge gebeten, die er mit diesen anderen Frauen sofort tat. Aber warum hatte sie so etwas nicht von sich aus angeboten?

Nein, setzte er fort, und Krisen wegen des Geldes oder Charlottes Erziehung oder unserer Arbeit gab es ganz sicher nie. Auch keine Midlife-Krisen! Wir schätzten beide unsere Arbeit und wußten, daß wir sie gut machten. Natürlich hatte Mary weniger Ruhe in ihrem Job. Die Machtkämpfe in Verlagshäusern sind erbittert, und Verleger brauchen das Gefühl, Macht zu haben. Sonst meinen sie, sie könnten ihre Autoren nicht angemessen herausbringen.

Und Mary?

Was meinen Sie damit?

Hatte sie andere Männer? Waren Sie eifersüchtig? Sie muß nach dieser Indiskretion Eifersuchtsgefühle gehabt haben.

Ich bin mir nicht sicher, ob sie eifersüchtig war. Sie dachte wahrscheinlich, sie hätte mir eine Lektion erteilt, die ich mein Leben lang nicht vergessen würde – und so war es auch, und heilsam dazu. Ich gab ihr nie mehr Grund zur Eifersucht.

Das kam der Wahrheit ziemlich nahe. Die Begegnungen mit diesen Frauen hatten nie eine Fortsetzung. Keine Geschenke, keine Briefe, keine Anrufe. Kein Nachlassen in Schmidts Glut. Absolut kein Grund zur Eifersucht.

Aber Mary? Hatte sie Abenteuer?

Schmidt lachte. Sie hielt seine Hand nicht mehr ganz so fest. Er nutzte diese Gelegenheit, ihren Arm zu streicheln. Er spielte mit dem Gedanken, die Bewegung ein wenig nach oben zu verlagern, um in die Gegend ihrer Brust zu kommen.

Abenteuer in der anderen Richtung? Auf der Frankfurter Buchmesse, bei Buchhändlertagungen mit Verlagsleuten oder wenn eine schöne Lektorin einen Autor ein paar Wochen lang auf einer Lesereise begleitet, kann alles mögliche passieren, das habe ich immer angenommen. Aber Mary? Sie war sehr heikel – und sehr ehrlich. Ich kann mir nicht vorstellen, daß sie sich an Saturnalien dieser Art beteiligt hätte! So schnell hätte sie sich nicht entschließen können! Ich war mir immer ganz sicher, daß sie nach dem Abendessen wirklich in ihrem Hotelzimmer Manuskripte las oder Schlaf nachholte oder einen ihrer wunderbaren Briefe an Charlotte schrieb.

Das war wieder eine Lüge, aber eine für einen Gentleman unumgängliche. In Wahrheit hatte er gehofft, daß Mary in Frankfurt, Los Angeles und Detroit, oder wo immer der Buchhandel seine geschäftlichen Transaktionen und seine Jagd nach dem Vergnügen betrieb, diskrete Abenteuer hatte. Es hätte ja sein können, daß sie sich dadurch auf wundersame Weise in eine lustvolle Bettgenossin verwandelte. Dasselbe hatte er sich auch von seinem Versuch versprochen, sie zur Selbstbefriedigung anzuregen. Nur daß sie eben so auf Wahrung der Form bedacht und heikler als heikel war. Schmidt konnte sich kaum vorstellen, daß sie einfach mit irgendeinem Mann ins Bett ging, nur weil er die richtigen sexuellen Signale aussandte. Dabei wäre nicht genug Zeit für Förmlichkeiten geblieben. Aber vielleicht irrte er sich. Vielleicht war sie nur mit ihm so, andere Männer dagegen konnten sie sofort öffnen.

Renata tätschelte ihm anerkennend die Hand, die ihren Ellbogen bearbeitete, und schmunzelte wieder.

Das ist alles so kompliziert, sagte sie. Zum Beispiel muß man mitbedenken, daß es erregend ist, mit einem Fremden zusammenzusein. Und dann gibt es sadistische Phantasien, die Eheleute nicht miteinander ausleben können, weil sie Hemmungen haben. Meinen Sie nicht?

Sie haben sicher recht. Wissen Sie, über solche Dinge unterhalte ich mich normalerweise nicht, vielleicht mit einer Ausnahme: mit einem Freund, den ich schon fast mein Leben lang kenne. Warum reden wir eigentlich darüber?

Ich glaube, weil ich Sie aus der Reserve gelockt habe und weil Sie merken, daß eine intime Unterhaltung mit einer Analytikerin ganz angenehm sein kann. Ich bezweifle, daß Sie viele Gelegenheiten haben, frei heraus zu reden – außer mit diesem Freund. Wir sind nicht sehr weit gekommen, weil Sie nicht offen sind, aber ich muß sagen, Sie interessieren mich sehr.

Merkwürdig! Ich bin doch so konventionell, wie ein Mann nur sein kann.

Das kann für sich genommen schon interessant sein. Jon meint, Sie und Charlotte hätten keine Familie. Stimmt das?

Im Grunde wohl. Mary wurde Waise, als sie ein kleines Mädchen war. Die Tante, bei der sie aufwuchs, ist gestorben. Mein Vater starb, als ich Anfang Vierzig war, und meine Mutter schon lange vorher. Sie hatten beide Vettern und vielleicht ein, zwei Onkel, aber die wurden nicht geschätzt. Wir hatten keinen Kontakt mit ihnen. Ich bezweifle, daß jemand von ihnen zur Beerdigung meines Vaters kam. Andererseits habe ich irgendwo in West Palm Beach in einer üppigen rosa Villa eine Stiefmutter, die durchaus lebendig ist und behauptet, kaum älter zu sein als ich!

Weder Jon noch Charlotte haben sie je erwähnt.

Warum sollten sie auch. Charlotte erinnert sich nicht an ihren Großvater, und ich habe nur sporadisch mit Bonnie – so heißt meine Stiefmutter – zu tun. Als mein Vater starb, sammelte ich seine Kleider ein – die hatte er mir hinterlassen und dazu noch ein seltsames Sammelsurium von Gegenständen. Vielleicht waren es die Dinge, die sie besonders haßte, vielleicht hatte die Auswahl einen anderen Grund. Ich habe nicht versucht, darüber nachzudenken. Wir schreiben uns Briefe – gewöhnlich zu Weihnachten.

Schmidt hielt inne und zog seine Hand weg. Liebe Renata, ein kleines bißchen Whiskey könnten Sie mir schon noch gönnen. Übrigens macht es mir nichts aus, über diese Geschichte zu reden. Sie ist mir so fern gerückt.

Gießen Sie ein. Ich bin jetzt zu träge.

Gut. Also los: Wissen Sie, mein Vater hat mich enterbt, hat alles Bonnie vermacht, sogar die Möbel, die schon seit langem zum Familienbesitz gehörten. Über Bonnie hätte ich nicht mit Jon sprechen mögen. Ich weiß nicht einmal, ob ich mit Charlotte über sie geredet habe. Sie gehört zu der Welt, die mich umgab, als ich Jura studierte und dann als junger Anwalt anfing. Diese Welt habe ich hinter mir gelassen, als ich Mary heiratete.

Es muß traurig sein, enterbt zu werden!

Ja und nein. Und das ist ein passendes Thema für uns – Herkunft und Familie, Eigentumsverhältnisse, Gespenster in der Rumpelkammer. Das hatte mit der Eigenart meiner Kindheit zu tun. Meine Mutter war ein Hypochonder mit dem Pech, tatsächlich eine schwache Gesundheit zu haben. Und so füllten sich die Lücken zwischen ihren Migränen und Rückenbeschwerden mit Krankenhausaufenthalten, wo ihr ein Organ nach dem anderen entfernt wurde: die Gallenblase, ein Stück von einer Niere, die Schilddrüse, was Sie wollen, und schließlich auch das übliche gynäkologische Zeug. Noch ausgeprägter als ihre Hypochondrie war ihr Geiz. Wir wohnten im Village und hatten irische Dienstmädchen, die alle Arbeit im Haus erledigten. Ich kann Ihnen versichern, daß meine Mutter, selbst als sie sich von der Operation erholte, die ihre letzte sein sollte, nicht zuließ, daß das Mädchen einkaufen ging, weil sie Angst hatte, daß es die teurere Sorte Eier oder Butter oder Kartoffeln kaufen würde, und das hätte ihr das Herz gebrochen. Dann zählte sie die Eier, damit das Mädchen sich nur ja nicht mehr als zwei pro Tag nahm! Es gab überhaupt keine Rechtfertigung für dieses Verhalten. Mein Vater war der Leiter einer kleinen, aber sehr erfolgreichen Kanzlei für Seerecht. In seinem Fall hieß das, er war der Alleineigentümer, denn seine Sozii waren nur dem Namen nach Gesellschafter, in Wirklichkeit aber Angestellte. Das war zu der Zeit, als Seerechtsfälle in New York sehr profitabel waren. So wohnten wir auch in einem herrlichen Haus an einer hübschen Straße, lebten aber karg wie in einem Dickens-Roman. Ich ging in eine Jesuitenschule an der Park Avenue, die fast nichts kostete, aber eine ziemlich rigorose Erziehung vermittelte. Mein Vater aß mittags in der Downtown Association und dinierte abends in den Restaurants, die seine Schiffseigner-Mandanten favorisierten. Es war die Ära der grandiosen Reeder: viele Griechen, meist untereinander verwandt, Norweger, sogar eine tschechische Dame war dabei, die ein Vermögen machte, indem sie beschädigte Frachten aufkaufte und in das Koreakriegsgeschäft einschleuste. Meine Mutter hatte natürlich keine Verfügung über das Bankkonto meines Vaters, deshalb war er gut und teuer nach Art der Wallstreet-Anwälte gekleidet – elegant genug, um am Tisch der besagten Magnaten eine gute Figur machen zu können. Mein Vater und meine Mutter gönnten sich keine Ferienreisen. Mein Vater meinte, das würde sich demoralisierend auf sein Büro auswirken. Ich fing gerade mit dem College an, als meine Mutter starb. Vater war sehr betroffen, obwohl sie sich immer gestritten hatten – wegen des Geldes. Er sammelte zum Beispiel holländische Zinngefäße. Jedes Stück, das er nach Hause brachte, war ihr ein Dorn im Auge. Jedenfalls dachte ich, er würde sein vollkommen geregeltes Leben weiterführen, nur eben mehr und bedeutendere Stücke für seine Sammlung kaufen; aber auf einmal erschien Bonnie auf der Bildfläche! Sie war die Witwe eines seiner kleineren griechischen Reeder und gehörte irgendwie zum Kulukundis-Clan, ich glaube als angeheiratete Kusine – war aber durch und durch Amerikanerin, aus Nashville mit diesem unvergeßlichen und unerträglichen Akzent –, und mein Vater hatte für ihren Mann ein Testament aufgesetzt und vielleicht einen Trust eingerichtet. Es zahlt sich immer aus, wenn man nicht nur die Geschäfte eines Mandanten betreut, sondern auch noch sein Testament verwaltet.

Nur wenige Dinge binden einen Mandanten so zuverlässig an seinen Anwalt wie das Bewußtsein, daß dieser Mann den Nachlaß verwalten wird. Der Ehemann starb unerwartet, mein Vater wurde Testamentsvollstrecker oder Vermögensverwalter, und eins kam zum andern. Was für ein Leben hatte er mit ihr! Ich habe mir immer vorgestellt, daß meine Mutter im Grab rotierte wie ein Huhn am Spieß, als der Geldhahn des Schmidtschen Vermögens aufgedreht wurde, um immer neue Kosten zu begleichen, für den Umbau und die mindestens zweimalige Renovierung des Hauses, für den aus Hongkong importierten Butler, für eine Opernloge und anderes mehr. Mein Vater kaufte auch nicht mehr bei Brooks Brothers, sondern ließ beim teuersten Schneider in New York arbeiten. Von dem stammt auch das Teil, das ich heute trage. Zum Glück hatten wir bis auf die letzten Jahre, als er etwas zunahm, dieselbe Größe. Und dann starb er und hinterließ, wie gesagt, Bonnie alles, was er noch besaß – und das war eine Menge, da er weiter viel Geld verdiente und vorher nichts ausgegeben hatte. Am Anfang war die Enterbung für mich wie ein Tritt in den Hintern, und der hätte nicht sein müssen, aber ich kam darüber hinweg, und ich muß sagen, Bonnie schenkte meinem Vater die glücklichsten Jahre seines Lebens! Außerdem hat er wohl gedacht, ich hätte ihn abgewiesen.

Wie das?

Seine Kanzlei war eine von den Anwaltspraxen, die damals der Sohn des Gründers erben und weiterführen konnte. Ohne es ausdrücklich zu sagen, nahm mein Vater selbstverständlich an, daß ich das tun würde. Als sich zeigte, daß ich ein guter Student war und Assistentenstellen bekam, zuerst am Berufungsgericht und dann am Obersten Bundesgericht, und als mich dann Kanzleien wie Wood & King umwarben, konnte er mir natürlich nicht sagen: Geh nicht dorthin, sondern arbeite bei mir. Das wäre lächerlich gewesen, das wußte er. Aber ich glaube, er erwartete, daß ich nur vorübergehend dort arbeiten würde, um in einer großen Kanzlei Erfahrungen zu sammeln, und anschließend zu ihm käme. Als es aber soweit war, rührte ich mich nicht, und er war zu stolz zum Fragen. Also geschah nichts, außer daß mir Dexter King, als ich schon zum Sozius ernannt war, eines Tages etwas erzählte: Er habe einmal, ein paar Jahre sei es schon her, ganz zufällig meinen Vater in der Downtown Association getroffen, und mein Vater habe gefragt, ob ich meine Sache gut machte. Er ist auf dem richtigen Gleis, antwortete Dexter, und ich kann mir nicht denken, daß ihn etwas aus der Bahn bringt. Das heißt im Kanzlei-Code: Dein Sohn wird Sozius, wenn er an der Reihe ist, und normalerweise lädt der Vater dieses Sohnes den Gesprächspartner daraufhin zu einem Whiskey ein. Mein Vater aber tat nichts dergleichen, sondern drehte Dexter den Rücken zu und verließ den Raum, sehr zu Dexters Verwunderung.

Mein lieber Schmidtie, was für eine Geschichte! Ich möchte mehr hören. Möchtest du nicht auf ein frühes Abendbrot mit kaltem Puter bei uns bleiben?

Eigentlich möchte ich dich küssen.

Ich weiß, aber das ist keine gute Idee. Dabei würde es vielleicht nicht bleiben. Außerdem kommen die anderen bald wieder.

Du hast recht. Mir war nur auf einmal danach zumute. Wie in dem Schlager »New fancies are strange fancies…«. Danke für den kalten Puter. Ich glaube, es ist besser, wenn ich versuche, meinen Bus zu erwischen. Und was machen wir als nächstes, Frau Doktor?

Wir werden die allerbesten Freunde. Wann sehe ich dich wieder? Kommst du in die Stadt auf ein gemeinsames Mittagessen?

An einem dieser Donnerstage? Ich weiß nicht. Ich werde Charlotte vorschlagen, daß sie und Jon euch aufs Land einladen. Du mußt das Haus sehen, solange ich noch darin wohne. Ich will dir etwas verraten, was unter uns bleiben muß, weil Charlotte noch nichts davon weiß: Ich werde ihr meinen Nießbrauch am Haus zur Hochzeit schenken. Auf diese Weise haben Jon und sie es für sich allein.

Schmidtie, laß uns darüber noch reden, bevor du es ihr sagst.

Vielleicht ergibt sich das, aber mein Entschluß steht fest. So fest wie noch nie.

Ein heftiger Westwind fegte durch die 57th Street. Beim Gehen lehnte er sich gegen den Wind, die Fäuste in den Hosentaschen. Die Third Avenue war wie ausgestorben. Taxis fluteten auf die Brücke zu, aber alle hatten das »Nicht Fahrbereit«-Schild eingeschaltet. An der Lexington Avenue fand er endlich eines und ließ sich zur 41st Street fahren. Ein schmutzig aussehender Bus wartete. Er setzte sich an ein Fenster, zog *The Warden* aus der Tasche, fand die richtige Stelle und begann zu lesen. Mr. Harding wußte bestimmt, wie man sich beliebt macht und wie man mit seiner Familie unter einem Dach lebt. Warum ist manchen Leuten diese Gabe in die Wiege gelegt und anderen nicht? Beim nächsten Treffen mußte er Dr. Renata danach fragen. Und die Gelassenheit seines zölibatären Lebens! Dann fuhr der Bus an, und der Fahrer schaltete das Deckenlicht im Gang aus. Das Leselämpchen war zu schwach, er konnte seine Lektüre nicht fortsetzen. Schmidt knipste es aus, legte sich das Buch auf den Schoß, rief die Busbegleiterin und bezahlte den Fahrpreis, damit sie ihn nicht später störte, und schlief ein.

Er schreckte auf, unangenehm berührt, mit einem üblen Geschmack im Mund. Irgend etwas stank; der Gestank hatte ihn geweckt. Er öffnete die Augen und sah, daß neben ihm ein Mann saß, etwa so groß wie er, aber deutlich breiter, mit abgetragenem Tweedanzug im selben Farbton wie Schmidts, aber schmutzig und zu eng für den Mann. Darunter trug er einen groben Sweater, der wahrscheinlich aus Armeebeständen stammte, ein schmuddeliges Flanellhemd und einen lachsrosa Schlips, dessen Knoten schwarz vor Dreck war. Der Mann schlief mit offenem Mund. Seitlich an seinem gespaltenen Kinn entlang lief ein Speichelrinnsal. Das kam daher, daß der Mund zahnlos war, vermutete Schmidt, zahnlos wie die Münder der alten Kurden, die man von Zeitungsphotos kannte, obwohl dieser Mann nicht alt wirkte, nicht viel älter als er selbst. Von dem scheußlichen Mund abgesehen, war es ein gutes englisches oder deutsches Gesicht, mit tiefliegenden Augen unter dichten Brauen, einer großen Nase, zierlichen, wohlgeformten Ohren und einem schweren Schädel – ein Flugkapitän mit einem solchen Schädel hat schon gewonnen, sein bloßer Anblick beruhigt die Fluggäste, wenn er während eines unruhigen Fluges über den Pazifik durch den Passagierraum geht. Der Mann hatte seinen Stock zwischen die Beine gestellt. Er rutschte auf dem Sitz hin und her und ließ einen Wind fahren – in Salven, gefolgt von heftigem Gerumpel im Bauch. Dann huschte ihm ein seliges Lächeln übers Gesicht, er sah erleichtert aus wie ein Baby nach dem Bäuerchen. Der Kloakendunst war kaum auszuhalten, roch aber anders als der beißende Gestank, der Schmidt aus dem Schlaf geschreckt hatte und ihm immer noch Übelkeit verursachte. Hielt der Mann ein Stück Aas in der Tasche versteckt, hatte er eine eiternde Wunde am Fuß oder irgendwo unter den Klamotten? Kaum zu glauben, daß allein eine geballte Menge von Dreck und Schweiß einen dermaßen üblen Gestank erzeugte. Der Bus war fast leer; warum hatte der Mann sich ausgerechnet neben ihm niedergelassen, statt sich auf zwei Sitzen auszubreiten?

Daß er sich von diesem Mann wegbewegen mußte, war Schmidt klar. Weniger klar war, wie er das schaffen sollte. Die dicken Beine des Mannes nahmen den gesamten Raum vor ihm ein, und Schmidt sah nicht, wie er über sie hinwegsteigen sollte. Er würde den Mann schütteln müssen und ihn bitten, Platz zu machen. Das tat er denn auch. Der Mann ließ wieder einen Wind fahren und fragte: Was treibt Sie: der Darm oder die Blase?

Blinzelte ihm der Mann zu, als er diese Worte sagte? Schmidt schien es fast so.

Weder noch. Würden Sie bitte einen Moment aufstehen und mich vorbeilassen?

Etepetete der Herr, wie? Wie finde ich denn das: Er möchte nur, daß ich ihn vorbeilasse? Was ist los, sitzt er nicht gern neben mir?

Er schüttelte sich vor Lachen und machte sich genüßlich auf seinem Sitz breit; die behandschuhten Hände – diese Handschuhe waren aus Baumwollstrickstoff, seit Jahren hatte Schmidt so etwas nicht mehr gesehen; aber Charlotte hatte sie beim Reiten getragen – legte er auf den Stockknauf. Wieder blinzelte er Schmidt zu; diesmal war es eindeutig.

Ich kenne Sie nicht, und ich möchte nicht mit Ihnen reden. Ich möchte nur diesen Sitz verlassen. Würden Sie bitte Ihre Beine aus dem Weg nehmen!

Der Mann schürzte die Lippen. Hi hi hi!

Der Ton des Lachens oder vielleicht auch der Mund erinnerte Schmidt ganz seltsam an den ersten Richter, vor dem er aufgetreten war: Er hatte einen unwidersprochenen Routineantrag auf Erlaubnis zur Ergänzung einer Klagebeantwortung gestellt. Der Richter verweigerte sie.

Hi, hi, hi. Und dann sagte er: Haben Sie mich nicht verstanden, junger Mann? Setzen Sie sich! Das war eine absurde Entscheidung gewesen, und es hatte einige Mühe gekostet, sie rückgängig zu machen, aber was sollte er jetzt tun? Noch eine ganze Stunde in dem Gestank ausharren und sich von diesem geistesgestörten Penner verhöhnen lassen? Die Busbegleiterin alarmieren, dieses halbwüchsige Mädchen, das neben dem Fahrer saß; den Fahrer dazu bringen, daß er vermittelte?

Lassen Sie mich raus, sagte er energisch. Ich kann nicht mehr warten. Ich muß dringend aufs Klosett.

Schon besser. Und wie wär's mit einem Bitte?

Bitte.

Der Mann stellte sich in den Gang. Als Schmidt sich an ihm vorbeizwängte, drückte der Mann ihn in einer langen Umarmung an sich und küßte ihn aufs Ohr. Er flüsterte: Jawoll, wenn Sie höflich sind, dann liebe ich Sie wie meinen Bruder.

In der chemischen Toilette wusch Schmidt sich Hände und Gesicht. Auf dem Weg nach vorn zu den Sitzplätzen sah er, daß die Augen des Mannes geschlossen waren. Der Fahrer war ein kräftiger Schwarzer; er hörte eine westindische Talkshow, die aus dem Radio in seiner Hemdtasche tönte. Die Reihe unmittelbar hinter ihm war leer, und dort ließ sich Schmidt jetzt nieder. *The Warden* lag irgendwo in der Nähe seines früheren Platzes auf dem Boden. Er wollte nicht dahin zurück, um nach einem Taschenbuch zu suchen. Als der Bus in Southampton hielt, stürzte er hinaus, fand sein Auto auf dem Parkplatz des Busunternehmens und schloß sich ein. Erst danach sah er sich um. Der Mann war vielleicht im Bus geblieben. Er war nirgendwo in Sicht. Schmidt wartete, bis sein wildes Herzklopfen nachließ, warf dann den Motor an und fuhr vom Parkplatz heraus auf die Fernstraße. Dann erfaßten die Scheinwerfer seines Wagens den Mann; er wanderte am Straßenrand energisch in östlicher Richtung, schwang den Stock und nickte sehr zufrieden mit dem Kopf.

V

Den ganzen nächsten Morgen wartete Schmidt auf einen Anruf von Charlotte. Sie würde ihm doch mitteilen wollen, wie froh sie sei, daß die erste Begegnung mit den Rikers so erfreulich verlaufen war. Ob sie wohl sagen würde: Ich war stolz auf dich, Dad, du hast gut ausgesehen in dem alten Anzug? Dann würde er erwähnen, daß er mit Renata über einen möglichen Wochenendbesuch der Rikers gesprochen hatte, damit sie das Haus kennenlernten. Schmidt hatte nur Verachtung über für Leute, die leichtherzig mit Einladungen um sich werfen: Kommen Sie doch bald mal zum Essen, Sie müssen uns am Strand besuchen; wollen wir nicht mal zusammen ins Kino gehen – und die Sache damit auf sich beruhen lassen. Er hatte Renata eingeladen. Das hieß, er hatte eine Aufgabe übernommen, die er unverzüglich zu Ende führen würde, zum Beispiel, wenn er sich schriftlich oder telefonisch für das Festessen bedankte. Normalerweise zog er es vor zu schreiben, mit Vorliebe auf einer der Postkarten, die er sammelte und bereithielt, falls er eine versteckte Anspielung auf dies oder das Vorkommnis machen wollte, aber ein Anruf wirkte vielleicht freundschaftlicher. Mit dieser Frau wollte er freundschaftliche Beziehungen pflegen; er hatte über sie nachgedacht. Er nahm an, daß Charlottes Büro am Freitag nach Thanksgiving geschlossen war, aber vielleicht war sie trotzdem zum Arbeiten dort, wie die jungen Anwälte bei W & K. Einen Augenblick lang sah er sie vor sich, in Jogginganzug und Turnschuhen, Papiere, Joghurt und eine Banane in dem adretten Rucksäckchen verpackt, das sie anscheinend überall hin mitnahm. Aber auf jeden Fall würden Jon und sie länger schlafen als an normalen Wochentagen. Ihr Anruf war also nicht vor elf Uhr zu erwarten. Andererseits war aber auch denkbar, daß sie darauf wartete, von ihm zu hören, in der Annahme, er würde sagen wollen, wie gut ihm das Essen gefallen habe. Das wäre eine freundliche Geste, so wie ihr übers Haar oder die Wange zu streichen, so wie seine Anstrengung, einen guten Eindruck auf die Rikers zu machen. Um Viertel nach elf wählte er ihren Direktanschluß im Büro. Sechs trostlose Klingelzeichen, dann wurde er zu einem Tonband geschaltet: Rhinebeck Associates hat geschlossen; wählen Sie die 1 und die gewünschte Nummer oder die ersten vier Buchstaben vom Namen Ihres Ansprechpartners und sprechen Sie eine Nachricht auf Band. Nein, er würde keine fröhlich-väterliche Botschaft auf ein Band sprechen, das Charlotte vielleicht noch vor Montag, vielleicht aber auch nicht, abhörte. Statt dessen wählte er ihre Privatnummer an. Jons Stimme erklärte ihm sehr langsam, er könne sprechen, solange er wolle. Auch das noch; Schmidt wurde rot im Gesicht und teilte ihnen mit, er habe angerufen! Sie waren ausgegangen! Dann fiel ihm eine freundlichere Erklärung ein. Jon und Charlotte schliefen noch; vielleicht hatte sich der Anrufbeantworter deshalb sofort eingeschaltet.

Die Nummer der Eltern Riker stand im Telefonbuch. Sie dort nicht zu finden, hätte das Maß für ihn vollgemacht. Eine Stimme, die er nicht kannte, vermutlich die der Sekretärin – warum sollten Psychoanalytiker eine Krankenschwester anstellen? –, instruierte ihn, Namen und Telefonnummer zu sagen. Dr. Myron Riker oder Dr. Renata Riker würden sobald wie möglich zurückrufen. In Ordnung, dieser Spruch gefiel ihm. Albert Schmidt, der sagen möchte, daß er sich beim Thanksgivingessen sehr wohl gefühlt habe. Er würde noch einmal anrufen oder schreiben, wenn Dr. Riker oder Dr. Riker ihn nicht zuerst erreichten. Das war eine dumme, zum Scheitern verurteilte Idee gewesen: Wo in Manhattan würde ein Seelenklempner selbst ans Telefon gehen? Es mußte noch eine andere Nummer geben, die richtige, die nicht im Telefonbuch stand und einen anderen Apparat irgendwo in der Wohnung zum Klingeln brachte.

Mittag. Es hatte angefangen zu regnen: kurz und heftig. Warum sollte er nicht eine Ausnahme von der Regel gegen Alkohol bei Tage machen? Niemand würde es erfahren oder für wichtig erachten. Er goß sich einen reichlich großen Bourbon ein, mengte Eiswürfel bei, legte den Hörer des Küchentelefons neben die Gabel, fand ein Buch von Anaïs Nin, die er zu solchen Gelegenheiten las, und ging mit Glas und Buch zu Bett.

VI

Schmidts Vater hatte sich nicht weiter darum gekümmert, ob sein Sohn gut erzogen wurde und genügend lernte. Hätte ihn jemand nach dem Grund gefragt, dann wären zwei Antworten gleich möglich gewesen: Entweder hätte er gesagt, er habe viel zu viel zu tun, oder: Er glaube, der Junge komme ganz gut allein zurecht. Immerhin hielt er seinen Sohn, sobald dieser schreiben konnte, dazu an, Tagebuch zu führen.

Ein Mann muß sich Rechenschaft darüber geben, was er mit seiner Zeit anfängt, sagte er. Was du dir nicht aufschreibst, ist verloren. Notiere dir jeden Tag, was du erledigt und wie lange du dazu gebraucht hast.

Viele Jahre später, als sein Vater schon tot war, kam Schmidt zu dem Schluß, daß der alte Mann zumindest unterbewußt die Zeittabellen im Sinn gehabt haben mußte, die in jeder Anwaltspraxis täglich ausgefüllt werden, wenn Anwälte Bezahlung für ihre Arbeit erwarten. Auf den Tageslauf eines Schuljungen übertragen, heißt das, man schreibt folgendes auf: Mahlzeiten, eine Stunde und fünf Minuten; persönliche Reinigung, sieben Minuten; Schule (einschließlich Fahrzeit), ungefähr acht Stunden, und so weiter. Natürlich fand sich kein Tagebuch und kein Notizbuch unter den Papieren, die Schmidt und der Testamentsvollstrecker durchsahen. Rechenschaftsberichte über die Arbeit seines Vaters waren niedergelegt im Hauptbuch seiner Kanzlei und in den Rechnungen an seine Mandanten: Aufstellungen über juristische Dienstleistungen und Beratung im Zusammenhang mit der Beschlagnahme der *Iphigenia* und dem Verkauf der Schiffshypothek in der Stadt Panama, und dergleichen Abenteuer.

Solange Schmidt noch bei seinen Eltern wohnte, bis er ins College ging, lag sein jeweils aktuelles Tagebuch, immer ein Schulheft mit Spirale und blaßgelben Pappdeckeln, weil ihm sein Vater nicht einmal zu Anfang ein lockenderes Exemplar gegönnt hatte, lag also dieses Tagebuch offen sichtbar in der untersten Schublade der Kommode rechts von den Unterhosen. Die Hefte, die er schon vollgeschrieben hatte, stapelten sich in einem Schrankregal. Er rechnete damit, daß sein Tagebuch gelesen wurde. Jeder Versuch, es zu verstecken, wäre sinnlos gewesen. Seine Mutter war groß im Aufspüren von Beweisen für sündhaftes Handeln und durchsuchte seine Habseligkeiten regelmäßig. Sie tat das ohne jede Scham. Deshalb waren Schmidts Tagebuchnotizen zu dieser Zeit Exerzitien in Scheinheiligkeit oder aber Stilübungen, die einen absolviert, um seine Mutter durch dick aufgetragene gefühlvolle Verehrung oder durch Futter für ihre Eitelkeit milde zu stimmen, die anderen durchgeführt, um dem Alten mit Ja antworten zu können, wenn er aus heiterem Himmel beim Essen fragte, ob das Tagebuch des Sohnes auf dem neusten Stand sei. Diese Eintragungen bestanden aus knappen, aber zunehmend ausgefeilten Beschreibungen dessen, was ein Musterknabe in Schmidts Lebenslage, um die in ihn gesetzten Erwartungen zu erfüllen, an einem bestimmten Tag erreichen oder sehen sollte. Hätte er lügen müssen und nicht wirklich eine ansehnliche Zahl von Seiten vollgekritzelt, dann hätte seine Mutter die Lüge aufgedeckt. Weder wäre dem Vater eingefallen, zu fragen, wieso sie das wisse, noch Schmidt, gegen ihr Spionieren zu protestieren.

Kurz nachdem seine Mutter gestorben war, schaffte Schmidt sich diese Protokolle der Demütigung vom Hals. Sie füllten mehrere Plastiksäcke, die er in einer Mülltonne des Nachbarn auf dem Bürgersteig der Grove

Street versenkte. In den Müll warf er auch eine kleinere Plastiktüte voller Photos, die ihn als Kind und Halbwüchsigen zeigten, gerahmte Photos aus ihrem Schlafzimmer und Schnappschüsse aus ihren Alben und Schachteln mit Krimskrams; Briefe, die er ihr aus dem Sommerlager geschrieben, Gedichte zu ihrem Geburtstag und zu Weihnachten, die er mühsam gereimt und, jedesmal »Meiner geliebten Mutter in Liebe« gewidmet, in Schönschrift auf cremefarbenen Pergamentimitationen präsentiert hatte.

Im zweiten Semester seines ersten College-Jahres las Schmidt auf Betreiben von Gil Blackman, der mit besonderer Genehmigung an einem eigentlich für Undergraduates nicht zugänglichen Kurs über die französischen Symbolisten teilnahm, Baudelaires *Mon cœur mis à nu* und einen Band mit Auszügen aus Kafkas Tagebüchern. Daraufhin besann er sich auf die alte, vom Vater erzwungene Gewohnheit, nicht ohne dem Vater in gewissem Sinn dankbar dafür zu sein, und schrieb wieder selbst Tagebuch. Schmidt war klug genug, um zu wissen, daß er nie etwas diesen Texten Vergleichbares schreiben würde, aber sie zeigten ihm, daß ein Tagebuch die Möglichkeit bot, Gedanken durchzuspielen, vielleicht sogar seiner persönlichen Wahrheit näherzukommen. Mit den Jahren ließ sein Bekenntnisdrang nach. Er arbeitete nur noch sporadisch an seinem Tagebuch, hauptsächlich, um den Rechenschaftsbericht in Ordnung zu halten – nicht ganz die Rechenschaft, die sein Vater im Sinn gehabt hatte – oder wenigstens, um seine Sicht der Fabel zu dokumentieren.

Als er nach Marys Tod das Haus allein bewohnte, fand er, daß Tagebuchführen auch ein angenehmer und kostenloser Zeitvertreib war und daß dieses Schreiben das bedrängende Schweigen würdiger durchbrach als Selbstgespräche. Er wurde ganz eifrig. Und so weit wir überhaupt vermögen, die Kräfte zu erkennen, deren Spielball wir sind, waren seine Notizen in dem bewußten Zeitraum durchaus nicht ungenau.

Sonntag, 1. 12. 91

Als ich gestern aus meinem Mittagsschlaf aufwachte, war es schon dunkel. Ich nahm ein Bad. Danach war ich hellwach, ging in die Küche und machte mir eine Tasse Tee. Dabei sah ich, daß der Hörer immer noch neben dem Telefon lag. Hatte sie angerufen, hatte irgend jemand angerufen? Ich legte ihn wieder auf die Gabel. Plötzlich klingelte das Telefon. Charlotte natürlich, mit der Kleinmädchenstimme, die ich immer zu hören bekomme, wenn sie besonders lieb sein will. Über das Essen sagt sie alles, was zu hoffen war, und sie hütet sich, triumphierende Töne über die Rikersche Wohnung anzuschlagen, macht auch keine Andeutungen über den guten Geschmack und die Kultur dieser Leute und so weiter. Ich frage, was sie zu der Wochenendeinladung aufs Land meint. Sie bedeckt den Hörer mit der Hand und hält kurz Rücksprache mit Jon, sagt mir dann, es passe sehr gut. Ich solle sie einladen. Nur bitte nicht am Wochenende vor Weihnachten: Da hätten Jon und sie in der Stadt zu tun. Dabei fällt Charlotte Weihnachten ein. Natürlich müßten sie mit den Rikers feiern, das sei für die Familie wichtig. Ich beherrsche mich und sage nicht, komisch, daß ihnen ausgerechnet Weihnachten wichtig sei, und so weiter, ich sage auch nicht, daß mein Weihnachten in der Hierarchie der Feiertage womöglich höher rangiert als das Fest der Rikers. Im Gegenteil, die Geräusche, die ich von mir gebe, sind unverbindlich, aber zustimmend. Sofort sagt Charlotte, Jon wolle mich sprechen. Na gut.

Schmidtie, willst du Weihnachten mit uns verbringen?

Wir feiern immer in Washington mit den Großeltern, nur daß ich nicht mehr mitgefahren bin, seit ich Charlotte kenne. Sie möchten dich wirklich gern dabei haben.

Ich sage ihm die Wahrheit: Das geht über meine Kräfte. (Nicht die ganze Wahrheit, denn ich sage nicht: Selbst wenn ich wollte, könnte ich nicht.) Ich kann mir nicht vorstellen, zu einem Weihnachtsfest in einer Großfamilie zu reisen, ohne Mary, nicht dies Jahr. Und ich sage ihm, er solle sich bitte keine Sorgen um mich machen, ich werde mich bestimmt nicht in meinem Zimmer einschließen und vor mich hin brüten. Womöglich fahre ich ins Ausland, an einen Ort ohne Weihnachten. Der Gedanke ist mir gerade gekommen. Er hat einiges für sich, mir muß nur noch ein passendes Reiseziel einfallen.

Wieder Charlotte. Sie haben sich einen Termin ausgesucht – der erste Samstag im Juni soll es sein. Eine Junihochzeit. Paßt mir der Termin? Wieder weine ich. Sie merkt es sofort. Ich sage, sie solle sich gar nicht darum kümmern, ich sei eben sentimental, da könne man nichts machen. Es werde eine wunderschöne romantische Hochzeit, der Garten zeige sich dann in seiner vollen Pracht. Ein Blumenmeer! Wahrscheinlich sei jetzt schon der richtige Zeitpunkt für den Auftrag an den Partyservice und alles, was sonst noch organisiert werden müsse.

Eigentlich kann ich auch gleich vom Haus anfangen; der Moment ist günstig. Mein Herz ist auf dem rechten Fleck, keine Spur von Ressentiment, also will ich die Sache hinter mich bringen. Sie hört mir zu, bis ich fertig bin, ohne mich zu unterbrechen, und sagt dann: Muß das denn sein? Ich meine, es ist ein sehr großzügiges Geschenk, aber aus meiner Sicht ändert sich dadurch nichts zum Besseren, warum können wir nicht einfach alles beim alten lassen?

Sie ist ein kluges Mädchen. Ich sage: Das Haus ist zu

groß für mich (stimmt nicht, ich liebe große Häuser) und es deprimiert mich (wohl wahr, aber würde es mir nicht mit jedem Haus so gehen?).

Wieder eine geflüsterte, für mich unhörbare Beratung zwischen Jon und Charlotte. Sie sagt, sie rufe zurück.

Ich mache mir noch eine Tasse Tee. Diesmal mit Rum.

Die nächste Unterhaltung fängt Jon an. Er möchte wissen, welche finanziellen Konsequenzen mit der Schenkung verbunden sind. Ich erkläre ihm, das sei ganz einfach: Charlotte werde das Haus samt Einrichtung – bis auf wenige Ausnahmen – schon jetzt besitzen, aber sobald ich auszöge, würden sie die Steuern und Betriebskosten bezahlen müssen. Er fragt sich, ob sie sich das leisten können – vor allem, da sie planten, ein Apartment in der Stadt zu kaufen. Ich sage, das sei eine berechtigte Frage, und sie sollten darüber nachdenken und mir dann Bescheid geben. Nur für den Fall, daß er die Schenkungs- und Grundsteueraspekte nicht versteht und deshalb nicht begreift, wie großzügig dieses Hochzeitsgeschenk tatsächlich ist, erkläre ich es ihm. Er ist aber auch gewieft. Er fragt: Werden wir nicht alle schlechter dastehen, wenn du das abgewickelt hast? Wir brauchen kein Landhaus für uns allein. Vergiß den Nießbrauch, das ist doch nur eine Formalität. Wir werden einfach weiter so kommen und gehen wie jetzt. Wenn es soweit ist, übernehmen wir einen Teil der Kosten.

Ich erkläre, sie seien beide ganz wundervoll. Er müsse mich wissen lassen, wie es mit ihrer Liquidität stehe. Und mir nehme ich vor, noch einmal gründlich darüber nachzudenken, ob ich das alles wirklich auf mich nehmen muß.

Das ist erledigt. Natürlich will ich ihnen keine zu schwere Last aufbürden, aber ich frage mich, ob mein Plan, auch wenn er einer selbstzerstörerischen und gehässigen Stimmung entsprungen ist, nicht doch letzten Endes das beste für uns alle wäre. Würden sie sich mit mir, würde ich mich wohl fühlen als ständig anwesender Hausmeister/Eigentümer/Vater/Zensor, in dieser oder einer anderen Reihenfolge der Rollen? Mary hätte alles ins Lot gebracht: Sie und ich, wir hätten unser eigenes Leben geführt, ich hätte Charlotte und Jon in Ruhe lassen können, und uns allen wären die verkrampften Bemühungen erspart geblieben. Was ist das echte Opfer: Bleiben oder Gehen?

Ich trinke noch einen Tee mit Rum, allmählich bekomme ich Hunger. Kein Stück Obst oder Gemüse im Haus. Nur die lieben Sardinen und Schweizer Käse.

Das Telefon klingelt wieder. Diesmal ist es Renata Riker. Wie lieb von mir. Das nächste Wochenende paßt ausgezeichnet. Vielleicht nehmen die Kinder sie im Auto mit.

Ciao!

Ich ziehe mir den blauen Blazer an, weil Samstag ist und weil ich es leid bin, immer im Pullover herumzugammeln, und fahre zu O'Henry's. Das Lokal ist voll. Ich trinke an der Bar einen Bourbon, dann noch einen und stehe wartend hinter einer zwei Reihen tiefen Schranke aus unbekannten Einheimischen. Endlich entschließt der Besitzer sich, mir einen Platz zuzuweisen. Ich folge ihm, die Augen fest auf den Rücken seiner Jacke geheftet, um mit niemandem Blickkontakt aufnehmen zu müssen. Der Tisch gehört zu Carries Revier, aber die Speisekarte bringt mir ein kräftiger Bursche. Er hat braunes und gelbes Haar, mit einer klebrigen Schmiere an den Kopf geklatscht, und einen großen Ring im Ohrläppchen. Zwei kleinere Ringe durchbohren brutal den oberen Rand der Ohrmuschel. Sie sind so dick, daß das Licht durch die Löcher strahlen muß, wenn er sie aus dem Ohr zieht.

Carrie hat frei, bemerkt er, sie hat Thanksgiving den ganzen Tag gearbeitet.

Das Personal in diesem Lokal redet oder witzelt offenbar über mich. Warum sonst würde er annehmen, ich sei interessiert an ihr oder wisse ihren Namen?

Mittwoch, 4. 12. 91

Noch zwei Mahlzeiten im Restaurant. Bei Carrie. Beide Male werde ich ungefragt an einen von Carries Tischen geführt, zuerst vom Eigentümer und gestern von der Kellnerin, die die Gäste plaziert, wenn er nicht da ist oder wenn er keine Lust hat, sich selbst die Mühe zu machen. Ist das normal, wenn man relativ oft kommt und immer ohne Begleitung?

Meine Reaktion auf die Tischzuweisung finde ich selbst albern: Teils bin ich peinlich berührt, teils hochbefriedigt. Peinlich berührt, weil ich offenbar zum Habitué geworden bin, wie die Unheilsschwestern, die sich über mich zu amüsieren scheinen, aber keine Anstalten machen, mich an ihren Tisch zu bitten. Wenn ich mich so sehen würde, wie ich andere sehe, würde ich mich als komische Figur bezeichnen: ein alter Knabe, der nichts Besseres zu tun hat, als an Bar und Grill mit einer schönen Kellnerin zu reden, die fast zu jung ist, um seine Tochter zu sein! Zufrieden – beinahe schon stolz –, weil die Kellnerin sich benimmt, als wäre sie froh, mich zu sehen, beinahe so froh, wie ich bei ihrem Anblick bin. Natürlich bedenke ich dabei, daß sie von Berufs wegen zu diesem Verhalten verpflichtet ist. Sie ist ein braves Mädchen und wird diesbezügliche Pflichten bestimmt ernst nehmen. Von Kellnerinnen erwartet man, daß sie die Kunden wie willkommene Gäste behandeln.

Und doch schwingt da etwas mit, was über die professionelle Routinefreundlichkeit hinausgeht. Zum Beispiel scheint sie wirklich gern mit mir zu schwatzen. Wahrscheinlich freut sie sich, daß ich ihr aufmerksam zuhöre – als guter Zuhörer habe ich schon immer gegolten, aber gewöhnlich tue ich nur so, als lauschte ich, und bin in Wahrheit mit den Gedanken ganz woanders. Wichtiger noch: Gestern abend ist sie mir zu Hilfe gekommen, als ich wirklich in Not war. Für ein abgehärtetes Straßenkind aus der Bronx oder aus Brooklyn, leider habe ich vergessen, welcher von beiden Orten, ist das vielleicht keine große Sache, aber sie hat mich beschützt und beruhigt wie ein echter Freund.

Folgendes ist passiert: Ich sah vom Tisch auf, weil sie gerade Kaffee gebracht hatte, und da stand auf einmal, auf dem Bürgersteig, gegen die Fensterscheibe gepreßt, höchstens vier Meter entfernt, der Mann und starrte mich an. Er trug wieder denselben Anzug, vielleicht hatte er noch eine Pulloverschicht mehr unter der Jacke, so daß sie aus allen Nähten platzte und die Knöpfe kaum noch hielten; eine lilarote Skimütze hatte er bis über die Ohren gezogen. Sowie er sah, daß ich ihn gesehen hatte, grinste er übers ganze Gesicht, breit und zahnlos, und blinzelte mir zu. Gemeine, kleine Augen. Mein Gesicht muß ganz unbewegt geblieben sein. Das Grinsen erlosch sofort. Statt dessen schob er die Lippe vor und nickte, um Enttäuschung über das Fehlen einer freundlichen Reaktion zu markieren. Dann hob er sehr umständlich den rechten Arm und zeigte mir den Mittelfinger. Statt der Reiterhandschuhe trug er diesmal marineblaue Strickfäustlinge, wie ich sie nur aus Filmen kenne. Bettler oder Totengräber im neunzehnten Jahrhundert hatten solche Handschuhe: Hände und Finger sind bedeckt, aber nur bis zum Mittelglied, so daß die Fingernägel frei bleiben, lange, dreckverkrustete abgebrochene Nägel. Entsetzen? Ekel? Als ich wieder mit Carrie sprechen konnte, war meine Stimme so heiser und rauh wie die ihre. Da, stieß ich hervor, sehen Sie den, sehen Sie!

Der wieder, antwortete sie. Achten Sie gar nicht auf ihn. Die wollen nur Beachtung.

Dann machte sie eine Drohgebärde mit der Faust in seine Richtung und scheuchte ihn weg.

Es klingt unglaublich, aber der Mann ließ den Arm sinken und zog ab, sichtlich widerstrebend, aber besiegt. Blickte über die Schulter zu mir oder vielleicht in Wirklichkeit zu Carrie zurück und murmelte vor sich hin. Dann legte er einen Schritt zu. Er fuchtelte mit dem Stock einem unsichtbaren Gegner vor der Nase herum, überquerte die Straße und verschwand in der Dunkelheit des Parkplatzes gegenüber dem Restaurant. Meine Hände lagen flach auf dem Tisch. Ich hatte kein Gefühl mehr darin, spürte nur eisige Kälte. Vielleicht hat Carrie gesehen, daß ich zitterte. Sie legte ihre Hände auf meine und flüsterte: Sie brauchen was Warmes. Ich hole Ihnen frischen Kaffee.

Danach unterhielten wir uns nicht mehr, weil sie ständig zwischen Küche und Kasse hin und her lief, Bestellungen ausführte, Rechnungen brachte, Teller wegräumte. Als ich ungefähr fünfzehn Minuten später zahlte, fragte sie, ob mein Auto auf dem Parkplatz stehe, und als ich das bejahte, sagte sie, sie werde mich begleiten.

Wir gingen wie Vater und Tochter aus dem Restaurant in die Nachtluft hinaus; ich hatte ihr meinen Lodenmantel über die Schultern gelegt. Sie konnte im Dunkeln sehen wie eine Katze und brachte mich schnurstracks zu meinem Saab. Ich fragte, wann sie den Mann vorher schon gesehen habe. Sie antwortete: Manchmal kommen solche Spinner und Penner mit dem Bus aus der Stadt und streunen hier rum. Sie klang ausweichend und verlegen. Warum?

Als ich im Auto saß, schlug sie mir leicht auf den Arm, bevor ich die Tür schloß, und sagte: Hey, kommen Sie bald wieder, ja?

Freitag, 6. 12. 91

Schlechte Träume, die ganze Nacht lang. Nach dem Frühstück rief ich die Polizei an, erklärte der Vermittlung, ich hätte ihren Wohltätigkeitsverein seit dreißig Jahren finanziell unterstützt, und bat darum, mit einem Verantwortlichen verbunden zu werden. Ein Sergeant Smith kam ans Telefon – als ich ihn mit der Nase darauf stieß, schien er unsere Namensverwandtschaft auch zu schätzen. Ich berichtete ihm von dem Mann und dessen Interesse an mir, sagte, ich sei beunruhigt, weil ich allein in einem großen Haus außerhalb der Ortschaft wohne und weil der Mann mich eigentlich überall ausfindig machen könnte. Smith forderte mich auf, ihn genau zu beschreiben, notierte sich alles und meinte dann: Hört sich an wie einer, der aus der Heilanstalt entlassen wurde, weil dort das Geld oder der Platz zu knapp geworden ist.

So wird es wohl sein.

Dann erklärte er mir, daß der Kerl bei einer solchen Beschreibung mit Sicherheit von einer Streife aufgegriffen werde. Sie könnten ihn unter Anklage stellen, aber so wie die Gerichte nun mal seien, würden sie vermutlich nur sicherstellen, daß er »die Gegend verläßt« und nie mehr Lust zum Wiederkommen haben wird.

Er fügte hinzu, er werde sich persönlich darum kümmern, und gab mir eine Telefonnummer, unter der ich ihn direkt erreichen könne. Ich dankte ihm überschwenglich.

Später erst, als ich am Strand spazieren ging – wie üblich, war kein Mensch da, nur strahlende Sonne, hohe Wellen, die sich schäumend brachen und den Sand überfluteten bis auf einen schmalen Streifen voll bizarrer Formen, in den zwanziger und dreißiger Jahren dort eingegraben, wohl als Wellenbrecher gegen die winterliche Brandung gedacht, Zementzylinder mit rostigen Kabelschlaufen, Rohrstücke und Stapel zusammengebackenes Metall, die gefährlich aus der Brandung herausragten, vollkommen unnütz waren und die Erosion vielleicht gar verschlimmerten –, wurde mir klar, daß ich nach der Unterhaltung mit Sergeant Smith nicht mit mir zufrieden war. Diese nett aussehenden Cops, so höflich und verständnisvoll im Umgang mit meinesgleichen, müssen hemmungslos brutal mit Leuten von der Art des Mannes sein. Da stand ich nun, mit meinen wasserdichten Schuhen, Wollsocken, Kordhosen, schweinsledernen, kaschmirgefütterten Handschuhen und einem zwar alten, aber teuren Parka, der federleicht war und trotzdem im heftigsten Sturm noch warm hielt, ich war frisch gewaschen und frisch rasiert und so gesund und fit, auch wenn ich aussehe wie ein komischer alter Kauz und schon eine Menge Jahre auf dem Buckel habe. Der Mann war mir widerlich und lästig gewesen, und Angst hatte er mir auch gemacht, aber eigentlich nichts Schlimmes getan. Welches Recht hatte ich, den Sergeant Smith und seine Leute auf ihn zu hetzen, mitsamt ihren Schlagstöcken und Stiefeln und langen schwarzen Taschenlampen?

Las den Eintrag von gestern noch einmal durch.

Stimme 1: Und wenn Carrie sich nun in den Kopf setzt, sie sei Gegenstand »unerwünschter Aufmerksamkeiten«, und mich – und ebenso alle ihre Kollegen im Restaurant – das wissen läßt? Wenn sie mir die Faust zeigt; und sie weiß, wie man das macht, ich habe gesehen, wie sie mit dem Mann umging. Schande. Ende der unsinnigen, melancholischen, aber nicht unangenehmen Abende. Und wenn sie sich meine Aufmerksamkeiten gern gefallen läßt, was dann? Das wird sie nicht. Sie ist keine alkoholisierte unzufriedene Hausfrau, die auf schnellen Sex mit Handlungsreisenden lauert. Hier gibt es genügend gutaussehende Burschen in ihrem Alter, die sind wie sie und die ihre Bedürfnisse bereitwillig befriedigen würden.

Stimme 2: Es mag wohl sein, daß sie sich mehr zu mir hingezogen fühlt, als ich glaube. Ich bringe sie zum Lachen. Das ist immer wichtig. Bei einem ehrbaren alten Knaben wie mir braucht sie sich nicht zu fragen, ob ich Aids habe oder was immer sie sich bei Kerlen wie dem Kleisterkopf mit den Ohrringen einfangen kann; daß ich gewalttätig bin, ist auch wenig wahrscheinlich. Für ihre Generation ist Sex keine große Sache. Ein Fick in meinem schönen sauberen Bett, warum nicht? Unter dem T-Shirt mit dem aufgedruckten »O'Henry's« trägt sie vermutlich einen lavendelfarbigen BH. Hübsche feste Brüste, hart wie Grabhügel. Zierliche Taille. Bauch. Ein schmales schwarzes Pelzchen. Sie ist bereit, die Feuchtigkeit dringt schon durch die Strumpfhosen. Als sie abgestreift sind, kommen Antilopenbeine zum Vorschein. Kein Lack auf ihren Zehennägeln; Füße gerötet, vielleicht etwas geschwollen; sie steht den ganzen Tag. Und so beginne ich: küsse ihr die Fußsohlen, dann die Zehen, arbeite mich zu den Schenkeln vor, die sie zuerst geschlossen hält, aber dann, als ich das Pelzchen erreiche, öffnet sie sich, kommt meinem Gesicht entgegen. Drängendes, heiseres Gurren: Wart auf mich, nimm mich, jetzt!

Stimme der Erfahrung: Du bist zu ernsthaft oder zu prüde (such dir's aus) für einen One-Night-Stand mit Carrie, und was sonst wäre es? Wenn sie etwas an dir mag, dann den Anschein von Ritterlichkeit. Fall nicht aus der Rolle und spiel nicht den Narren. Gib ihr ein kleines Weihnachtsgeschenk – eine Brosche oder einen hübschen Schal – und amüsier dich im Restaurant, wenn du keine Lust mehr auf Thunfisch aus der Dose hast.

Montag, 9. 12. 91
Das Wochenende ist vorbei; deshalb bin ich, wie zu erwarten, wieder bei bester Gesundheit.

Da sie am Freitag rechtzeitig zum Abendessen da sein wollten, engagierte ich Mrs. Wolff zum Servieren und Geschirrspülen. Was soll nur werden, wenn sie in den Ruhestand tritt? Hier ist außer ihr niemand bereit, beim Servieren eines Essens zu helfen, das nach neun Uhr anfängt. Allein die Vorstellung von dem Theater, das Charlotte und Renata machen würden – ich müsse unbedingt mit Jon und Myron gemütlich im Wohnzimmer sitzen, sie wollten die Küche in Ordnung bringen –, war mir ganz unerträglich. Mrs. W. war bereit, beim Essen am Samstagabend und auch am Sonntagmittag auszuhelfen. Das Mittagessen am Samstag könnten wir in der Küche zu uns nehmen, und anschließend sollte freier Zugang zum Spülbecken für alle sein, hatte ich mir gedacht. Die Einkäufe für das gesamte Wochenende erledigte ich auch – wiederum mit dem Ziel, Kooperationsbestrebungen auf ein Minimum zu beschränken. Ich kochte Rindergulasch für den ersten Abend, damit ich sie mit Essen versorgen konnte, sobald sie dazu bereit waren. Als Entree Champagner und Austern in der Halbschale, die ich kaufte, als das Fischgeschäft gerade schließen wollte. Für Samstag und Sonntag besorgte ich Vorräte, von denen ich sicher war, daß Charlotte sie verarbeiten konnte; vielleicht würde sie das ja für ihre Aufgabe halten. Blumen im Eckzimmer für Gäste, Blumen in Charlottes und Jons Schlafzimmer, französische Seife in allen Bädern, Leinenhandtücher in einem Überfluß, wie er seit dem Ende von Marthas Regiment nicht mehr geherrscht hatte, strahlend helles Licht im ganzen Haus. Es sah sehr eindrucksvoll aus; ich konnte mir vorstellen, wie Renata zu dem Schluß käme, daß ich gut inszenieren kann, auch wenn ich ein gefühlskaltes Leben führe. Aber was soll's, dazu braucht man nur Zeit und Geld.

Ein unangenehmer Augenblick, als ich merkte, daß mich die Aufregung erwischt hatte, die sich einstellt, wenn man alles vorbereitet hat und wichtige Gäste erwartet – wie sonst soll ich den Besuch der Rikers beschreiben? –, und daß ich an Mary dachte. Ich machte alles so, wie sie es mich gelehrt oder wie wir es zusammen gelernt hatten. Wir waren ein gut eingespieltes Paar. Das sagten uns die Leute immer wieder, genau wie sie mit ermüdender Häufigkeit wiederholten, daß wir zusammen so gut aussähen, als ob sie uns für Ausstellungsstücke in einer Hundeschau hielten, in der sie als Preisrichter fungierten – aber es stimmte tatsächlich: Wir waren ein schönes Paar.

Dank Mrs. W. konnte ich mich aus der Küche fernhalten und mich ganz auf die Martinis konzentrieren, die ich für Myron in dem Silbershaker mixte, den ich fast nie benutze, weil er undicht ist. Egal: Ich wickelte noch ein zusätzliches gestärktes Handtuch drumherum. Als ich Myron eine Olive anbot, ließ er ein paar anerkennende Worte fallen, weil ich die Oliven gewässert und abgetrocknet hatte; und daraufhin stieg er weiter in meiner Achtung. Ich habe auch etwas bemerkt: Charlotte trank nur Mineralwasser und war weiß wie ein Laken, in ihren Augenwinkeln zeichnen sich schon zart die ersten Fältchen ab. Und Jon holte sich eine Cola Light aus dem Kühlschrank; er hat zugenommen. In der Ecke des Chesterfield-Sofas saß Dr. Renata, in ein graues Jerseykleid gehüllt, umspielt von einem rostroten Schal, das Indianerprofil dem Feuer zugewandt – und sah phantastisch aus. Ich stellte den Hocker, auf dem ich so gern sitze, neben Charlottes Sessel und hörte zu, wie sie sich unterhielten: Verkehrsdichte beim Verlassen der Stadt,

Neubauten hier draußen (es stellt sich heraus, daß die Doctores gelegentlich einen Kollegen in Springs besuchen, den ich flüchtig kenne, also ist hier keine *terra incognita* für sie), Pläne für das Wochenende (sie haben zur Kenntnis genommen, daß ich niemanden mit ihnen zusammen eingeladen habe, und plötzlich meine ich, ich hätte es tun sollen, damit sich keiner der Vier unter Wert behandelt fühlt; mit etwas Glück kann ich das noch nachholen: Vielleicht haben ja der Analytiker aus Springs und seine Frau Zeit und folgen einer kurzfristigen Einladung) und ähnliche freundliche Belanglosigkeiten.

Das Essen ist serviert. Ich hatte die schöne Renata zur Rechten und Charlotte zur Linken, das hieß, die beiden männlichen Rikers saßen nebeneinander. Vater Riker hätte auch links von mir und Charlotte und Jon infolgedessen nebeneinander sitzen können, aber die Lösung war mir nicht eingefallen, und der Tisch ist sowieso rund, wenn man die Seiten aufklappt, so daß wir uns alle zusammen unterhalten konnten. Ich begann aufzuhorchen, als das Gespräch auf das Haus kam. Es sei noch schöner, als Vater Riker es sich nach Jons Erzählungen vorgestellt habe. Renata stimmte zu. Vater Riker bekräftigte: Das ist ein unglaublich großzügiges Hochzeitsgeschenk. Ich weiß gar nicht, wie Schmidtie es über sich bringen kann, hier auszuziehen und anderswo zu wohnen.

Ich warf heimlich einen Blick auf die Begünstigten meiner Generosität. Sie sahen ganz untypisch aus, demütig, konnte man beinahe sagen, und saßen da mit niedergeschlagenen Augen. Eine Verständigung über meinen Plan hatte stattgefunden, und das Finanzproblem war gelöst. Natürlich! Dr. & Dr. hatten offenbar ihre Hilfe bei der Finanzierung des Apartments oder etwas in der Art zugesagt. Es wäre vielleicht ganz nett gewesen, wenn mir jemand im voraus verraten hätte, daß mein Angebot angenommen war, aber sei's drum. Mary hat immer gesagt: Wenn dein Kind, die kleine Schlange, dich für selbstverständlich hält, dann ist das der größte Liebesbeweis. Also erhebe ich mein Glas und trinke auf ihr Glück unter diesem Dach und auf die Enkelkinder, die Haus und Grundstück unsicher machen und vielleicht sogar Spaß an dem Fort im Kolonialstil mit seinen Palisaden haben werden, das Mary für Charlotte im Schatten der Rotbuchen aufgebaut hatte, mit dem Charlotte aber kaum spielte. (Kaum hatte ich es erwähnt, da wünschte ich schon, ich hätte dieses Stück Familiengeschichte ausgelassen, aber es hatte Mary gewurmt, und mich wurmt es noch.)

Im ganzen hatte ich einen Martini, ein Glas Champagner und weniger als ein Glas Burgunder getrunken, der Alkohol kann es also nicht gewesen sein. Mir brannten auf einmal die Augen, obwohl mir gar nicht heiß war. Im Gegenteil, ich fror eher. Ich wußte, daß ich rot angelaufen war, so sehr, daß Charlotte fragte, ob mir nicht gut sei. Ich sagte, sie solle sich keine Sorgen machen, aber ganz wohl sei mir nicht. Von diesem Moment an beobachteten mich natürlich alle: meine Augen, meine Gesichtsfarbe (ich war inzwischen nicht mehr rot, sondern, wie Charlotte sagte, grünlich) wurden ausführlich kommentiert. Als Mrs. Wolff den Käse serviert hatte, war mir ziemlich flau, und ich schwitzte, was mir nur ganz selten passiert. Myron stand auf, legte mir die Hand auf die Stirn, fühlte mir dann den Puls – daß ein Seelendoktor weiß, wie man das macht, hätte ich nicht gedacht – und sagte: Sie haben hohes Fieber. Gehen Sie lieber ins Bett. Ich komme dann und horche Ihre Lunge ab, wenn wir mit dem Essen fertig sind.

Das tat er. Es war einigermaßen befremdlich, ihn im Schlafzimmer zu haben; weil der arme Mann kein Stethoskop bei sich trug, mußte er sein Ohr auf meine Brust und meinen Rücken pressen und mich abklopfen, aber es war wohltuend, mich seinen Maßnahmen zu überlassen. Hören konnte er nichts. Er riet mir, im Bett zu bleiben und viel Aspirin zu nehmen; die Grippe würde wieder vergehen, vielleicht über Nacht.

Eine seltsame Nacht, voll beklemmender Träume, unterbrochen von stundenlanger Schlaflosigkeit, von Expeditionen ins Bad und von unanständigen Gedanken, vielleicht von Träumen dicht unter der Oberfläche des Bewußtseins, die sich mit den beiden Paaren befaßten, das eine hinter der Tür gegenüber (meine Tochter im Bett mit Jon), das andere rechts von mir am Ende des Flurs (Renata im Bett mit Myron). Mittlerweile waren meine Finger und meine Zehen ganz abgenutzt und geschrumpft, vielleicht weil ich so hart gearbeitet hatte, vielleicht waren sie atrophisch, nur noch wie kleine Knoten fühlten sie sich an. Ganz unmöglich, einen Gegenstand zu greifen und festzuhalten, und ich wagte nicht, auf meinen Füßen zu gehen. Gegen acht Uhr wachte ich auf, endgültig, glaubte ich, hörte, daß alles im Haus noch ganz still war, schleppte mich wieder einmal ins Bad, starrte mein wüstes Gesicht im Spiegel an, rasierte mich, nahm ein Bad und fand ein Thermometer. 40°! Weil mir einfiel, daß heiße Bäder die Körpertemperatur erhöhen, legte ich mich hin und wartete zehn Minuten. 39,4°.

Wieder Schlaf. Keine Träume. Ich merkte, daß mein Körper mit einem Sekret bedeckt war, das sich eher wie Öl denn Schweiß anfühlte. 39,7°. Erfreulich zu wissen, daß das frühere Ergebnis kein Zufallstreffer war. Noch ein Bad und gründliches Zähneputzen. Dann zog ich einen frischen Schlafanzug an, besprühte mich mit Eau de toilette, machte mein Bett, stieg wieder hinein und dachte über das Pech nach und auch darüber, daß der Tod und hoffentlich die Grippe alle Verpflichtungen lösen. Aber ich hatte es wirklich gut machen wollen, und es sah ganz danach aus, als sei dies meine letzte Anstrengung in diesem Haus, bis auf das Ausrichten der Hochzeit und das Ausräumen meiner persönlichen Habe.

Das Haus war voller Geräusche, aber ich konnte nur wenige identifizieren. Das Brummen der Orangensaftpresse, Autoräder auf dem Kies, was bedeutete, daß Jon oder Charlotte die Zeitung holen wollten. Noch immer voll guter Vorsätze stand ich auf und öffnete die Tür, um zu signalisieren, daß ich bereit für Besuch war.

Ich muß wieder eingeschlafen sein. Aufs neue ins Bad und wieder ein frischer Schlafanzug aus meinem unerschöpflichen Vorrat. Weil meine Zähne klapperten, was mir klarmachte, daß sich etwas tat, sparte ich mir das Thermometer. Drei Kissen im Rücken saß ich stieläugig da, bis ich wieder eindämmerte, ein zweiter Gregor Samsa. Hörte ich Schritte auf den Dielen, war jemand im Zimmer? Ich öffnete die Augen. Es war Dr. Renata; der Lärm kam vom Schaukelstuhl. Altes halbverfaultes Gemüse hatte sie mir nicht gebracht, sondern Orangensaft und eine Kanne Tee.

Ich kann mir nicht vorstellen, daß du etwas essen willst, sagte sie, aber vielleicht hast du Lust auf einen Joghurt oder so etwas. Wir haben alle schon zu Mittag gegessen. Die Kinder und Myron sind unterwegs, sie wollten irgendwo im Wald in der Gegend von Sag Harbor spazierengehen. Ich möchte dir den Kopf fühlen.

Eine große Hand mit Türkisring auf meiner Stirn, die wieder klebrig war.

Du brauchst noch mehr Aspirin, entschied sie, und als das erledigt war, sagte sie: Laß uns reden, wenn es dir nicht zu viel wird.

Warum bist du im Haus geblieben, fragte ich sie.

Um dich zu versorgen! war die Anwort. Charlotte

wäre hiergeblieben, aber ich wollte, daß sie spazierengeht. Sie braucht frische Luft, und für einen großen Jungen wie Jon ist es nicht lustig, mit Vater und Mutter zu wandern, während seine Braut …

Auf ihren Vater aufpaßt. Ich führte den Satz für sie zu Ende.

Mir ist es ein Rätsel, warum du diesen Groll gegen Charlotte hegst. Vergiß nicht, ich habe sie überredet, mit Jon und Myron zu gehen. Sie wäre bei dir geblieben.

Stimmt.

Ich wischte mir etwas von der klebrigen Nässe aus dem Gesicht und trank noch eine Tasse Tee. Die Straßenbahn, die in meinem Kopf auf und ab rumpelte, verwandelte sich langsam in einen schweren Laster.

Renata, sagte ich, ich habe schlechte Karten. Ich bin krank, mir ist nicht gut, ich sehe schauerlich aus. Mir fehlt die Kraft für eine familientherapeutische Sitzung. Wenn du bleiben willst, dann erzähl mir bitte eine schöne Geschichte oder lies still für dich ein Buch. Wenn nicht, dann geh bitte am Strand spazieren. Ich kann gut mit dem Tee allein bleiben, den du mir gebracht hast. Glaub mir bitte, mir ist ganz gleich, ob er heiß oder kalt ist!

Sie kam an mein Bett, legte mir noch einmal die Hand auf die Stirn und ließ sie dort ein paar Minuten liegen. Ich war froh, daß ich mich rasiert hatte, denn als sie die Hand wegnahm, strich sie mir über die Wange.

Keine Therapie, Schmidtie, sagte sie, aber sei doch nicht so wehleidig. Stimmt, du hast Fieber, aber das ist kein Grund, jede Unterhaltung abzulehnen. Dabei räkelte sie sich – recht zufrieden, wie mir schien. Denk nur an all die Schwindsüchtigen aus dem neunzehnten Jahrhundert. In deiner augenblicklichen Verfassung bist du vielleicht besonders interessant.

Zum Beispiel hast du sehr geschickt erklärt, warum du

nicht mit den beiden in diesem Haus wohnen willst – du hast mich überrascht. Wie kommt das? Nach diesem wenig hoffnungsvollen Anfang.

Ihre Stimme hebt sich am Ende von Aussagesätzen ein wenig, so daß sie zu Fragen ohne Fragezeichen werden. Ein jüdischer Akzent, oder reden jetzt alle Leute in New York so? Das würde ich gern Charlotte fragen. Inzwischen hatte Dr. R. stillschweigend meine Hand genommen und streichelte sie so, daß ich ganz besänftigt war. Hübsch, daß sie so genau weiß, was sie will. Ich erwiderte den Händedruck nicht, tat vielmehr so, als merkte ich gar nichts. Krankheit hat ihre Vorteile.

Antwort: Ich liebe meine Tochter. (Ich halte meine Stimme völlig frei von Pathos. Es hilft, der letzte der Wasps zu sein.)

Und du wolltest ihr keine vergiftete Gabe bringen.

Wieder diese Hebung der Stimme. Ich nickte mit meinem schmerzpochenden Kopf.

Und Jon? Wie paßt der in dein Zukunftsbild?

Als Ehemann meiner Tochter und potentiell als Vater ihrer Kinder – meiner Enkel. Als ein guter Ehemann und ein guter Vater, hoffe ich. Ein Mann ist nicht verpflichtet, seinen Schwiegersohn zu lieben.

Aber es ist ein großes Glück für den, der es tut! Wir lieben Charlotte!

Es ist klar, daß ihr, du und Myron, besonders liebenswürdig seid. Dafür bekommt ihr nun den Lohn.

Plötzlich beugte sie sich über mich und küßte mich auf den Mund, ließ ihre Zunge kurz über meine Vorderzähne gleiten, die ich, auf eine solche Gunstbezeugung nicht vorbereitet, geschlossen gehalten hatte. Dann setzte sie sich auf, nahm meine beiden Hände und sagte: Du wolltest mich küssen, und nun hast du es getan!

Ich danke dir, aber mir ist heiß und kalt, und ich finde

mich abstoßend. Ich bestehe auf einer Gegeneinladung. (Ehrlich gesagt, hätte ich gern sofort weitergemacht, wider besseres Wissen, wider alle Vernunft, aber die Vorsicht mahnte mich, daß ich ihr jeden Schritt überlassen mußte.)

Das könnte zu kompliziert und zu gefährlich werden! Du hast deine Frau doch geliebt.

Sehr sogar.

Aber besonders treu warst du bestimmt nicht.

Wieder die Hebung. Ich sagte: Du erwartest doch wohl nicht, daß ich dir alle meine Sünden gleich am ersten Tag unserer Begegnung beichte!

Ich glaube, du warst ihr bei jeder Gelegenheit untreu, die sich bot. Wie fühltest du dich dabei? Wie ein guter Ehemann?

Nicht jedesmal, weit gefehlt, nur, wenn ich einen unwiderstehlichen Drang spürte und die Umstände paßten. Du weißt ja wohl, daß du einem schwachen, kranken Mann ein Geständnis abpreßt, oder?

Natürlich. Also wie war dir dabei zumute?

Wie wenn ich einen Vertrag gebrochen hätte. Man verspricht, in Liebe und in Treue zusammenzuleben und allen anderen zu entsagen. Aber ich fand meine Vertragsbrüche unerheblich. Sie wußte nichts davon, meine Liebe zu ihr wurde dadurch nicht verringert, und ich war diskret. Kein Grund zum Mitleid mit Mary. Wie steht es mit dir? Und mit Myron? Seid ihr euch immer treu?

Sie lachte. Wenn sie mich in meiner augenblicklichen Verfassung nicht abstoßend findet und keine Angst hat, sich bei mir anzustecken, warum küßt sie mich dann nicht noch mal? Ich war froh, daß sie meine Hand wieder in Gnaden aufgenommen hatte.

Myron ist ein Rätsel. Ich glaube, er hat nicht viel Temperament. Wenn er jemanden hätte, würde er es mir erzählen. Dann wäre er endlich nicht mehr die geschädigte Partei, und das Leben wäre einfacher. Ich hatte viele Jahre lang einen Liebhaber.

Wirklich? Ich war ehrlich überrascht.

Ein Patient, aber es passierte erst, als die Therapie abgeschlossen war. Sie lachte. Die Therapie war sehr erfolgreich – bis vor kurzem. Jetzt geht er zu einem anderen Analytiker. Einem Mann.

Und Myron weiß das? Und deine Söhne?

Natürlich. Und inzwischen auch Charlotte, könnte ich mir denken.

Schläfst du noch mit Myron?

Wenn er es möchte.

Plötzlich ließ sie sich auf mich fallen. Es war wie ein Angriff. Ihre Hände glitten hastig an meinem Körper entlang. Genauso abrupt zog sie sich wieder zurück. Schweigen. Ich wartete auf sie.

Du bist reizend, Schmidtie, sagte sie. Dies wird nicht noch mal passieren. Wir werden uns wieder benehmen, wie es sich für den Vater der Braut und die Mutter des Bräutigams gehört.

Und dann fügte sie hinzu: Ich habe es nur getan, weil ich eine Intuition hatte. Mir war so, als wärst du irgendwie dem Untergang geweiht, als verfielest du vor meinen Augen.

Das ist unangenehm, sagte ich. Wirst du über mich wachen, wirst du mir helfen? Dann erzählte ich ihr von dem Mann. Schließlich könnte ich genauso werden wie er. Wir sind gleich, nur daß ich dünn und sehr reinlich bin.

Sie zögerte einen Moment, bevor sie antwortete. Nein, das trifft es nicht ganz. Ich will wachsam sein, wenn ich hier bin. Wie ich dir helfen kann, weiß ich nicht.

Und was ist, rief ich hinter ihr her, als sie aus dem Zimmer ging, was wäre, wenn dein psychiatrischer sechster

Sinn und deine verdammte Intuition sich täuschen und ich einfach so weitermache wie jetzt?

Na, dann – dann würden wir wohl allesamt glücklich und zufrieden leben bis an unser seliges Ende!

Donnerstag, 12. 12. 91

Unmittelbar vor dem allgemeinen Aufbruch zurück in die Stadt kam Charlotte zu mir. Ich lag noch im Bett, fühlte mich nicht mehr richtig krank, war aber noch sehr müde und konnte kaum länger als eine Stunde ohne Unterbrechung wach bleiben. Sie sagte, sie wäre gern geblieben, um mich zu versorgen, aber sie könne es nicht, dringliche Arbeiten im Büro und so weiter ließen es nicht zu. Dann erzählte sie mir, die Rikers seien sehr großzügig gewesen. Sie hätten sich bereit erklärt, den Teil der Kaufsumme für das Apartment zu bezahlen, den Jon und Charlotte nicht finanzieren könnten, und deshalb habe Jon entschieden, sie könnten es sich nun doch leisten, das Haus zu übernehmen.

Diese Beschreibung der Situation fand ich empörend. Sie hat es mit ein, zwei Sätzen geschafft, den Beitrag der Rikers deutlich herauszustreichen – weniger als fünfhunderttausend, nehme ich an, aber wie soll man das wissen, da das fragliche Apartment noch gar nicht gefunden ist – und mein Geschenk herabzusetzen. Schlimmer noch: Das Gerede, sie könnten es sich »nun doch« leisten, dies Haus zu übernehmen, klang so, als ob sie mir einen Gefallen täten, mir eine Last abnähmen!

Ich entgegnete nichts darauf, und ich bin froh, daß ich nichts gesagt habe, nicht nur, weil ich Frieden halten will, sondern weil das, worauf ihre Bemerkungen anspielten, ein häßliches Körnchen Wahrheit enthält, wenn man es unter einem bestimmten Blickwinkel betrachtet – aber nur ein Körnchen Wahrheit, das trotzdem, meine ich, den

Ton nicht rechtfertigen kann, in dem sie mit mir geredet hat. Es ist nämlich so: Ich habe ein selbstsüchtiges Motiv für diese Transaktion – ich möchte mich der Pflicht entziehen, meine verheiratete Tochter und ihren Ehemann als Miteigentümer meines Hauses akzeptieren zu müssen, wozu ich gezwungen wäre, wenn ich mit ihnen zusammen darin wohnte. Die Rikers haben kein derartiges Motiv. Sie helfen ganz einfach ihrem Sohn, der zum Reichtum unterwegs, aber noch nicht am Ziel angekommen ist. Wenn ich bedenke, wieviel Geld er verdienen wird, falls die Kanzlei nicht auseinanderfällt, dann bin ich in Versuchung, den Rikers zu raten, sie sollten Jon Geld leihen, aber nicht schenken, doch das wäre nicht in Charlottes Interesse. Vielleicht ist es ja auch nur ein Darlehen. Es ist ebenfalls wahr, daß ich nicht gesetzlich verpflichtet bin, Charlotte, falls ich ihr meinen Nießbrauch am Haus nicht abtrete, als Miteigentümerin zu behandeln. Solange ich lebe, ist sie nicht Miteigentümerin. Wenn ich nur wüßte, wie, dann könnte ich mich natürlicher gebärden und sagen: Solange ich lebe, bin ich der Eigentümer und habe alle mit diesem Eigentum verbundenen Rechte und Pflichten, und ihr, Charlotte und Jon, meine Lieben, werdet warten müssen, bis ihr an der Reihe seid.

Allerdings habe ich gefragt, warum man mir weder brieflich noch telefonisch mitgeteilt habe, daß sie beschlossen hätten, mein Angebot anzunehmen. Charlotte schien durch diese Frage aus dem Konzept gebracht. Ihre Antwort war: Ich weiß nicht, aber wir haben wohl gedacht, wir würden es dir erzählen, wenn wir da sind. Dann hat Myron es gesagt, bevor wir überhaupt eine Gelegenheit dazu hatten.

Sei's drum.

Die Weihnachtsfeierlichkeiten waren ihr nächster Tagesordnungspunkt.

Ob ich wisse, wohin ich fahren würde?

Nein, noch nicht.

Wahrscheinlich würden sie nicht noch ein Wochenende auf dem Land von ihrer Zeit abknapsen können. Ob ich in die Stadt kommen könne, zum Essen und um Weihnachtsgeschenke mit ihnen auszutauschen? Wäre der Tag vor meiner Abreise in die Ferien recht?

Um kooperativ zu sein, sagte ich ja. In Wahrheit habe ich noch gar nicht über Geschenke nachgedacht, und wohin ich fahren soll, weiß ich auch noch nicht.

So viel dazu.

Renatas Benehmen an der Bettkante muß sich noch verfeinern. Sie ist zu schwer, um sich einfach auf mich zu werfen. Hätte mir lebenswichtige Organe verletzen können. Ich mochte weder diese schweren Brüste noch die harte, starre Unterwäsche.

Sie liebt Komplizenschaft, garniert mit Anspannung. Darum muß es in der Unterhaltung nach dem Thanksgivingessen gegangen sein. Als ich krank war, kam ein neues Element hinzu: so etwas wie die Verlockung zur Herrschaft. Der Kuß, die Enthüllung, daß sie zugänglich und auch außerhalb der Ehe in Verwendung ist. Sie vertraut auf die mit Verzögerung eintretende aphrodisische Wirkung. Ich glaube, sie will die Sphinx in der Sahara meiner Gefühle sein.

Nachdem ich dies geschrieben hatte, betrachtete ich mich im Badezimmerspiegel und stellte fest, daß ich mir die Haare schneiden lassen muß. Mindestens fünf Wochen seit dem letzten Haarschnitt. In Sag Harbor ist ein Friseur; vielleicht sollte ich ihn ausprobieren, statt eigens nach New York zu fahren, nur wegen des zweifelhaften Vergnügens, zu hören, wie Carlo seine nächsten Ferien plant, während er mir an den Haaren herumschnippelt. Nicht zu fassen, daß dieser Mann in all den Jahren, seit ich zu ihm gehe, immer noch nicht gelernt hat, meinen Hemdkragen trocken zu halten, wenn er mir die Haare wäscht! Er hat nur den einen Vorteil, daß das Ergebnis seiner Arbeit vollkommen vorhersagbar ist.

Wie oft muß ich den Wartungszyklus noch durchlaufen?

Einmal monatlich Haarschneiden; einmal wöchentlich Finger- und Fußnägel schneiden; einmal täglich Haare waschen und rasieren; ein- oder zweimal täglich baden, je nachdem ob ich außer Haus war; Hemden, Unterwäsche, Socken und Taschentücher in den Wäschekorb geworfen und jeden Freitag ungeordnet in meine Kommode gepackt; jede Woche ein Gang zur Reinigung im Einkaufszentrum. Bringe zwei Paar nicht mehr frischer Khakihosen, die ich zu einem Bündel gerollt habe; nehme dafür ihre stolzen Kameraden in Empfang, die in Plastikhüllen steif auf Bügeln hängen; bezahle eine gewisse Summe Dollars. Die freundliche Dame, mit der ich zu tun habe, leidet an Parkinson im Frühstadium – jede Woche tue ich so, als merkte ich es nicht.

Andererseits werde ich nie mehr ein Dinnerjackett oder einen Mantel in Auftrag geben müssen. Die Stücke, die ich habe, werden mit mir bis zum Ende durchhalten. Sie werden länger brauchbar sein als ich.

VII

Die Einladung wird telefonisch übermittelt, von Mr. Gilbert Blackmans Assistentin; vielleicht ist sie neu eingestellt, jedenfalls kennt Schmidt die Dame nicht, aber ihre Sprechweise ist ihm so vertraut, daß er dem Sergeanten Smith hätte schwören mögen, er könne sie in allen relevanten Details beschreiben: mittelgroß, ein klein wenig übergewichtig, aller Wahrscheinlichkeit nach Babyspeck; aschblondes Haar im Pagenschnitt, graue Augen; blonder Flaum auf Wangen und Oberlippe; schwarzer, kurzärmeliger Pullover mit rundem Ausschnitt, Black Watch Kilt, helle Strümpfe mit schnurgeraden Nähten und schwarze Kalbslederpumps. Nur, er irrte sich gründlich. Die Debütantin der Bostoner Gesellschaft, die vor Schmidts innerem Auge erschienen war – sie hatte erst Miß Porters, dann das Smith College und schließlich Katherine Gibbs steifleinenes Institut absolviert und danach eine gewisse Zeit als Privatsekretärin eines Filmmagnaten gearbeitet, weil der Langweiler, der ihr noch keinen Orgasmus verschafft hatte, lieber mit dem Heiraten warten wollte, bis er sein Diplom von der Harvard Law School hätte –, diese Dame aus Schmidts Erinnerung gehörte einer anderen Generation an; sie hätte die Mutter von Mr. Blackmans Angestellter sein können. Aber das war sie nicht. Nach unseren Informationen lehrt die Tochter der Bostoner Debütantin, die Schmidt so wohlbekannt ist, an der Upper West Side Aerobic und lebt mit einem afroamerikanischen Photographen zusammen. Gils derzeitige Assistentin ist brünett und hat griechische Vorfahren, sie ist die einzige unter ihren Geschwistern, sämtlich College-Absolventen, die über eine gut geschulte

Stimme und eine makellose Aussprache verfügt. Als sie den Anruf tätigt, trägt sie einen roten Minirock aus Leder, der so kurz ist, daß das Sitzen schwierig wird. Sie zieht lieber Seiden- als Kaschmirstricksachen an und hat keine unmittelbaren Heiratspläne, unter anderem deshalb, weil – und davon kann Schmidt nichts ahnen, denn schon seit Monaten haben er und Gil nicht mehr zusammen gegessen und also auch keine Bekenntnisse mehr ausgetauscht – Mr. Blackman sie mit schöner Regelmäßigkeit auf dem Sofa in seinem Allerheiligsten bumst; dieser Raum ist nur durch eine Geheimtür von dem Büro aus zu erreichen, das mit einem Miró geschmückt und Schauplatz von Mr. Blackmans alltäglicher Arbeit ist. Daß Schmidt sich geirrt hat, macht aber nichts: Die falsche Vorstellung bewirkte, daß er, nostalgisch gestimmt, äußerst liebenswürdig auf die Einladung reagierte. Stillschweigend verzieh er die Kränkung (Gil hätte auch selbst ans Telefon gehen können; er weiß sehr gut, daß ich keine Sekretärin mehr habe) und sagte zu, am kommenden Samstag um acht zum Essen aufs Land zu kommen. O, wie schön, jubelte die wohlklingende Stimme. Gil und Elaine freuen sich sehr; ich glaube, Sie werden nur zu dritt sein.

Also stieg Schmidt fünf Minuten vor der Zeit, um weder zu früh noch ungebührlich spät zu kommen, mit seinem besseren blauen Blazer, der für O'Henry's zu elegant, aber für Blackmans gerade richtig war, ausgestattet mit Geschenken (CDs für die Eltern und die älteren, vermutlich abwesenden Töchter und einem Eau-de-Cologne-Spray für die nach Schmidts Einschätzung sexuell frühreife und übelbeleumdete Lilly) in sein eiskaltes Auto. Unter einem Mond, der so hell und klar war, daß er über dem Palast von Osman Pasha hätte scheinen können, fuhr er nach Georgica. Dort stand Gils Landhaus.

Kein Auto weit und breit – weder in der runden Einfahrt noch unter den riesigen Azaleen, wo ein Gast, der anderen nicht die Zufahrt versperren wollte, aber auf das Wohlergehen des Rasens nicht achtete, hätte parken können. Sie würden tatsächlich allein sein. Schmidt schnupperte an dem Tannengrün, mit dem der Türgriff umwunden war, klingelte und trat ein. In der Diele häuften sich die Päckchen unter einem majestätischen Baum. Er legte seine Plastiktüte dazu. War das eine neue Kaprice des Ewigen Juden, daß er zur Adventszeit jedesmal, wenn er sein Zelt für die Nacht aufschlug, gleich einen Kranz aufhing und einen Baum schmückte, oder wollten Blackmans tatsächlich Weihnachten in Wainscott verbringen? Schmidt lenkte seine Schritte zur Bibliothek. Ho, ho, ho, rief er laut, hier kommt Schmidtie, das rotnasige Rentier!

Gil erhob sich aus seinem Ohrensessel und breitete die Arme aus. Eine sehr kräftige, schweigende Umarmung – Schmidt spürte, wie sich in seinem Inneren etwas zusammenzog, als ob sein Herz mitgedrückt würde. Sie waren ja doch Freunde geblieben. Als er einen Schritt zurücktrat, tat sein Herz wieder einen Sprung. Gil hatte eine dicke seidig schimmernde Strickjacke an, schön wie Josephs vielfarbiges Gewand. Ein Kleidungsstück, das Gil, so wie Schmidt ihn kannte, sich nie selbst gekauft hätte. Elaine hatte es ihm geschenkt. Das war der Beweis, daß sie noch physische Liebe für ihn empfand. Sie wollte, daß ihr Mann hinreißend aussah. Schmidt stellte sich den Pullover vor, den er von Mary hätte bekommen können: beste Schafwolle, burgunderrot oder dunkelgrün, passend zu seiner Tweedjacke und wahrscheinlich mit rundem Ausschnitt, so daß er ihn gelegentlich auch ohne Krawatte tragen könnte. Gegen diese nüchterne Einstellung beim Dekorieren des Ehemanns war gar nichts einzuwenden; Schmidt fand sie in seinem Fall ganz passend.

Er hätte noch dazusagen können, er sei niemals auf die Idee gekommen, sich für ein betörendes Objekt des Begehrens zu halten. Und doch, als er sich jetzt umwandte, um Elaine auf die Wange zu küssen, fragte er sich, wieviel davon nur in der Vorstellung des Zuschauers existierte: Wie wäre es gewesen, mit einer Jüdin verheiratet zu sein? Man konnte Gil danach fragen. Gil hatte aus beiden Quellen getrunken.

Die bewußte exotische Dame umarmte nun ihrerseits Schmidt. Das mit Charlotte ist doch wunderbar, flüsterte sie. Den Jungen kenne ich wohl nicht, oder? Die beiden werden glücklich sein. Wenn Mary das noch erlebt hätte!

Die Blackmans tranken Champagner – silberner Kühler, großes Silbertablett, Tulpenkelche. Ein Berg von dunkelgrauem Kaviar auf einem Kristallteller war schon etwas unterhöhlt. Schmidt stellte sich mit dem Rücken ans Feuer, bat um einen Martini und sah zu, wie Elaine den Kaviar auf runde Pumpernickelscheiben häufte.

Ist die liebe Lilly hier?

Sie ist bei ihrem Vater und bleibt über Nacht, antwortete Elaine. Die Zeitplanung war perfekt. Die jugendliche Delinquentin, die er sonst nagelt, besucht ihre Eltern in Scranton, so hat er Zeit für seine Tochter, und ich muß mir keine Sorgen machen, daß Lilly peinlich berührt mit ansehen muß, wie die beiden sich aufführen.

Siehst du die Symmetrie? Gil war mit einem Martini in einem Silberkelch wiedergekommen. Er gab ihn Schmidt zusammen mit einer kleinen Leinenserviette und einem Stück Brot, auf dem der Kaviar sich türmte.

Gil fuhr fort: Unsere jugendliche Delinquentin verläßt das Haus ihrer Mama, wo diese mit dem Mann lebt, der so verrückt nach ihrer Mama war, daß er seine eigenen Töchter und deren Mama sitzenließ, und besucht ihren richtigen Papa. Inzwischen weilt die nicht mit ihr verwandte jugendliche Delinquentin, die ihr Papa nagelt, zu Besuch bei den eigenen Eltern. Wenn wir nur mehr über den Papa in Scranton wüßten – ist sie wirklich seine Tochter? –, könnten wir das Fries noch weiter ausmalen.

Du bist widerlich. Lilly ist keine jugendliche Delinquentin.

Und Judy auch nicht! Sie ist eine Rocksängerin am Beginn einer steilen Karriere, und sie arbeitet hart. Ich wünschte, das könnten wir auch von Lilly sagen.

Na, na, sagte Schmidt. Macht mal Pause. Ist vielleicht noch Martini in diesem silbernen Shaker? Habt ihr das Familiensilber eigens für mich aus dem Tresor geholt? Oder bedeutet dieser Zimmerschmuck, daß ihr Weihnachten hier verbringen wollt?

Elaine schniefte – Schmidt wußte nicht, ob das Geräusch echt oder gespielt war.

Sag du Gil, daß er ein brutales Biest ist. Auf dich hat er immer gehört. Vielleicht tut er es noch. Der Baum ist für Lilly. Sie gibt morgen nachmittag eine Party für die Kids aus dem Reitstall.

Halsey's! Mary und Charlotte hatten das auch lange Zeit gemacht, bis Charlotte entschied, daß Reiten zu viel Zeit kostete.

Zu dumm: Schmidts Augen füllten sich mit Tränen. Er putzte sich ausgiebig die Nase, trank seinen zweiten Martini zur Hälfte und aß noch eine Portion Kaviar. Voller Ärger über das Zittern in seiner Stimme erklärte er: Ich habe dies Jahr Probleme mit Weihnachten.

Natürlich, sagte Gil, das muß schwer für dich sein. Komm doch mit uns. Wir fahren nach Venedig, nur drei, vier Paare. Wir wohnen im Monaco. Wenn du dich schnell entscheidest, kann ich bestimmt noch ein Zimmer für dich bekommen – oder du wohnst mit in Lillys Zimmer.

Nur unter dieser Bedingung würde ich mitkommen. Dich und Elaine hätte ich gern als Schwiegereltern. Aber die Sache ist noch komplizierter. Ich glaube, Venedig ist keine gute Idee, obwohl ich euch sehr dankbar bin.

Erzähl uns das bei Tisch. Ich bringe jetzt das Essen.

In Wirklichkeit wurde das Essen von einer kleinen Orientalin serviert, einer kugelrunden älteren Frau, die in puderblauen Filzpantoffeln herumschlurfte. Elaine redete sehr nachdrücklich auf sie ein: Entweder war die Frau taub, oder man wußte nicht, wieviel sie verstand. Das Essen war eine Folge chinesischer Gerichte von der Art, wie Schmidt sie seiner Erinnerung nach gegessen hatte, bevor Hunan- und Sezuan-Restaurants zuerst ganz New York und dann alle Einkaufszentren überschwemmt hatten – Erbsen, Erbsenschoten und Wasserkastanien schwimmend in weißen Saucen mit Pilzen und Hühner- oder Krabbenstückchen. Der Geschmack war angenehm beruhigend. Er aß mit Appetit und Hunger und benutzte Messer und Gabel, während Blackmans ihre Elfenbeinstäbchen klicken ließen. Diese Stäbchen waren am oberen Ende durch Silberkettchen miteinander verbunden – für Schmidt ein neues Raffinement. Der Wein war fruchtig und schwer. Er trank zu schnell, und Elaine schenkte ihm ständig nach.

Ein kleiner Merlot paßt zu allem. Ich beziehe ihn direkt vom Produzenten im Sonoma Valley, teilte Gil ihm mit; war Schmidt interessiert, wollte er sich an der nächsten Bestellung mit ein paar Kisten beteiligen? Danach fing Gil wieder an zu sticheln und Elaine mit Äußerungen über die Erziehung halberwachsener Mädchen, insbesondere Lillys, zu ärgern. Ausgenommen den seltenen Fall eines wirklichen Talents – und er forderte Elaine und Schmidt auf, ihm ein einziges Beispiel für eine im Verborgenen schlummernde Begabung zu nennen, die auf ihre Entdeckung warte –, sollte man diesen jungen Damen nicht erlauben, sich in der Illusion zu wiegen, sie seien etwas ganz Besonderes. Man sollte vielmehr fragen: Wie könnten sie sich nützlich machen und finanziell unabhängig werden?

Schmidt fiel auf, daß Gil diese Theorie nicht unbedingt auf seine eigenen Töchter angewandt hatte. Aber es war nicht an ihm, darauf hinzuweisen. Er hatte als Pufferstaat zu fungieren. Deshalb aßen sie nur zu dritt. Also trank er noch einen Schluck Wein und fragte dann: Wer wird sonst noch im Monaco sein?

Dann kommst du also mit, rief Elaine aus. Das ist aber schön! Wir haben sogar noch einen Rechtsanwalt!

Sie nannte einen Sozius in der gefragtesten New Yorker Kanzlei, Ehemann einer ihrer Kusinen, einen Mann, den Schmidt weder schätzte noch kannte, obwohl sie zur selben Zeit an der Law School studiert hatten; dann einen Schriftsteller und dessen ebenfalls schreibende Frau, beides Autoren, deren Lektorin Mary gewesen war; und einen Mann, dessen Namen Schmidt schon gehört hatte: ein Filmproduzent. Ich weiß nicht, wen Fred mitbringen wird, fügte sie hinzu, aber ich hoffe, daß es Alice ist. Mit ihr ist sehr gut auszukommen!

Ich glaube, ich kann nicht. Weißt du, ich habe den Eltern von Charlottes Verlobten alle möglichen Avancen gemacht, und sie haben mich eingeladen, Weihnachten mit ihnen zu verbringen – ausgerechnet in Washington! Ich habe ihnen gesagt, dieses Jahr fühlte ich mich dem nicht gewachsen, was ja stimmt, und dann würden alle – die Eltern, Charlotte und Jon – es mir übelnehmen, wenn ich mir's statt dessen mit anderen Leuten in Venedig gutgehen lasse. Davon abgesehen, weiß ich nicht, ob ich Venedig gewachsen wäre.

Nun mußte Gil mit praktischen Vorschlägen kommen.

Und was willst du dann machen, alter Freund? fragte er.

Ich weiß es nicht. Um die Diskussion zu beenden, habe ich ihnen erzählt, ich würde verreisen, irgendwohin, wo ich nicht an Weihnachten denken muß. Das Problem ist, mir fällt kein solcher Ort ein. Und es ist schon etwas spät. Weihnachten steht vor der Tür. Vielleicht bleibe ich einfach hier und tue nur so, als sei ich anderswo – sagen wir: in Kioto!

Das geht nicht. Sie werden nach deiner Telefonnummer fragen, dich anrufen wollen, erwarten, daß du ihnen Geschenke aus Kioto mitbringst.

Das war Elaines praktische Seite.

Ich glaube, du hast recht.

Kioto ist keine schlechte Idee, sagte Gil. Natürlich ist es jetzt kalt und feucht dort, und in den Gärten gibt es nicht viel zu sehen – außer dem Moostempel, der im Winter am schönsten ist. Ich habe einmal im Januar einige Szenen dort gedreht. Warum gehst du nicht zum Beispiel nach Bali? Da wirst du in einem wunderbaren Hotel sein, hast den Strand, und du kannst dich richtig erholen.

Mit all den Paaren um mich herum, die die besten Jahre ihres Lebens genießen?

Da hat er recht, sagte Elaine. Das wäre ungefähr so, wie wenn man allein eine Kreuzfahrt in der Karibik mitmacht.

Woher weißt du das? Du hast nie eine Kreuzfahrt gemacht. Das ist die Gelegenheit, sich zu verlieben. Bali ist genau richtig. Da müssen massenweise Männer sein, die allein unterwegs sind, um die barbusigen Balinesinnen genau zu betrachten, und auch alleinreisende Frauen. Ich meine, nicht nur Lesbierinnen, sondern Frauen, die nichts gegen die Nähe von Männern haben, die in Stimmung gekommen sind.

Du bist wirklich widerlich. Ich weiß etwas für Schmidtie. Schicken wir ihn doch auf unsere Amazonasinsel!

Was ist das?

Gil, erzähl du ihm davon!

Das ist genau der richtige Ort für dich, und ich glaube, das läßt sich arrangieren. Wir sind vor drei oder vier Jahren im Sommer dort gewesen, also zur falschen Jahreszeit, nachdem mein Film in Rio herausgekommen war. Erinnerst du dich noch an Marisa, die Brasilianerin, die die Rolle der Stummen gespielt hat, die Jackson am Ende heiratet?

Natürlich.

Ihre Familie hat das Hotel für uns gefunden, als wir sagten, wir seien erschöpft und müßten irgendwo allein sein und Ruhe haben. Das war das beste, was wir je gemacht haben. Wir flogen von Rio nach Manaus, nahmen dort ein winziges Flugzeug, das auf einer winzigen Lichtung im Dschungel auf einer Insel mitten im Amazonas landen konnte, etwa eine Stunde westlich von Manaus. Die Insel ist ungefähr handgroß und der Fluß sehr breit; ich schätze, das Ufer war auf beiden Seiten über drei Kilometer entfernt. Am einen Ende der Insel, in der Nähe der Landebahn, haben die Caboclos ein Dorf, das sind die indianischen Mischlinge, die sich mehr oder weniger dem zwanzigsten Jahrhundert angepaßt haben. Sie leben vom Fischfang und sind offenkundig sehr arm, aber im Dorf gibt es ein paar Fernsehantennen und so weiter. Fast am anderen Ende der Insel liegt das Gästehaus mitten im Dschungel. Es gehört einer brasilianischen Gesellschaft, die es als eine Art Club für eingeladene Gäste betreibt – meist nicht mehr als zwei Paare. Aber ich glaube, du kannst es ganz für dich allein haben, so wie wir damals, wenn es nicht ausgebucht ist. Eine erstaunliche Anlage: Denke dir ein achteckiges Haus aus dem Holz, das am

Amazonas wächst, sehr luftig gebaut. Die Wände reichen nicht ganz bis zum Dach und nicht ganz bis zum Boden – beim Bau wurden keine Nägel verwendet, und mit Ausnahme der Badezimmer und der Küche enthält es keinerlei Metallteile. Die Bediensteten sind Caboclos, sehr schweigsam; sie bewegen sich lautlos wie höfliche Schatten. Du siehst sie nur, wenn du etwas brauchst, und das scheinen sie zu merken, ohne gerufen zu werden. Und das Essen ist ganz ausgezeichnet. Fremdartige Fruchtsäfte und Gelees, die angeblich dein Leben verlängern und andere noch wundervollere Wirkungen haben, flaches Brot und Flußfische. Ein paar Tage lang aßen wir sozusagen Koteletts, große Scheiben von einem Riesenfisch, einem wahren Flußmonster. Delikat! Zum Trinken gibt es Bier und *Pinga* – ein brasilianischer Rum, der es gewaltig in sich hat. Wenn du etwas anderes trinken willst, mußt du es dir selbst mitbringen.

Haben die Leute dort Englisch gesprochen? Oder gehört Portugiesisch auch zu deinen Errungenschaften?

Sprechen mußt du gar nicht. Der andere Vorteil ist, daß du nicht Tag und Nacht im Haus bleiben und nur lesen und den Papageien und Affen zuhören mußt. Wir hatten einen Führer, der uns auf der Insel erwartete und als Majordomus und auch als Reiseleiter fungierte. Er sagte den Caboclos, was sie zu tun hätten. Ein Deutscher – ich frage mich sogar, ob er nicht Herr Schmidt hieß!

Mein Doppelgänger.

Gil, er hieß Lang, und mit Herr hast du ihn nie angeredet.

War nur so eine Idee. Der Mann heißt irgendwie anders, so ähnlich wie Oskar Lang. Ein Biologiestudent aus Hamburg, der gleich nach dem Krieg nach Manaus kam. Er wollte die Amazonasfische studieren – aber mitten in seinen Studien geriet er an eine Indianerin und ging nie wieder fort, außer zu Beerdigungen, als seine Mutter und danach sein Vater starben. Die Indianerin heiratete er. Sie wurde Krankenschwester in Manaus, und er arbeitet als Flußführer, für Leute, die Dokumentarfilme drehen oder wissenschaftliche Expeditionen machen. Er kennt sich sehr gut mit Fischen aus.

Und mit Brüsten! Er hat Gil immer wieder darauf hingewiesen, daß weiße Frauen Hängebrüste bekommen, wenn sie älter werden – dabei sah er dann mich an – während seine Indianerin einen Busen hat, der klein und hart geblieben ist. Wie meine Faust, nur hübsch, so hübsch und klein, sagte er.

Das stimmt. Er zeigte uns ein Foto, das er von ihr gemacht hatte; sie steht barbusig in einem dieser runden blauen Plastikplanschbecken im Garten hinter seinem Haus in Manaus. Wie auch immer, Schmidt – ich meine Lang – hatte ein komfortables langes Ruderboot mit Außenbordmotor. Er hatte auch einen Helfer, den schönsten jungen Indianer, den man sich vorstellen kann, der paddelte, wenn wir mit dem Kanu unterwegs waren. Und der Junge hatte phantastisch gute Augen. Er sagte ganz leise etwas zu Lang und wies dann mit dem Finger, und siehe da, in undurchdringlichem Laub oder ganz versteckt im Schilf saß genau der Vogel, von dem wir am Tag zuvor Lang erzählt hatten und den wir so besonders gern sehen wollten. Jeden Morgen holten Lang und er uns zu solchen Ausflügen in die Natur oder zur Besichtigung eines anderen, primitiveren Caboclos-Dorfes auf einer Nachbarinsel ab, und einmal besichtigten wir ein Dorf, das rein indianisch war und wie von Lévi-Strauss ausgedacht. Das war wahrscheinlich die eindrucksvollste Erfahrung unseres Aufenthaltes. Ein Ort des vollkommenen Friedens: Hütten auf Pfählen, Frauen, die Körner in hölzernen Schüsseln zerstießen, nackte Kinder, die im

Staub unter den Hütten dösten, und dann die Ankunft der Männer mit ihren Kanus, die bis zum Rand voller Fische waren. Die Frauen gingen ihnen bis zum Ufer entgegen, und die Männer warfen ihnen die noch zappelnde Beute zu. Sie mußten nicht um Fisch bitten – wir konnten keine Verbindung zwischen den Spendern und den Empfängern sehen: Wie Manna wurde der Fang verteilt. Dann nahm uns Lang eines Nachts mit aufs Wasser, um uns Alligatoren zu zeigen. Wir trieben dicht am Ufer entlang. Plötzlich schaltete er die Taschenlampe an, und schon flammten diese glühenden roten Augen auf. Das ganze Ufer schien auf einmal lebendig zu werden!

Weißt du noch, wie der Indianerjunge einen fing?

Ja, das war vielleicht eine Sache. Lang brachte den Jungen ans Ufer, und wir stießen das Boot ab und drifteten ein Weilchen. Dann gab der Junge ein Signal, eine Art Pfiff, Lang schaltete die Lampe an, und in ihrem Lichtkegel sahen wir den Jungen am Ufer einen Alligator am Kiefer hochhalten. Er hatte sich von hinten angepirscht. Warum die anderen Alligatoren ihn nicht fraßen, ist mir ein Rätsel. Das haben wir nie begriffen, vor allem, weil Lang uns gezeigt hat, wie schnell sie sich an Land bewegen können. Ein Spurt, der unheimlich aussieht; wirklich zum Fürchten.

Das klingt alles ganz fabelhaft, aber glaubt ihr, das ist das richtige für mich? Allein? Besonders ausgeprägt ist mein Interesse an der Natur – an Vogelbeobachtung und dergleichen – noch nie gewesen.

Dies ist ganz anders. Du schleichst nicht durch dorniges Gebüsch und bist auch nicht umringt von Yalies mit Fernglas und Hautkrebs an der Nase. Die Natur ist einfach nur da: überwältigend schön und allgegenwärtig. Du bist mittendrin. Außerdem waren wir zur falschen Jahreszeit dort, es gab keine Blumen, aber du wirst unglaubliche Orchideen in den Bäumen sehen, und der Fluß wird bedeckt sein mit blühenden Wasserpflanzen, soweit das Auge reicht. Aber wenn du lieber Gesellschaft haben möchtest, dann komm mit uns nach Venedig. Wir würden uns wirklich freuen.

Venedig ist ausgeschlossen. Das mit der Insel würde ich mir gern noch überlegen.

Überlege nicht zu lange. Ich würde mich wirklich ärgern, wenn es für jemand anderen reserviert wäre.

Die Frau in Filzpantoffeln servierte den Kaffee in der Bibliothek – das heißt, sie brachte Schmidt Kaffee. Beide Blackmans tranken Champagner, und beide saßen auf dem Sofa mit dem Blick auf das Kaminfeuer, in dem man einen Ochsen hätte braten können. Filzpantoffel hatte offenbar während des Essens neue Scheite aufgelegt. Das Zimmer war so warm, daß Schmidt nicht fürchten mußte, den Kamin zu blockieren. Er stand mit dem Rücken zum Feuer.

Dies Zeug ist doch nicht koffeinfrei? fragte er.

Nein, das hätten wir dir vorher gesagt.

Dann möchte ich noch etwas davon.

Falls er nicht schlafen konnte, würde er eine Tablette nehmen. Nett, daß Gil sich erinnerte, wie kaffeesüchtig er war. Schon aus Dankbarkeit mußte er nun wohl unvernünftig viel davon trinken. In einer ganz neuen, beharrlichen Anwandlung von Milde und Güte betrachtete Schmidt die ordentlichen Bücherregale; das Aquarellporträt Gils von Fairfield Porter, das im Garten hinter dem Haus entstanden war, in dem Gil gewohnt hatte, als er noch mit Anne verheiratet war; die wenig überraschende, aber sehr solide Anordnung der Möbel und das Paar Gil und Elaine selbst. Dieses Szenario sollte doch einen gewissen Trost bieten können, ganz unabhängig davon, daß er es aus großer Distanz betrachtete.

Halt den Neid in Schach. Die leichten Schmerzen in Genick und Schultern, auch im linken, so oft verstauchten Fußgelenk, das weh tat, sobald die kalte Jahreszeit begann, lösten sich ganz und gar. Er betrachtete die Flaschen auf dem Silbertablett, das auf dem Kaffeetisch stand, und die Schwenkgläser und wollte gerade um einen Kognak bitten, da fiel ihm plötzlich auf, daß die beiden Blackmans schon seit ein paar Minuten nichts mehr gesagt hatten. Das konnte nur bedeuten, daß sie meinten, der Abend solle nun zum Ende kommen.

Schöne Elaine, sagte er. Ich danke dir! Ich mache mich jetzt besser auf den Heimweg in mein Schloß.

Verzeih mir. Mir fallen die Augen zu. Das muß an Gils Allzweck-Merlot liegen.

Unsinn. Das kommt von dem wohligen Gefühl, deinen alten Freund mit einem hausgemachten Mahl gestärkt zu haben! Das erste seit einer Woche, das er sich nicht selbst gekocht hat.

Er beugte sich zu ihr hinunter, um von zwei Armen in schwarzem Angora umfangen zu werden, und küßte sie. Man hätte es nicht vermutet, wenn man ihr am Tisch gegenüber saß: Ihre Wange fühlte sich ausgetrocknet und welk an. Eine allzu strenge Diät, zuviel Sonne das ganze Jahr über, nicht genug Hautcreme unter dem Puder und Rouge, oder nur der übliche Todesmarsch der Zellen? Zum dritten Mal an diesem Abend schloß sich eine Faust um Schmidts Herz. Bis zuletzt hatte er über die Glätte und Zartheit von Marys Haut gestaunt, noch, als sie soviel Gewicht verloren hatte, daß Falten um ihren Mund herum und am Hals entstanden waren, wie bei einem Kind, das eine Grimasse schneidet.

Warte, sagte Gil. Ich komme mit. Ich bin noch gar nicht schläfrig, und ich sehe, du möchtest noch einen Schlaftrunk. Den nehmen wir bei dir zu Hause.

Der Osmanen-Mond war verhangen. Schmidt fuhr normalerweise auf Landstraßen nicht schnell, aber auf dem Weg nach Westen, mit Gils Jaguar im Rückspiegel, hielt er ein höheres Tempo als sonst. Es war noch kälter geworden. Pfützen, die ihm auf dem Hinweg zu Blackmans nicht aufgefallen waren, hatten sich in spiegelnde Eisflächen verwandelt. Immer wenn an Kreuzungen die Route 27 in Sicht war, konnte er die Scheinwerfer eines Autos sehen, das in die eine oder andere Richtung brauste. Sonst nichts; an den ordentlichen, sauberen Straßen südlich vom Highway waren die Häuser verlassen, die Thermostate heruntergedreht, die Alarmanlagen eingeschaltet. Sollte er die zehntausend oder mehr Dollars ausgeben und es mit dem Amazonas versuchen? Warum eigentlich nicht? Er wäre dort einsam, aber in der Wärme, und vielleicht doch nicht so einsam. Mal was anderes, in seinem Zimmer oder im Salon, falls es dort einen gab, über einem Glas einzunicken, im Wissen, daß wohlmeinende braune Menschen, mit Augen wie Welten von Traurigkeit, nur wenige Schritte entfernt für ihn eine Mahlzeit zubereiteten. Auf dem Tisch würden Kerzen oder sonst eine Beleuchtung sein. Er könnte beim Essen lesen: *Almayers Wahn* oder einen anderen passenden Roman von Conrad in Taschenbuchausgabe. Wahrscheinlich wellte sich das Papier in der Feuchtigkeit dort; die gute Ausgabe mußte er dem Klima nicht gerade aussetzen. Die Luft von Long Island war schon schlimm genug.

Er drosselte das Tempo vor der scharfen Linkskurve zur Einfahrt auf sein Grundstück und fuhr langsam über den Kies. Als die Hausfront zu sehen war, bremste er so plötzlich, daß Gils Stoßstange das Heck seines Wagens berührte. Wie immer, wenn er abends ausging, hatte Schmidt die Außenlampen zu beiden Seiten der Tür und die Strahler auf der Vorderveranda eingeschaltet. In dem grellen Licht sah er eine große Gestalt, die wie ein schmelzender Schneemann oben an der Treppe hockte. Ein nacktes Hinterteil leuchtete fett und unglaublich weiß. Ein Arm war erhoben, wahrscheinlich um das Gesicht vor dem blendenden Licht zu schützen. Die Gestalt richtete sich sehr langsam auf und zog an ihren Kleidern. Dann machte sie eine kleine Verbeugung in Schmidts Richtung, wie um Befriedigung mit dem erzielten Ergebnis zum Ausdruck zu bringen, stürzte darauf wie ein aufgescheuchtes Ferkel zum Ende der Veranda, sprang über das Geländer, wurde zum Schatten, trabte auf den Rasen an der Rückseite des Hauses zu und verschwand hinter der Geißblatthecke. Kein Zweifel: Das war der Mann.

Den Motor aufheulen lassen, im U-Turn um Gils Auto herum und rücksichtslos übers Gras preschen, die Nacht bei Blackmans oder in einem Motel zubringen?

Gil strebte schon energisch auf das Haus zu, Taschenlampe in der einen, eine Art Schlagstock in der anderen Hand. Na gut, lassen wir das. Schmidt schaltete den Motor ab und stieg aus; er stützte sich an der Tür ab, um das Gleichgewicht wiederzufinden. Er holte Gil ein.

Gil, das ist ein Verrückter. Den kenne ich schon. Ich will mich nicht damit befassen. Laß uns gehen. Wir rufen die Polizei über dein Autotelefon oder von dir zu Hause aus.

Wir können dein Haus doch nicht einfach sich selbst überlassen, bloß weil wir einen Streuner gesehen haben. Woher weißt du, daß er nicht eingebrochen ist?

Das habe ich doch gesagt: Das ist ein Spinner, kein Einbrecher. Ein fetter, unangenehmer Spinner.

Schon gut. Mit dem werde ich fertig.

Gil hielt das Ding hoch, das aussah wie ein Stock.

Ein Brecheisen! Spinnst du jetzt auch?

Ich habe immer eins griffbereit unter dem Sitz, nur für alle Fälle. Es beruhigt die Nerven. Komm, Schmidtie, wir sehen uns die Türen und Fenster an, und wenn nichts zerbrochen ist, dann trinken wir einen. Ich habe auch keine Lust, den Kerl um den Teich herum zu jagen.

Der Mond war wieder hervorgekommen und schien so hell, daß man in seinem Licht hätte Zeitung lesen können. Ein auf den Winter vorbereitetes Haus: Kein einziges welkes Blatt oder Ästchen zu sehen, Gartenschläuche und Schubkarren weggeräumt, Sturmfenster in Ordnung. Schmidt sah sich das Haus an, als gehöre es einem Fremden, als wolle er dem alten Mann, der darin wohnte, seinen Glückwunsch aussprechen und ihn nach seinem Gärtner fragen. Sie beendeten ihre Runde am Vordereingang. Er war nicht überrascht. Auf der Fußmatte lag, noch dampfend, die Frucht des weißen Hinterns.

Umbringen sollten wir den Scheißkerl, ächzte Gil.

Ihn wieder in die Klapsmühle zu schaffen würde mir schon reichen. Ich schäme mich, aber ich muß dir was gestehen: Ich bin heilfroh, daß du da bist. Geh schon mal ins Haus und mach das Feuer im Wohnzimmer an. Der Schnaps ist auf der Kommode. Ich schaffe das hier weg.

Er warf den Unrat in die Toilette hinter der Küche und spülte nach, brachte dann die Schneeschaufel wieder in die Garage und wusch sich die Hände. Sein Gesicht war so grün, als hätte er sich gerade erbrochen. Vielleicht war das Licht im Bad auch zu grell. Er konnte die Birne auswechseln und eine schwächere mit rosigem Licht einsetzen. Die andere Lösung war, gar nichts zu tun. Sollte sich doch Jon Riker darum kümmern.

Das wäre geschafft, sagte er zu Gil. Eigentlich auch nicht schlimmer als ein Hundehaufen. Im Grunde könnte so was ja auch liebe Erinnerungen wieder ins Gedächtnis rufen – zum Beispiel, wie du mal, während alle anderen auf der Veranda Mittag aßen, einen Haufen weggeräumt hast, den dein Hund mitten auf den Rasen gesetzt hatte; aber irgendwie hat dies anders auf mich gewirkt.

Das kommt, weil Böswilligkeit eine so ausschließlich menschliche Eigenschaft ist.

Entwürdigung auch.

Hör mal, ich möchte wirklich erfahren, was du von diesem Kerl weißt, denn das hier ist nicht komisch, aber ich möchte es nicht jetzt sofort wissen. Eigentlich wollte ich noch mit zu dir kommen, um von mir zu reden.

Das war ziemlich klar.

Ich bin in einer verzwickten Lage. Ich habe mich mit dieser jungen Frau eingelassen – ganze vierundzwanzig ist sie, genau gesagt, hatte sie letzte Woche Geburtstag –, und ich weiß nicht, was ich machen soll. Es ist nicht die übliche kleine Affäre. Erstens: Es war nicht meine Idee. Alles ging von ihr aus, sie hat alles in die Hand genommen, von der ersten überraschenden Anmache bis zu dem täglichen Sex, wenn ich jetzt in New York bin. Zweitens: Sie ist wirklich sehr schön. Drittens: Sie will nichts damit erreichen – du verstehst schon, weder eine Rolle in einer Fernsehserie noch Geschenke noch, was weiß ich. Ich kann sie nicht mal zum Essen einladen! Wohin sollten wir gehen, ohne bemerkt zu werden? Viertens: Vielleicht ist sie sogar intelligent; jedenfalls langweilt sie mich nie. Und fünftens: Ihr Sex ist unwiderstehlich. Es ist gar nicht so sehr, was sie tut – obwohl sie eine Menge tut –, es ist mehr ihr unglaublicher Enthusiasmus. Sie gibt mir das Gefühl, so was wie ein Liebesgott zu sein, einer, der zaubern kann. Das fände ich alles schön und gut, wenn nicht Elaine wäre. Du hast ja mitbekommen, wie ich ihr beim Essen das Leben schwergemacht habe. Aber das ist Theater. Ich liebe sie. Sie liebt mich. Wir führen eine gute Ehe.

Ich weiß.

Eine Ehe mit lebendigem Sex. Wir haben nicht damit aufgehört. Sind nicht bei dem berühmten Einmal-im-Monat-Arrangement angekommen, von dem man in Frauenzeitschriften liest – wenn es das wirklich gibt. Das habe ich mich immer schon gefragt. Wenn wir nicht zu müde sind oder ich zu betrunken, dann machen wir es. Komisch ist auch, daß die Sache mit der Jungen gar keine Wirkung auf die Sache mit Elaine hat.

Vielleicht denkst du bei Elaine an die Junge.

Du irrst dich. Das nimmt dir die Konzentration und legt dich lahm! Ich glaube, es ist ein ganz gesunder Effekt: Die Freundin hat mein Interesse an der Betätigung überhaupt belebt. Ich bin wieder zufriedener mit meinen alten Knochen. Das muß der Grund sein.

Was stört dich dann? Das klingt doch ideal. Oder will sie, daß du dich von Elaine scheiden läßt?

Sie sagt, sie wisse, daß ich zu alt für sie bin. Ich habe ihr natürlich erklärt, daß ich Elaine nie verlassen würde. Ich liebe nicht nur Elaine, ich liebe unser gemeinsames Leben. Die andere ist mit Sicherheit klug genug, das zu verstehen.

Vielleicht glaubt sie dir nicht. Wie auch immer: Offenbar gibt es einen Typ Frauen, die nichts dagegen haben, mit Männern zu leben, die dem Alter nach ihre Väter sein könnten. Besonders, wenn sie reich und berühmt sind wie du. Dafür gibt es eine Menge Beispiele.

Klar, aber meistens sind sie älter als meine Freundin oder etwas verdreht.

Ist sie das auch?

Ich glaube nicht. Ich glaube, sie ist einfach ein nettes sexhungriges Mädchen.

Dann frage ich noch mal: Was ist daran verkehrt?

Das Doppelleben. Ich habe keinen ganz guten Ruf in bezug auf Treue, aber das habe ich nicht verdient. Man könnte sagen, Elaine war ich nur untreu, wenn ich abgelenkt war. Nie so, daß ich sie von dem ausgeschlossen hätte, was ich jeden Tag denke und tue. Könnte ich doch das Mädchen als Ehefrau Nummer Zwei im Haus haben!

Elaine fände das vielleicht gar nicht schlecht.

Sie würde es gräßlich finden. Und Lilly auch – und Nina und Lisa. Du weißt, wie wahnsinnig sie an Elaine hängen. Sie würden geschlossen Front gegen mich machen!

Die reinste Maginot-Linie, stimmt's? Dann hilft womöglich nur eines: aufhören. Wenn die junge Frau so klug ist, und wenn du ihr alles erklärst, dann müßte sie Verständnis haben. Du könntest sie sogar jemandem vorstellen, der besser für sie geeignet ist – einer verjüngten Ausgabe von mir zum Beispiel!

Aber ich will nicht aufhören! Das ist, als ob du sagtest, ich soll ein Beet mit blühenden Blumen umpflügen. Wenn ich das Problem mit dem Doppelleben einmal beiseite lasse, was ich ja nicht kann, dann geschieht mir gerade etwas ganz Wundervolles. Ich bin wie verwandelt: von Kopf bis Fuß ein neuer Mann; eine junge Frau, von der man eigentlich nur träumen kann, und doch ist sie ganz und gar real, bewundert und begehrt mich wegen irgendwelcher Eigenschaften, die ich nicht mal sehen kann! Mein altes Ich kennst du doch, diesen egozentrischen Wichtigtuer, der seine Tage in halbstündige Verabredungen mit anderen Wichtigtuern aufteilt, die Wochenenden regelmäßig hier an der Küste verbringt, monatelang im voraus von Elaine geplante Ferien macht, Weihnachtsreisen mit den üblichen Idioten, wie gehabt, dazwischen gelegentliche Orgien in Geldverschwendung und Rechnungzahlen, und ungefähr alle achtzehn Monate einmal das Ritual eines Nervenzusammenbruchs aus Anlaß eines Films, von dem ich ganz gut weiß, daß er nicht schlecht ist. Denkst du, es ist leicht, auf dieses Neue zu verzichten, was mir da zugewachsen ist? Ist so eine Geschichte – so ganz frei von meinem Alltags-Ich – nicht einmalig, unwiederholbar?

Ah, die Fata Morgana der flüchtigen Jugend!

Das ist noch ein anderes Problem. Wie lange werde ich das durchhalten – physisch, meine ich? Und was passiert, wenn ich nachlasse?

Damit hat es gute Weile, vor allem, wenn du nicht die ganze Zeit in New York bist. Dabei fällt mir ein: Bist du eigentlich eifersüchtig? Ich meine, ist es dir wichtig, ob du der einzige bist?

Das wage ich nicht. Sie hat mir eine etwas andere Frage gestellt, sie wollte wissen, ob ich verlange, daß sie mir treu sei. Ich sagte, die Forderung könne ich nicht stellen, das fände ich unfair, weil ich ihr ja nicht treu bin. Sie war so entsetzt, daß ich ihr erklären mußte, es handle sich nur um Elaine.

Schmidt wußte nicht, wie er diese Eröffnung kommentieren sollte. Also folgte ein Moment des gedankenschweren Schweigens. Gil unterbrach ihn.

Sag mal, was ist nun mit diesem Kerl? Wirst du die Polizei rufen?

Vielleicht morgen. Jetzt bin ich zu müde. Es hat keine Eile, inzwischen kann er sonstwo sein, natürlich auch irgendwo in meinem Garten. Ich kann dir nicht viel dazu sagen. Begegnet, wenn du es so nennen willst, begegnet bin ich ihm im Bus. Er setzte sich neben mich und stank. Ich konnte mich nicht dazu überwinden, ihn anzurühren. Ich glaube, er hat meinen Ekel gespürt und gleich ausgenutzt, mich zu terrorisieren. Das ist ziemlich abstrakt ausgedrückt, kommt der Sache aber sehr nahe. Ich habe ihn noch ein zweites Mal gesehen, durch das Fenster bei O'Henry's, und wieder geriet ich in Panik. Was hat der

Auftritt von heute nacht zu bedeuten? War das bloß Zufall? Hat er nach einem Haus mit offener Vordertür gesucht, zufällig meines erwischt und aus Frust auf meinen Türvorleger geschissen? Verfolgt er mich, weil er weiß, daß er mir Angst machen kann? Jedenfalls gefällt mir das überhaupt nicht.

Mir auch nicht. Sag mir Bescheid, wenn du dich entschieden hast, was du tun willst.

Als Gil gegangen war, trank Schmidt noch einen, einen unanständig großen Kognak. Nicht zum ersten Mal hatte ihn beim Anhören von Gils Herzensirrungen und -wirrungen der Neid gepackt; solche Probleme wünschte er sich auch. Der Besuch des Mannes hatte allerdings unmittelbar mit ihm zu tun. Scham und Lähmung! Erwartete man von ihm, die Polizei zu rufen; sollte er Sergeant Smith bitten, ihn von einem Streuner zu befreien, der sich auf seiner Türschwelle erleichtert hatte? Oder war es heldenhafter, ein Brecheisen bereitzuhalten wie Gil, oder den Axtstiel zur Hand zu nehmen, den er schon besaß, und dem Kerl bei der nächsten Gelegenheit den Schädel einzuschlagen? Aber dazu hätte er nicht die Nerven; dieser seltsame Landstreicher machte ihn wehrlos, hypnotisierte ihn offenbar wie die Schlange den Vogel, obwohl er das nie gesehen hatte. Zwei Vögel auf einen Streich, zwei Fliegen mit einer Klappe; irgendwas an diesem Wortspiel stimmte nicht, er konnte nicht erkennen, was es war, der Kognak hinderte ihn daran, aber es war auch gleichgültig. Die Insel im Amazonas würde reichlich Abstand schaffen zwischen ihm, dem Mann und der ganzen scheinheiligen Weihnachtsfreude.

VIII

Telefongespräche am nächsten Tag.

Obwohl es schon nach zehn Uhr ist, liegt Schmidt noch im Bett, schläft vielleicht sogar, eingerollt in seine Decken wie in ein Leichentuch, um es warm um sich herum zu haben und den drohenden Tag von sich fernzuhalten. Als das Telefon klingelt, tastet er nach dem Hörer, den Apparat hat er irgendwo auf dem Fußboden neben seinem Bett stehen: Auf diese Weise bewahrt Schmidt sich davor, das gefüllte Wasserglas auf seinem Nachttisch umzukippen, das Wasser über sein Buch zu schütten, seine Lesebrille zu verlieren und den Wecker so ungeschickt anzustoßen, daß die Batterie herausspringt, die keine Erschütterung vertragen kann. Gil ist am Apparat, nicht Charlotte.

Du warst fabelhaft. Mit niemandem sonst kann ich über sie reden.

Ah, das Mädchen.

Ich habe dir bestimmt nicht klarmachen können, wie wunderbar sie ist. Ich tue irgendwas, ganz gleich was – rasiere mich, gehe über die Straße –, und plötzlich denke ich an sie. Als hätte ich noch ein zusätzliches Herz. Eines für alles in meinem Leben, was ich kenne, was ist, wie es sein sollte, und dann noch eines für sie.

Du hast es deutlich gemacht. Ich habe es verstanden.

Ich habe einen Brief von ihr – den ersten. Sie hat ihn so abgeschickt, daß ich ihn heute morgen bekommen mußte. Das ist nicht riskant; sie weiß, daß ich Zeitung und Post immer selbst hole. Er ist herrlich – kurz und witzig. Ich könnte vor Freude in die Luft springen. Sie hat ihn geschrieben, damit es mir gutgeht! Warum sollte ich sie daran hindern?

Kein Grund. Ich beneide dich. Paß nur auf mit Elaine.

Mache ich, sogar wenn ich telefoniere. Sie ist zum Einkaufen gegangen, wegen der Party. Wie steht's mit der Insel?

Ich ruf dich deswegen noch an.

Und der Mann?

Da sage ich dir auch noch Bescheid.

Mach das. Heute nachmittag. Ich habe Elaine von ihm erzählt. Sie sagte, ich hätte dich mit nach Hause nehmen und über Nacht hierbehalten sollen.

Bitte, sag ihr meinen Dank, sie ist so liebenswürdig. Das Mädchen natürlich auch!

Die kleinen Freuden eines sinnlosen Sonntags. Schmidt fährt in die Stadt. Auf der Hauptstraße drängt sich im grellen Licht eine dunkle Menge in die katholische Kirche. Die Autos der Kirchgänger haben alle Parkplätze am Straßenrand besetzt, aber hinter dem Eisenwarenladen ist noch Platz. Der Besitzer des Süßwarenladens hebt für Schmidt immer die *New York Times* auf. Obwohl Schmidt ganz gegen seine Gewohnheit ungewaschen und unrasiert ist, genau wie die zahlreichen jüdischen und die weniger zahlreichen nichtjüdischen Männer, die sich ebenfalls ihre Zeitung holen und am Tresen des Etablissements Kaffee trinken, entschließt er sich, in einer Nische zu frühstücken: Pfannkuchen, Schinken und Sirup statt des eine Woche alten englischen Muffins, der im Kühlschrank wartet. Sehr schnell hat er das Gefühl, zu viel gegessen zu haben. In der Sparte »Die Woche im Überblick« eine Analyse des Prozesses gegen Willy Smith. Wird das Gericht ihn freisprechen? Gil kennt den alten Knaben wahrscheinlich; den Onkel im Senat mit Sicherheit. Noch so ein alternder Satyr auf der Suche nach einer jungen Liebe.

Nach dem Frühstück stattet Schmidt allen drei Parkplätzen der Stadt einen Besuch ab, lehnt sich gegen den Kotflügel eines Autos, das ihm ins Auge sticht, und wartet, weithin sichtbar.

Nichts.

Vielleicht schläft der Mann sonntags auch lange. Vielleicht ist er in einer Messe.

Als Blauer Filzpantoffel in Gils Haus ans Telefon geht, ist die Party in vollem Gang. Schmidt läßt sich nicht abweisen und buchstabiert seinen Namen; schließlich kommt Mr. Blackman ans Telefon. Ja, er würde gern auf die Insel fahren, je eher, desto besser. Nein, er habe die Polizei nicht verständigt. Er habe dem Mann den Fehdehandschuh hingeworfen und fürchte sich nicht. Gil und Elaine müßten sich keine Sorgen machen.

IX

Es ist sehr heiß, aber die Luft so klar, daß Schmidt die Bäume am weit entfernten Flußufer so deutlich wie durch ein Fernglas sieht. Allerdings hat er vergessen, sein Fernglas mitzubringen, was er bedauert, da die Vögel so erstaunlich und vielfältig sind, wie Gil – oder war es Elaine? – ihm vorausgesagt hatte. Als Ersatz leiht er sich von Zeit zu Zeit das Gerät des Führers, spürt Hemmungen, es an seine Augen zu halten, möchte aber den aufmerksamen, sensiblen Mann nicht dadurch kränken, daß er das Glas vor der Benutzung abwischt. An diesem Morgen hat er dem Führer und dem Indianerjungen freigegeben; er will sich einen Stuhl auf den Vorplatz stellen und in der Sonne lesen. Es wäre ganz wünschenswert, etwas Farbe ins Gesicht zu bekommen, bevor er wieder nach Hause fährt. Sie verbringen viel Zeit auf Dschungelpfaden und halten sich bei ihren Bootsfahrten meist dicht am Ufer im Baumschatten, so daß er noch beinahe so blaß ist wie bei der Ankunft.

Das Buch – es ist *Nostromo*, da er meinte, wenn er schon nach Südamerika ginge, könne er bei der Gelegenheit prüfen, ob seine Theorie richtig ist, daß Conrad in diesem Buch ein für allemal das Wesen des Kontinents erfaßt hat –, das Buch liegt freilich in seinem Schoß, immer noch auf der Seite aufgeschlagen, die er vor fast einer Stunde zu lesen angefangen hat. Schmidt liest nicht weiter, und zwar deshalb, weil ihn ein intensives, ganz dümmliches Glücksgefühl übermannt hat. Es durchrieselt seinen Körper. Er fühlt sich rundum glücklich; wollte jemand seinen Segen, er würde ihn gern geben. Singen könnte er, ganz unübliche barmherzige Taten vollbringen, einem kleinen Kind möchte er Schöpfungsgeschichten erzählen. Voll Schönheit und Güte ist die Natur – auch wenn unter der Oberfläche des trüben tabakbraunen Wassers Fische einander verschlingen und die im Schlamm unter dem Schilf schlafenden Alligatoren irgendwann vom Hunger geweckt ihre Beute anspringen werden, auch wenn die barfüßigen braunen kleinen Jungen und Mädchen, die in ihrem ungefähr einen Kilometer entfernten Dorf unermüdlich mit einem zusammengeschnürten Lumpenbündel Fußball spielen, vielleicht nie gegen einen richtigen Lederball treten oder Lesen lernen werden. Schmidt ist im Einklang mit der Natur. Im Augenblick zählt nur dies und seine Dankbarkeit. Ganz herrlich ist es, am Leben zu sein!

Als es Abend wird, schreibt er an Charlotte. Sein Aufenthalt ist fast zu Ende. Wahrscheinlich gibt es jetzt keine sinnvolle Möglichkeit mehr, einen Brief von der Insel abzuschicken. Das kann er genausogut im Flughafen Manaus erledigen, auf dem Heimweg, wenn er den Brief überhaupt abschickt.

Er schuldet ihr noch ein Bekenntnis: Die Jahre, in denen sie erst ein Kind und dann ein großes Mädchen war, sind dermaßen schnell vergangen, daß er Mühe hat, sich zusammenzureimen, was eigentlich zwischen ihr und ihm geschehen ist. Nichts besonders Schlimmes, das weiß er wohl. Als sie klein war, und auch später in Brearley und Harvard, war sie immer eine mustergültige Tochter, man konnte so stolz auf sie sein, und soweit er sich erinnern kann, hat er ihr nie seine Anerkennung versagt, sich nie einer häßlichen Handlung schuldig gemacht, ihr nie einen auch nur halbwegs vernünftigen Wunsch abgeschlagen. Aber haben sie eigentlich irgendwas von Bedeutung zusammen erlebt? Oder hat er nur Zeit geopfert, um am Strand auf sie aufzupassen, sie zu allen möglichen

Unterrichtsstunden zu fahren oder im Kino neben ihr zu sitzen? Vielleicht die seltenen Museumsbesuche? Die paar *Nußknacker*-Aufführungen? Zählt es, daß er sie und ihre Mitbewohnerinnen in Boston zum Essen ausführte, wenn er sie mit Mary im College besuchte oder wenn er – selten genug – allein und zum Spaß auf Reisen ging, während Mary zu Vertreterkonferenzen unterwegs war? Haben er und Charlotte je ein richtiges Gespräch miteinander geführt, als sie noch klein oder als sie schon erwachsen war? Hat sie von ihm irgendwas Erwähnenswertes über das Leben gelernt? Unverbesserlich, wie er ist, fügt er gleich einschränkend hinzu, daß er womöglich selbst nichts Sicheres darüber weiß. Vielleicht ist das der Grund, warum er ihr jetzt so wenig zu sagen hat – bis auf zwei Ausnahmen: wenn er versichert, wie sehr er sie liebe, und natürlich, wenn sie sich streiten. Hätte Mary es besser gemacht, und wenn ja, wie hätte sie das geschafft? Wenn es ihr gelungen wäre, dann deshalb, weil sie irgendeine Eigenschaft besaß, die ihm, Schmidt, abgeht. Hätte Mary geglaubt, mehr mit ihrer Tochter gemeinsam zu haben?

Am Nachmittag gibt es einen heftigen Regenguß. Kein Ausflug in die Natur. Den ganzen Tag lang hat er kein einziges Wort gesprochen, außer *obrigado*, um den Dienstboten zu danken. Er liest noch einmal durch, was er geschrieben hat, zerreißt es dann und sagt laut vor sich hin: Und wenn das alles noch so wahr wäre, so ist es doch keine Entschuldigung für ihr Verhalten. Gutes Benehmen ist das einzige, was sie von mir hätte lernen können.

X

Postkarten hatte er ihr geschickt – das restaurierte Opernhaus in Manaus, kanufahrende Indianer mit Speeren auf Fischjagd, Indianer in Hängematten, Vögel im Amazonasgebiet –, alle Karten diskret in Briefumschläge gesteckt und an O'Henry's gesandt, weil das die einzige Adresse war, unter der er sie erreichen konnte. Ein Weihnachtsgeschenk für sie hatte er vor seiner Abreise beim Barmann hinterlegt: leuchtend rote Lederhandschuhe mit Wollfutter. Deshalb war Schmidt überrascht, als sie am Abend seiner Rückkehr ein so ausgesprochen geschäftsmäßiges Gebaren an den Tag legte; er war, so schnell er konnte, zum Essen in das Restaurant gehastet, eigentlich nur, um sie zu sehen, wie er sich eingestand – aber sie grüßte ihn kühl und nahm seine Bestellung auf, ohne eine einziges Wort über seine vierwöchige Abwesenheit, die Handschuhe oder die Postkarten zu verlieren. Ein gewisses besonderes Einverständnis, ein kleines Zeichen der Verbundenheit hätte er schon erwartet, aber sie gab nichts zu erkennen, schenkte ihm nicht einmal ihr lässiges Lächeln. Dabei wäre es leicht gewesen, so schien es ihm wenigstens, eine freundlich spottende Bemerkung über seine seltsame Sonnenbräune zu machen; das einzige nachmittägliche Sonnenbad hatte seine Gesichtsfarbe in einen leicht mit Grünspan versetzten Kupferton verwandelt. Aber als er sich kauend durch sein Essen kämpfte, schien ihm, sie beachte ihn weniger denn je, weniger, als es ein Habitué erwarten durfte, der außerdem zufällig zu den lokalen Honoratioren gehörte. Er fühlte sich an die Zeiten erinnert, als Mary, Charlotte und er nach den Weihnachtsferien in die Stadt zurückkehrten und feststellten, daß von allen Bediensteten in ihrem Apartmenthaus – er hatte gewitzelt, die Angestellten seien zahlreich wie die Nachkommenschaft, die Gott der Herr dem Abraham versprochen hatte – nur ein einziger, ausgerechnet das schielende, verschrumpelte ukrainische Faktotum, sich für die beträchtliche Geldsumme bedankte, die vor ihrer Abreise vom Oberaufseher verteilt worden war; die anderen hielten Dankesworte offenbar unter ihrer Würde.

Sogleich aber war er wütend auf sich selbst. Woher nahm er das Recht, Carrie in eine solche Umgebung zu rücken? Sie hatte sich immer sehr nett für das Trinkgeld bedankt. Diese törichten, befremdlichen Aufmerksamkeiten waren ihr offenbar nur lästig gewesen; sie mußte seine Freundlichkeit als die schleichenden, beinah lüsternen Annäherungsversuche eines alten, der Einsamkeit überdrüssigen Bocks verstanden haben. Er bestellte diesmal nicht wie sonst einen zweiten und dritten Espresso und auch keinen Verdauungsschnaps. Als sie die Rechnung brachte, suchte er in seiner Brieftasche die Zwanziger und Zehner zusammen, die er zum Bezahlen des Verzehrs einschließlich eines korrekt, wenn auch weniger großzügig als sonst bemessenen Trinkgelds brauchte. Auf das Wechselgeld verzichtete er. Er verabschiedete sich mit einem Winken und stelzte steifbeinig aus dem Lokal.

Der Nachtflug von Rio de Janeiro nach New York hatte ihn ermüdet – die Salvador-Miami-Verbindung, die ihm das nächtliche Fliegen erspart hätte, war ihm zu kompliziert gewesen –, und er hatte vorgehabt, sofort schlafen zu gehen. Aber er war unzufrieden und angespannt. Seine Haut juckte. Die Post, die sich inzwischen angesammelt hatte, lag auf dem Küchentisch. Er schwankte zwischen Kognak und Whiskey, mischte sich dann einen großen Whiskey-Soda gegen den Durst, holte sich einen

Papierkorb für die Reklamesendungen und setzte sich, um die Briefe durchzusehen.

Das meiste war für den Papierkorb. Einiges legte er beiseite: den *New Yorker*, die *New York Review of Books* und die Rechnungen für Strom, Gas und Heizöl, für seine beiden Kreditkarten, den Club und den Gärtner; sie waren überraschend niedrig, verglichen mit den Zeiten, als er noch einen richtigen Haushalt hatte. Gab er weniger Geld aus, als er erwartet hatte? Mrs. Cooney hätte es ihm sofort sagen können; sie hatte seine Konten mit Freude in Ordnung gehalten, eine Arbeit, die den Einsatz von Filzstiften in mehreren Farben für Unterstreichungen und Randbemerkungen verlangte und ihr die Gelegenheit zu allerhand spitzen Bemerkungen über seine und Marys Ausgaben bot. Die neuesten Kontoauszüge wiesen ein beträchtliches Guthaben auf; er konnte nur hoffen, daß die Angaben stimmten. Er hatte nach seinem Weggang aus der Kanzlei Wood & King Mrs. Cooneys sorgsame Überprüfung der Kontobewegungen nicht fortgesetzt. Jetzt war auch nicht der geeignete Zeitpunkt, um damit anzufangen, vor allem, da er bis zu den Auszügen hätte zurückgehen müssen, die sie zuletzt bearbeitet hatte. In der Post waren auch etliche Sendungen von W & K. Alle bis auf zwei wanderten sofort in den Papierkorb; Schmidt interessierte sich weder für das monatliche Bulletin noch für die Mitteilungen an alle Anwälte der Kanzlei und ausgewählte Mandanten über wichtige Entwicklungen in der Gehaltspolitik, noch für den Fragebogen, auf dem die Partner ihre Präferenzen bezüglich eines Termins für das Essen zu Ehren der kürzlich in den Ruhestand versetzten Sozii (unter anderem Schmidt) im Metropolitan Museum eintragen sollten. Im Augenblick verspürte er keine Neigung, an diesem Essen teilzunehmen. Oben auf den Stapel mit den Berichten seines Anlageberaters legte er den Bescheid der Buchhaltung, der besagte, daß sein Ruhegehalt für Januar 1992 pünktlich überwiesen war. Den anderen, von Jack DeForrest unterzeichneten Brief las er zweimal: Man teilte ihm mit, daß die Kanzlei auf einstimmigen Beschluß aller aktiven Sozii (also hatte Riker mit Ja gestimmt) den Pensionsplan dahingehend geändert habe, daß sein Ruhegeld weiterhin in der gegenwärtigen Höhe gezahlt werde, jedoch, aus Gründen der Fairneß gegenüber jüngeren Partnern und mit Rücksicht auf das Wohlergehen der Kanzlei, nur noch bis zum ersten Januar nach seinem siebenundsechzigsten Geburtstag und nicht bis zu seinem siebzigsten Lebensjahr. Man gehe selbstverständlich davon aus, daß er anerkenne, wieviel günstiger diese Regelung für ihn sei als die übliche, auf fünf Jahre befristete Pensionszahlung.

Reizend, dachte Schmidt. Danach, meinen sie, komme ich ohne Essen aus. Mir soll's recht sein; vielleicht merke ich das dann schon gar nicht mehr.

Nach dieser Nachricht brauchte er noch einen großen Whiskey. Schmidt hatte in Manaus einen gewissen Vorrat feuchter, dunkler und ziemlich süß schmeckender Zigarren eingekauft. Eine davon köpfte er mit dem Zigarrenschneider und zündete sie sorgfältig an. Ein säuberlicher Aschenkegel formte sich. Er wuchs tadellos gleichmäßig. Schmidt goß sich Whiskey nach. Es kam ihm sonderbar vor, daß so viele von seinen Zeitgenossen sich energisch das Rauchen, den Alkohol und den Kaffee abgewöhnt hatten – und natürlich auch den Verzehr von Käse, Eiern und rotem Fleisch. Besaßen sie Kenntnisse von den Vorteilen, vielleicht sogar den Freuden der Langlebigkeit, die ihm vorenthalten wurden? Er mußte DeForrest befragen. Der ging wenigstens ans Telefon; Schmidt würde die Frage nicht bei seiner Sekretärin zur Beantwortung durch irgendeinen Assistenten hinterlegen müssen. Falls es kein solches geheimes Wissen gab, hielt er es für vernünftiger, an seinen angenehmen, lebensverkürzenden Gewohnheiten festzuhalten, sich vielleicht sogar noch ein paar neue zuzulegen. Was mochte da in Frage kommen, und wem konnte er die Frage stellen? Vielleicht Gil, wenn er nicht verreist war. Die Gelegenheit dazu bot sich womöglich, wenn er Gil Bericht über die Insel im Amazonas erstattete und zweifelsohne im Gegenzug einen Bericht über das Idyll mit dem Mädchen hören würde.

Plötzlich brachten der Gedanke an Geld und der Drang, das Elend eines zu langen Lebens zu verhindern, ihn auf Charlotte. Er hatte sie nach seiner Rückkehr noch nicht angerufen. Er konnte es jetzt tun; vor elf Uhr gingen sie nie zu Bett. Andererseits hatte sie ihn auch nicht angerufen, obwohl er ihr, als er sie und Jon in New York besucht hatte, den Tag seiner Rückkehr genannt und ihn noch einmal auf einer Postkarte aus Brasilien geschrieben hatte. Natürlich war es möglich, daß sie das Datum falsch in ihren Kalender eingetragen oder überhaupt nicht notiert und deshalb vergessen hatte, oder vielleicht war seine Karte verlorengegangen oder brauchte drei Wochen für den Weg zu ihr. Früher oder später würde er anrufen müssen, nirgendwo stand geschrieben, daß sie als erste anzurufen hätte, wenn er aus den Ferien wiederkam, er wollte keine unnötige Befangenheit schaffen, er hätte nur ganz gern gewußt, wie ihre Pläne für die nächsten Wochenenden aussahen. Aus dem Inhalt des Kühlschranks ging deutlich hervor, daß sie im Haus gewesen waren, aller Wahrscheinlichkeit nach mit Freunden, denn soweit er wußte, aß keiner von beiden Margarine oder trank Pflaumensaft oder bewahrte halbleere Flaschen Coors auf. Aber er hatte keine Nachricht von ihnen gefunden, weder auf dem Notizblock am Küchenschrank, noch sonst an einem Ort, der dafür in Frage kam, obwohl er überall nachgesehen hatte. Er trank weiter Whiskey, bekam Kopfschmerzen und rauchte noch eine Zigarre an: Das Telefonieren hatte Zeit bis zum nächsten Morgen. Es war spät geworden; dies, nicht seine Empfindungen, hinderte ihn daran, ihre Nummer zu wählen. Am Morgen wollte er eine Nachricht auf den Anrufbeantworter sprechen.

Er nahm die *New York Review* und zog vom Küchentisch zu seinem Schaukelstuhl hinüber. Er blätterte durch das Magazin, bis er einen Artikel fand, der sich offenbar mit Frauen von der Renaissance bis zum Ende des neunzehnten Jahrhunderts befaßte. Die Autorin war eine italienische Professorin namens Craveri; er konnte sich nicht erinnern, diesem Namen schon begegnet zu sein. Was für ein gut organisiertes Leben mußte sie geführt haben, um so viel Wissen ansammeln zu können! Er stellte sich perfekte Karteikarten vor, mit Einträgen von allem, was sie je gelesen hatte, gesammelt in Ordnern mit Leitfarben. Oder hatte diese Dame ein absolutes Gedächtnis, war sie womöglich eine der Personen, die die Daten des Konzils von Trient ebenso herunterrasseln können wie den Wochentag, an dem Napoleon und Alexander sich auf dem Floß in der Mitte des Flusses trafen? Und diese wohlgeordnete Exposition! Schmidt hatte nie etwas in Aktenordnern abgelegt. Seine Notizen auf gelbem Papier häuften sich zu Stapeln und waren allenfalls von Nutzen, solange er noch an dem Problem arbeitete, zu dem sie etwas beitrugen, denn er merkte sich, was sie enthielten. Wenn er die Arbeit dann abgeschlossen hatte, waren sie wertlos: Sie zu ordnen, hätte zu viel Zeit gekostet, und wo sollte er sie aufbewahren? In seinem Büro oder im Zentralarchiv der Kanzlei? Diese Frage erübrigte sich dadurch, daß er die Papiere rachedurstig in einen der Behälter packte, deren Inhalt für den Reißwolf bestimmt war und die gelegentlich von den Angestellten aus der Postabfertigung vorbeigebracht wurden. Auf diese Weise hatte er während seiner letzten Arbeitstage in der Kanzlei sämtliche Aufzeichnungen über seine Arbeiten, Monat für Monat, Jahr für Jahr, ausgelöscht und die Reste in einer Orgie der Selbstverstümmelung vernichtet, die selbst Mrs. Cooney überraschte, obwohl ihre Kenntnis seiner Arbeitsgewohnheiten doch unübertrefflich war. Möchten Sie denn gar nichts in Ihr Landhaus schicken lassen? fragte sie immer wieder. Nicht einmal Ihre Korrespondenz? Nein, hatte er entgegnet, was ich 1983 an die Southern Trust Company über Gläubigerbenachteiligung geschrieben habe, ist mir vollkommen gleichgültig; wegen Fahrlässigkeit kann ich nicht mehr belangt werden, die Verjährungsfrist ist abgelaufen, und falls nicht, falls die Kanzlei verklagt werden sollte, dann finden die Burschen alles, was sie brauchen, in der Zentralablage. Die dickleibigen blau und kastanienbraun gebundenen Bände mit Dokumenten von Transaktionen landeten im Abfall; Abschlußberichte wanderten hinterher. Dann die Reklamegeschenke zum Andenken, in Kunstharzblöcken verewigt, Miniaturmodelle von Produkten diverser Kreditnehmer – sein Name in blind gewordenen Lettern aus Pseudomessing klebte an dem Sockel, auf dem sie montiert waren: Flugzeuge, Öltanker, Lastwagen, Bagger und ein großes schwarzes Telefon. Gerahmte Fotos, die ihn zeigten, wie er Gutachten unterzeichnete oder, häufiger, dem Präsidenten eines Darlehensnehmers über die Schulter schaute und offensichtlich aufpaßte, daß der Herr seinen Namenszug an die richtige Stelle setzte. Anders als viele seiner Partner hatte er diese Artikel nicht als Briefbeschwerer benutzt und auch nicht auf dem Fensterbrett aufgebaut. In seinen guten Tagen hatte er wohl vor Besprechungen mit Firmenchefs im Schrank gekramt und mit Glück auch gerade das Spielzeug wiedergefunden, das ihm die betreffende Firma geschenkt hatte; solange die Besprechung dauerte, prangte das Ding dann an einem Ehrenplatz auf dem Kaffeetisch oder stand das Foto im Bücherregal gegen die Buchrücken gelehnt. Eigentlich war diese Taktik genau wie das System, das Mary und er entwickelt hatten, um mit den Bildern umzugehen, die sie von Malerfreunden gekauft oder, was viel gefährlicher war, von Künstlern geschenkt bekommen hatten: Ein Nagel in der Wand stand immer zur Verfügung. An ihm hingen sie jeweils das betreffende Werk schnell noch auf (gewöhnlich war es Mary, die daran dachte), bevor sein Schöpfer zum Essen oder übers Wochenende kam. Hatten sie das versäumt, mußte eine Theorie der Bilderwanderung her: Künstler sind wie Trüffelschweine; sie steuern sofort die Stelle an, wo sie ihr Werk beim letzten Besuch im Haus des Gastgebers und Käufers gesehen haben; und wenn es dort nicht mehr hing, mußte, je nachdem, wo der Besuch stattfand, das Bild entweder gerade auf dem Land, in der Stadt, in der Werkstatt, weil der Rahmen sich verzogen hatte, oder, in ganz prekären Lagen, in Schmidts Büro untergebracht sein. Ein Drahtseilakt, wenn man bedenkt, wie hoch entwickelt die detektivischen Fähigkeiten der meisten Künstler sind.

Craveris Artikel nahm eine unerwartete Wendung; eben noch hatte Schmidt gelesen, daß englische Bauersfrauen Tierkot als Brennmaterial für den Küchenherd sammelten – davon hatte er noch nie etwas gehört –, und auf einmal erzählte die Autorin ohne jeden Übergang eine Anekdote: Der Premierminister wünschte sein Dinner zu einer bestimmten Stunde. Nun aber hatte der Küchenchef versagt. Disraeli beschwerte sich, daß die Süßigkeiten schon zu schmelzen angefangen hätten, bevor sie auf den Tisch gekommen seien. Die Geschichte ging noch weiter, aber er konnte sich nicht mehr auf die Seite konzentrieren. Er rieb sich die Augen. Wo war seine Zigarre? Im Aschenbecher nicht, auch nicht auf der Tischkante, wo er sie manchmal ablegte, ganz vorsichtig, damit sie in der Balance blieb. Abrupt stand er auf, in Sorge, daß das Ding irgendwo brennend herumlag. Die Zigarre rollte von seinem Schoß auf den Fußboden. Sie war ausgegangen. Er streifte die Asche ab, zündete die Zigarre wieder an und trug das Whiskeyglas zur Küchenspüle. Das Plätschern des Wassers erinnerte ihn daran, daß er dringend zur Toilette mußte. Als er wieder in die Küche kam, sah er, daß es nach ein Uhr morgens war.

Er war müde und zugleich so überwach, daß er wußte: Wenn er weiter unten im Haus blieb und las, würde er ohne ein starkes Medikament keinen Schlaf finden. Es war besser, im Bett weiterzulesen. Er holte sich ein Glas Mineralwasser für die Nacht und fing schon an, die Lampen auszuschalten, als er es an der Vordertür schnell und laut klopfen hörte; dann schrillte die Klingel. Der Mann? Besonders unverschämte Einbrecher? In einem kleinen Flur hinter der Küche, der als Schmutzraum diente, stand ein Axtstiel, vor Jahren angeschafft wegen zweier fremder schwarzer Hunde, die ständig die Blumenbeete neben der Veranda zerwühlten und die Veranda zerkratzten, weil sie vermutlich an einen darunterliegenden Karnickelbau kommen wollten. Aber die Hunde stellten ihre Besuche ein, nachdem der Axtstiel gekauft war – als seien sie vorgewarnt worden. Er griff nach der Waffe, marschierte zur Vordertür und schaltete die Außenbeleuchtung an. Durch ein kleines Fenster neben der Tür spähend, erblickte er eine Gestalt, die er nicht erwartet hätte: Carrie, in demselben roten Skiparka und den schwarzen Leggins, die sie getragen hatte, als er und Gil sie draußen vor O'Henry's auf dem Bürgersteig getroffen hatten. Sie trug keine Handschuhe und rieb sich die Hände. Als er öffnete, um sie einzulassen, merkte er, daß die Nacht sehr kalt geworden war.

Kommen Sie schnell herein, sagte er. Sonst erfrieren Sie noch.

Stimmt.

Sie wollte ihren Parka nicht ausziehen, bevor sie sich aufgewärmt hätte. Das ist vielleicht ein Haus, toll, sagte sie. Haben Sie schon geschlafen? Ich wollte wieder abfahren, wenn Sie nicht sofort an die Tür gekommen wären.

Dann sah sie den Axtstiel und kiekste so heiser, daß er wie in einer Rückblende seine Jazzmusik-Nächte in der 52nd Street wieder vor sich sah, und dann fügte sie hinzu: Schlagen wollten Sie mich!

Nicht Sie. Den Einbrecher. Ich hole Ihnen was zu trinken.

Sie lehnte ab, als er ihr Whiskey oder Kaffee anbot. Ein Glas Milch wollte sie. Er gestand, daß er keine habe; er sei gerade erst von seiner Reise zurück und habe noch nicht eingekauft. Sie einigten sich auf Tee. Sie folgte ihm in die Küche und sah zu, wie er mit Wasserkessel und Teekanne hantierte; den Kopf, wie immer etwas zu schwer für den zarten langen Hals, schmiegte sie gegen Schulter und Faust, wie wenn sie ihn unter einen riesigen Flügel stecken wollte; mit dem ganzen Körper stützte sie sich an der Armlehne des Schaukelstuhls ab. Schmidt dachte sich, genauso müsse sie aussehen, wenn sie nach der langen Arbeitszeit wieder nach Hause kam, in ihr Apartment in Sag Harbor, das eigentlich nicht mehr als ein möbliertes Zimmer sein konnte. Er rief sich zur Ordnung: auf keinen Fall durfte er sich Gefühle gestatten, wie sie ihn jedesmal überkamen, wenn ein herrenloser Hund ihm vom Strand zum Auto nachlief und japste, mit dem Schwanz wedelte und den Kopf an Schmidts Knie rieb, als ob gerade seine Adoption beschlossen worden sei; ein derartig übertriebenes besitzergreifendes Mitgefühl war jetzt fehl am Platz. Hier saß eine komplizierte junge Person, zufällig Kellnerin und offenbar durchaus in der Lage, selbst auf sich aufzupassen. Die Mahnung zur Vorsicht, die er sich eben erst selbst erteilt hatte, galt weiterhin.

Möchten Sie Ihren Tee hier trinken? fragte er. Ich trinke eine Tasse mit, und einen Whiskey dazu, auch wenn ich mir schon etliche genehmigt habe.

Können wir ins Wohnzimmer gehen? Ich möchte dieses Haus sehen. Das ist vielleicht ein Haus, also wirklich, wiederholte sie.

Meine Frau hat es vor Jahren geerbt, von einer alten Tante.

Er meinte, auf diese Weise könnte sie vielleicht eher akzeptieren, daß man in einem solchen Haus wohnte; es wäre dann nicht mehr so sehr ein Symbol für unschätzbare Reichtümer. Zu beiden Seiten von O'Henry's waren Büros von Immobilienmaklern mit Schaufenstern voller Fotos von Häusern, die zum Verkauf standen, meist mit Preisangabe. Dieses Kind hatte vermutlich eine ziemlich genaue Vorstellung vom Marktwert des Hauses.

Und dann sagte er noch: Allerdings gehört es mir eigentlich nicht. Ich habe nur Wohnrecht. Wenn ich sterbe, wird es automatisch Eigentum meiner Tochter. Aber sie wird bald heiraten, und deshalb will ich mein Recht, mich hier breitzumachen, aufgeben und in was viel Kleineres ziehen. Dann kann sie mit ihrem Mann das Haus hier haben, ohne daß ihnen immer ein alter Kerl im Weg ist.

Ach, schade!

Eigentlich nicht. Vielleicht tut mir der Tapetenwechsel ganz gut.

Die polnische Putzkolonne hatte gewaltig gearbeitet. Das Wohnzimmer wirkte unordentlich, aber unbewohnt.

Den Salon haben Sie ja nun gesehen, sagte er zu Carrie. Versuchen wir's mal mit der Bibliothek. Da wird es gemütlicher sein. Vielleicht ist sogar Holz im Kamin.

Nachdem er das Tablett abgesetzt und das Feuer angezündet hatte, blieben sie noch stehen, und sie gab ihm einen kleinen Schlag gegen die Schulter, genau wie auf dem Parkplatz.

Sie haben mich nicht gefragt, warum ich hier bin. Wundern Sie sich nicht?

Ich habe gar nicht drüber nachgedacht. Ich glaube, das kommt, weil ich mich freue, daß Sie da sind. Natürlich war ich überrascht. Deshalb hatte ich ja den Prügel in der Hand.

Ach ja. Ich bin noch nicht mal gut angezogen oder so. Ich bin direkt von der Arbeit gekommen.

Natürlich.

Als er sie bat, Platz zu nehmen, meinte sie, das Feuer sei so warm, daß sie ihren Parka ruhig ausziehen könne, und warf ihn in eine Ecke. Über ihren Leggins trug sie ein Männerhemd. Sie ließ sich vorsichtig mitten auf dem Sofa mit Blick zum Kamin nieder, zog die Schuhe aus, rieb sich die Füße und wackelte mit den Zehen. Dann seufzte sie und streckte die Beine von sich.

Stört es Sie, wenn ich die Füße auf den Tisch lege? fragte sie. Ach, tut das gut, wenn man nicht mehr auf den Beinen sein muß! Wollen Sie immer da stehen bleiben?

Sie wackelte weiter mit den Zehen, und er schenkte ihr wieder Tee ein. Das Sofa war strikt zu meiden. Er rückte einen der Stühle vom Eßtisch an den Kaffeetisch und setzte sich ihr gegenüber, mit dem Rücken zum Feuer.

Ich erzähle Ihnen, warum ich gekommen bin, auch

wenn Sie gar nicht neugierig sind. Nämlich, weil ich mich heute abend blöd benommen habe. Haben Sie das gemerkt?

Und ob. Was war der Grund dafür?

Wie Sie reingekommen sind. War Ihnen egal, ob Sie mich sehen. Nicht mal richtig begrüßt haben Sie mich. Nur so: Hallo, da bin ich; bringen Sie mir was zu trinken. Sie hätten mich doch mal umarmen können oder mir erzählen, wie es gewesen ist im Urlaub und so. Aber nichts war. Wie wenn ich eine Maschine wäre. Oder Kellnerin in einem Drive-In. Sie haben mich gekränkt.

Das tut mir wirklich leid. Wenn Sie es genau wissen wollen: Ich dachte, Sie behandeln mich kühl – von dem Moment an, als ich Sie sah! Sonst sagen Sie immer was Freundliches und bleiben an meinem Tisch stehen und plaudern, aber heute haben Sie das nicht getan. Deshalb habe ich gar nicht erst versucht, Ihnen von meiner Reise zu erzählen. Ich habe mir gedacht, Sie wollten in Ruhe gelassen werden.

Und das soll ich glauben?

Es ist die Wahrheit. Wissen Sie nicht, daß ich Ihr Freund bin? Ich habe Ihnen Karten geschrieben. Ich habe ein Weihnachtsgeschenk für Sie abgegeben.

Sie unterbrach ihn. Ja freilich, Sie haben es ins Restaurant gebracht, als ich meinen freien Tag hatte!

Das tut mir leid. Das war dumm von mir. Es war mein letzter Tag in Bridgehampton, und ich wußte nicht, wo ich Sie suchen sollte.

Sie hätten im Restaurant fragen können!

Ich dachte, das hätten Sie nicht so gern.

Warum? Ich schäme mich nicht Ihretwegen. Aber Sie schämen sich wegen mir. Sie haben nicht Ihren Namen auf das Päckchen geschrieben. Ich bin auch drauf gekommen, warum Sie Ihre Postkarten in Umschläge gesteckt haben. Damit niemand weiß, daß Sie mir schreiben.

Carrie, ich habe Umschläge genommen, weil es privater und freundschaftlicher ist. Und man hat dann auch mehr Platz zum Schreiben.

Ich weiß nur eins: Niemand soll denken, Sie haben mich gern; das wollen Sie nicht.

Sie trank ihre Tasse leer. Als wolle sie sich von der Welt abkehren, zog sie die Beine auf dem Sofa unter sich und sah ihn trübselig an.

Ich will Sie nicht in Verlegenheit bringen, das ist alles. Ich habe den Eindruck, ein schönes junges Mädchen wie Sie könnte es nicht ausstehen, wegen eines alten Mannes ausgelacht zu werden.

Wenn Sie mich gern hätten, würden Sie das meine Sorge sein lassen.

Merken Sie denn nicht, daß ich Sie sehr gern mag? Warum würde ich denn sonst so oft zu O'Henry's gehen? Wegen der Küche bestimmt nicht.

Sollte er vom Stuhl aufstehen und sich aufs Sofa setzen, sich klug in der äußersten Ecke halten? Mit Carrie die Pantomime des Händchenhaltens wiederholen, die er über eine Stunde lang mit Renata aufgeführt hatte? Eine kühnere Szene probieren? Sie konnten sich zum Beispiel Bilder vom Grand Canyon ansehen. Das Buch, das er mit Corinne betrachtet hatte, mußte noch an derselben Stelle wie damals im Bücherbord stehen, nichts sprach dagegen. Mehreres schoß ihm gleichzeitig durch den Kopf: Er brauchte keine List anzuwenden; er war sich gar nicht sicher, ob er überhaupt Erfolg haben wollte; sein Atem roch bestimmt ekelhaft. Also stand er auf, stocherte ziellos im Feuer herum, legte noch ein Scheit nach.

Hey, Schmidtie, ist das dein Ernst?

War es möglich, daß man sich in die Stimme eines Mädchens verliebte?

Sie bewegte sich wie eine Katze. Die plötzliche Umarmung – sie stellte sich auf Zehenspitzen, um seinen Mund zu erreichen und hielt ihn an den Ohren fest – und das Gewicht ihres Körpers brachten Schmidt aus dem Gleichgewicht. Er fing sich, legte die Arme um sie und streichelte ihr versuchsweise vorsichtig den Hinterkopf. Es war nicht zu fassen, daß das Haar, der Kopf sogar, den er so aufmerksam wie verstohlen studiert hatte, dermaßen verfügbar sein sollte. Er wagte es, ihre winzigen, klar geformten Ohren zu berühren. Als sie den Kuß beendete, glitt sie mit der Zunge über seine Hand und blieb dann an ihn geschmiegt stehen, den Kopf still und gehorsam an seine Brust gelehnt.

Nach einer Weile flüsterte sie: Willst du auf dem Sofa sitzen?

Sie fühlte seine Erektion und packte fest zu.

Nett ist der. Aber mehr ist heute nacht nicht drin; Pech für dich.

Auf dem Sofa jedoch – sie sagte: Nur friedlich nebeneinander sitzen, du sollst mit mir reden – ergriff sie ihn sofort wieder, wehrte aber mit der anderen Hand die Zärtlichkeiten ab, die Schmidt ihr, zumindest teilweise, deshalb anbot, weil er das Gefühl hatte, sich revanchieren zu müssen.

Nicht fummeln, habe ich gesagt. Du wirst jetzt mit mir reden.

Das war nicht leicht für ihn. Ihm war, als müsse er sich in seinem Schulfranzösisch ausdrücken, der einzigen Fremdsprache, die er gelernt und wieder vergessen hatte. Jedes Wort mußte er suchen, finden und artikulieren. Was dabei herauskam, klang, als spräche ein anderer. Das Thema der Schularbeit hatte er für selbstverständlich gehalten: Er fing an zu beschreiben, wie sehr ihm die Fremdheit Brasiliens aufgefallen war, genauso wie die Intensität der Hitze und des Lichtes, vom ersten Augenblick an, als er aus dem Flughafen von Manaus ins Freie kam und sich bemühte, dem Fahrer zu folgen, der ihn im Flughafengebäude erwartet hatte – bis zu diesem Moment hatte er sich, wenn er nicht in einem Flugzeug saß, wie ein Schlafwandler durch das klimatisierte Chaos der Flughäfen Rio, São Paulo und Brasilia bewegt. Aber das war nicht, was sie hören wollte.

Das kannst du mir ein andermal erzählen, erklärte sie und griff fester zu. Ich will wissen, wieso ich dir gefalle.

Wegen deines langen Halses, deiner großen Augen und deiner Haare. Und weil du immer heiser bist. Aber an deiner Stimme mußt du schon etwas arbeiten, wenn du wirklich Schauspielerin werden willst.

Du findest meine Stimme nicht gut. Sie ist puertoricanisch und nicht fein.

Das ist nicht wahr. Sie ist dein geheimer Zauber. Ich würde sie gern in meinen Ohren speichern, wie auf Tonband, damit ich dich hören kann, wenn du nicht da bist.

Lügner! Wenn du hören wolltest, wie ich rede, würdest du mehr in das Restaurant kommen. Was gefällt dir noch?

Allmählich war die Selbstbeherrschung so schmerzhaft, daß sie es an Intensität mit der Lust aufnehmen konnte, aber Schmidt war sicher, nichts mehr aufhalten zu können, wenn sie ihre Hand wegnähme. Sie würde ihn auslachen, wenn er ein anderes Wort benutzte. Er mußte dieses nehmen; es half nichts.

Drück meinen Schwanz fest, Carrie, so fest du kannst.

Ein Eisenring. Jetzt konnte er es noch Ewigkeiten aushalten. Wenn sie doch nur seine Eier anfassen würde.

Du erzählst mir nicht, warum du mich magst.

Weil du so lange arbeitest, weil du manchmal müde aussiehst, ich mag deine Haut und deine Füße und deinen Mund. Deine Brüste habe ich nicht gesehen. Ich denke mir, sie sind klein und fest.

Du irrst dich. Ich habe große Titten. Und du denkst, ich bin ungebildet und dumm. Und jetzt denkst du, ich bin eine Nutte.

Nein, Carrie, das denke ich nicht. Ich finde dich wunderbar und verrückt.

Ich mag dich, weil du verrückt bist. Bist du verliebt in mich?

Noch nicht. Vielleicht. Ich weiß nicht.

Das schaffe ich noch. Du wirst dich in mich verlieben. Mach nicht immer deine Augen zu.

Ziehen und loslassen. Ziehen und loslassen. Er versuchte nicht mehr zu sprechen. Als er überfloß und die Nässe sich ausbreitete, war ihm, als geschähe dies alles weit weg von ihm.

Das ist ja allerhand! Du hast es zurückgehalten.

Es tut mir leid.

Sei nicht blöd. Ich weiß, was ich tue.

Und, nach einer Pause, schnuppernd: Du riechst nach Pilzen, Schmidtie. Schmidtie, die Pilzsuppe!

Sie steckte ihre Zunge in seinen Mund. Dann schob sie ihn weg, stellte sich auf das Sofa, sprang von dort auf den Sessel, sammelte ihre Schuhe und den Parka auf, zog die Sachen an, als wollte sie ausprobieren, wie schnell das zu schaffen war, und sagte: Muß los. Willst du morgen zum Strand? Wird schönes Wetter. Ich hol dich um elf Uhr ab.

XI

Sie hatte keinen Grund, ganz pünktlich zu sein; schließlich war es ihr freier Tag, und er mochte gar nicht daran denken, wie lange sie nachts bei ihm geblieben war. Als sie aber um halb zwölf immer noch nicht aufgetaucht war, fand er sich allmählich töricht, weil er sie nicht nach ihrer Telefonnummer gefragt hatte. Ohne viel Hoffnung schlug er im Telefonbuch nach und versuchte es dann mit der Auskunft. Keine Eintragung. Womöglich hatte er ihren Namen ganz falsch buchstabiert. Die Polinnen konnten jeden Augenblick eintreffen. Ihm war nicht wohl bei der Vorstellung, daß sie Carrie ins Haus kommen sahen: Sie waren jahrelang Marys Putzfrauen gewesen und jetzt praktisch von Charlotte übernommen worden; er schrieb ihnen nur die Schecks aus. Ihnen Carrie zu präsentieren behagte ihm nicht – er konnte sich die Fragen, die wissenden Blicke und die möglichen Kommentare nur allzu gut vorstellen. Er beschloß, sein Auto aus der Garage zu holen und ein kleines Stück weiter unten an der Straße auf sie zu warten. Das hatte nur den einen Nachteil, daß sie inzwischen vielleicht anrief und keine Antwort erhielt. Einen Augenblick lang wünschte er sich, einen Anrufbeantworter zu haben, auf den er eine Nachricht für sie sprechen könnte. Wenn er noch warten würde, bis die Polinnen kamen, dann konnte er Mrs. Nowak, die keinen Humor hatte und weniger neugierig als die anderen zu sein schien, darum bitten, Carrie auszurichten, daß er am Strand warte, aber den Plan verwarf er wieder, weil sie ja vielleicht auftauchte, während er seine Instruktionen gab – und dann wäre das Kind in den Brunnen gefallen. Er ging mit einem jungen Mädchen aus der arbeitenden Klasse am Strand spazieren. Daß seine Putzfrauen Sinn für gesellschaftliche Rangordnungen hatten, stand für ihn außer Zweifel.

Ach zum Teufel. Das Thermometer zeigte minus sieben Grad. Am Strand würde es noch kälter und außerdem windig sein. Er zog seinen alten Polarparka mit Kapuze von Abercrombie & Fitch an, der wirklich bei jedem Wetter warm hielt, nahm seine Pelzhandschuhe, holte den Saab aus der Garage und fuhr mit knirschenden Reifen aus der Einfahrt und auf die Straße. Das erste Auto mit Polinnen begegnete ihm, dann das zweite. Sie winkten einander fröhlich zu. In gebührendem Abstand vom Haus fuhr er an den Straßenrand, hielt, steckte sich einen Zigarillo an und schaltete das Radio ein. Das Jazzprogramm des Southampton-College-Senders, das er gern hörte, lief noch. Wäre nicht die irritierende Ungewißheit über den Zeitpunkt ihres Kommens gewesen, sofern sie nicht entschieden hatte, ihn ganz und gar zu versetzen, dann hätte er bereitwillig zugegeben, daß er sich nicht beklagen könne. Anders gesehen, war es auch keine Staatsaffäre, versetzt zu werden. Er hatte Zweifel, daß Carrie Verabredungen so ernst nahm wie er. Vielleicht war sie aufgehalten worden. Womöglich hatte sie den Wecker nicht gehört. Beleidigt oder verärgert konnte sie nicht sein; dazu hatte sie keinen Grund. Außerdem hatte ihr Besuch ein gewisses Flair geheimnisvoller Unabhängigkeit an sich gehabt – sie kam erst nach Mitternacht, wie der berühmte Rabe. Vielleicht war es besser, wenn die nächste Begegnung nicht unmittelbar folgte. Die Erinnerung an Carries Besuch war so lebendig, daß er, ohne weiter nachzudenken, verstohlen unter seinem Mantel zu masturbieren begann. Versunken in diese Beschäftigung, die Augen auf die Radioskala im Armaturenbrett geheftet, hörte er, daß an die Scheibe geklopft wurde. Da war sie, schnitt ihm eine Grimasse, hatte dieselbe Kleidung wie in der vergangenen Nacht, jedoch war ein unangenehmes Detail dazugekommen: Sie trug die gleiche rote Skimütze wie der Mann. Den Kopf zu bedecken war eine gute Idee, aber warum mit diesem scheußlichen Ding?

Sie küßte Schmidt auf die Wange und dann auf den Mund. Er war überrascht, wie natürlich ihm das vorkam.

Du bist doch nicht sauer, daß ich zu spät komme? Am Waschautomaten mußte man Schlange stehen. Heute ist der einzige Tag, an dem ich Wäsche waschen kann. Darf ich dein Auto fahren? Geh du und schaff meines in deine Einfahrt.

Klar.

Und weil ihm plötzlich eingefallen war, daß er, in Anbetracht dessen, worauf man bei ihr gefaßt sein mußte, besser nicht verriete, was ihn ärgerte und was nicht, fügte er hinzu: Ich bin überhaupt nicht sauer. Ich warte sogar gern. Das ist wie Zeit finden, die man nicht zu haben glaubte.

Ich hasse Warten. Komm ja nie zu spät zu mir.

Als sie schließlich zusammen im Saab zum Strand fuhren, fragte sie: Was waren das für Autos, die beiden anderen in deiner Einfahrt? Die sahen nicht aus, als ob sie dir gehörten.

Sie gehören den polnischen Putzfrauen. Die sind so zahlreich und so fett, daß sie nicht alle in ein Auto passen. Nicht so wie du.

Was waren die Grundregeln? Mit Selbstüberwindung nahm er sich eine groteske Freiheit heraus: Er tastete nach der Innenseite ihrer Schenkel, als wollte er prüfen, ob sie auch wirklich da waren. Zu seiner Überraschung sagte sie weder, er solle das lassen und nicht frech werden – die Worte hatte er erwartet –, noch nahm sie ihre Hand vom Steuer, um seine Hand abzuwehren oder wegzuschieben. Vielmehr zupfte sie so lange an seinem Handgelenk, bis seine Hand ganz oben zwischen ihren Beinen lag, so weit, wie er sich selbst nie vorgewagt hätte, und dann preßte sie die Schenkel fest zusammen.

Sie sah ihn freundlich an: Die gehört jetzt mir, sagte sie, und die beiden kannst du haben. Willst du sie behalten? Gefallen sie dir?

Sie sind wunderschön.

Sie fing an, ein wenig auf ihrem Sitz hin und her zu rutschen und zu schaukeln, so daß seine Hand sie rieb.

Hey Schmidtie, das tut gut. Du machst mich feucht. Und ich, magst du mich?

Was ist das für eine Frage?

Ich weiß nicht. Bist du verliebt in mich? Los, sag schon.

Ihre Hand machte einen Ausfall unter seinen Parka, legte sich zwischen seine Beine.

Dein kleiner Freund liebt mich jedenfalls, der wird gar nicht müde. Und du? Bist du überhaupt nicht in mich verliebt, kein bißchen?

Ich weiß nicht. Es wird wohl dahin kommen; was soll ich machen.

Ein heftiger Nordwind wehte ihnen nadelscharfe Sandkörner ins Gesicht, trieb die Brandung zurück, verwandelte den Ozean in eine leuchtende, blaugrüne, gefurchte und stille Fläche. Während der Winterstürme war der Strand noch schmaler geworden. Nur noch unmittelbar am Wasserrand konnte man an einer flachen Stelle laufen. Dort war der Sand ganz hart, fast gefroren. Einzelne Flutwellen waren weiter vorgedrungen und hatten nasse, mit braunem gefrorenem Schaum bedeckte Flekken hinterlassen. Die beiden folgten Schmidts täglichem Spazierweg und gingen nach Osten. Sie steckte ihre linke Hand in seinen Parka. Er zog den Handschuh aus und hielt ihre Hand, seinen Daumen schob er in ihren Handschuh, damit er ihre Handfläche spüren konnte.

Gehst du oft hierher? fragte er.

Hmm, ja, letzten Sommer, wenn ich Zeit vor der Abendschicht hatte. Oder an meinem freien Tag, wenn eine Party angesagt war. Für diesen Strand habe ich keinen Aufkleber am Wagen, ich gehe immer da drüben hin. Sie wies über die Schulter zum Peter's Pond hinüber.

Die Szene kam ihm bekannt vor: Kleinlaster, Bierkühler, Holzkohlenfeuer, die rauhen Stimmen und die Hilfsarbeiter im Unterhemd mit schütterem Bart und tätowiertem Bizeps. Eine Stereoanlage im Laster auf volle Lautstärke gedreht, oder vielleicht hatten sie auch schwarze Boxen mit kompliziertem Klangsystem aufgestellt. Verstohlene, mißbilligende Blicke von all den gutbürgerlichen Schmidts, die ihren Abendspaziergang hinter sich brachten und der ersten Weißweinschorle des Abends entgegensahen, naserümpfend beim Gedanken an den Müll, den diese Stadtleute hinterlassen würden. Und wenn die letzten Würstchen und gerösteten Maiskolben oder – falls ihnen deren Zubereitung zu umständlich war – die mitgebrachte Pizza verzehrt waren – was machten sie dann? Bumsten sie neben den Lastwagen oder in den Dünen? Machten sie Partnertausch? Gehörte das dazu? War er in dem Sommer, als Mary mit dem Tod kämpfte, bei einem Abendspaziergang Arm in Arm mit Charlotte vorbeigekommen, als Carrie gerade eine Party mitfeierte?

Jetzt im Ruhestand gehe ich jeden Tag an diesem Strand spazieren, erzählte er ihr. Im Sommer schwimme ich hier gern.

Machst du Witze? In diesen Wellen? Nichts für mich. Das schaffst du nie, nicht mit mir. Aber Schwimmen habe ich im College sowieso nicht gelernt. Ich habe den Tanzkurs genommen.

Mitleid verdrängte die häßlichen Bilder, die Schmidt vor Augen hatte.

Ich gebe dir Unterricht, sagte er und drückte ihre Hand in seiner Tasche. Es ist gar nicht schwer.

Du bildest dir ein, du kannst mich in diese Wellen schaffen?

Schwimmunterricht kann man nicht im Ozean geben. Wir werden das in meinem Schwimmbecken machen, an deinen freien Tagen oder wenn du gerade Zeit hast.

Du hast doch gesagt, du gibst deiner Tochter dein Haus und ziehst weg.

An den Plan hatte Schmidt gar nicht mehr gedacht. Er hielt es für möglich, alles zu vergessen außer der Wärme dieser Hand, die jeden Druck erwiderte und ganz eigene Spiele erfand.

Laß uns umkehren, sagte er. Du fängst sonst an zu frieren. Du hast recht, ich gebe das Haus auf, aber ich werde wohl in eine andere Bleibe mit Schwimmbad ziehen. Sie wird nur viel kleiner sein. Von der Sorte werden sicher viele angeboten. Ich werde bald mit dem Suchen anfangen müssen. Vielleicht hilfst du mir dabei.

Wie findet das deine Tochter wohl, ich meine, daß du mich mitnimmst, wenn du Häuser ansehen gehst? Du hast mir nicht erzählt, wie sie heißt. Wie ist sie denn so?

Charlotte. So hieß die Mutter meiner Frau. Sie starb, als meine Frau noch ein Kind war, und meine Frau wuchs bei der Tante auf, die ihr das Haus vererbt hat; das habe ich dir schon erzählt. Charlotte: Sie ist groß, etwas größer als du, sehr blond und wirklich schön, finde ich. Sie sieht aus wie – Jeanne d'Arc! Hast du Jeanne d'Arc mal im Kino gesehen? Das war die Jungfrau, die in den Kampf gezogen ist und Frankreich vor den Engländern gerettet hat, im fünfzehnten Jahrhundert. Dann haben die Engländer sie auf dem Scheiterhaufen verbrannt, und sie wurde eine Heilige. Charlotte ist natürlich keine Jungfrau; sie lebt schon seit Jahren mit dem Menschen zusammen, den sie heiraten wird, und besonders kämpferisch ist sie auch nicht, obwohl sie, glaube ich, mittelmäßig Squash spielt.

Die liebst du sehr, sagte Carrie niedergeschlagen. Ist sie älter als ich? Ihre Finger lösten sich aus Schmidts Hand und zogen sich zurück.

Er nahm das Gelände sanft wieder in Besitz, so wie er Charlottes Hand immer umschlossen hatte, als sie klein war.

Natürlich. Sie ist meine einzige Tochter, mein einziges Kind; sonst habe ich keine Familie. Sie müßte älter sein als du. Im August wird sie siebenundzwanzig.

Ich bin zwanzig. Dann lachte sie. Wetten, daß sie einen guten Job hat? Hast du ihr den besorgt?

Nein, das hat sie selbst geschafft. Viele Leute würden sagen, es ist ein guter Job, aber ich bin mir da nicht so sicher. Sie macht Öffentlichkeitsarbeit. In ihrem Fall heißt das, daß sie der Öffentlichkeit klarmacht, warum Tabakfirmen eigentlich eine mißverstandene Gruppe von lieben Menschen sind, die ein nobles nützliches Produkt herstellen, oder was es heißt, daß die Citibank niemals schläft. Lauter Jux und Dollerei.

Du rauchst.

Sicher. Ich habe nichts gegen Jux und Dollerei, aber besonders nützlich sind sie nicht – außer für die Leute, die sich damit amüsieren. Du hast deine Arbeit nicht besonders gern, und sie ist hart, aber du schaffst was. Du bringst Leuten richtiges Essen und Trinken, du sammelst richtiges Geld ein, und du räumst richtiges schmutziges Geschirr ab. Das andere Zeug ist nur teure Augenwischerei. Charlotte wäre damit nicht einverstanden, aber meiner Meinung nach ist ihre Ausbildung damit zum Fenster hinausgeworfen.

Ich werde auch nicht mein Leben lang kellnern, das kann ich dir versprechen, und ich werde einen Abschluß machen. Ich wette, sie war in einer guten Schule.

Schmidt nickte.

Die wird durchknallen. Du mit einer Kellnerin aus Puerto Rico, und dann noch sieben Jahre jünger als sie!

Jede Frau wäre für sie schwer hinzunehmen. Ihre Mutter ist im letzten April gestorben. Charlotte hat mich nie mit jemand anderem erlebt. Aber wir können uns sehen, sooft du magst, ohne sie mit der Nase darauf zu stoßen, und wenn du es gut mit mir meinst, dann möchte ich, daß du jedes Haus ansiehst, in dem ich vielleicht wohnen will.

Keine Sorge, ich meine es gut mit dir.

Im Auto studierte sie zuerst das Armaturenbrett des Saab und probierte alle Möglichkeiten aus, wie man elektronisch Sitzhöhe und Innentemperatur regeln konnte, schlug ihm dann leicht auf den Arm und sagte: Wenn du wirklich ein Haus kaufen willst, mußt du mich mitnehmen, wenn der Makler nicht dabei ist. Du willst ja wohl nicht, daß sie dich kalt abfahren lassen!

Als er dann fragte, ob sie zum Essen ausgehen wolle – er hatte an das Hotel in Sag Harbor gedacht, wo man im Winter noch spät Mittagessen bekommen konnte und wo sie vermutlich, weil es teuer war, keine Bekannten treffen und nicht in Verlegenheit gebracht würde –, erklärte sie ihm, er müsse verrückt sein. Sie wolle nichts essen.

Laß uns in dein Haus gehen, Schmidtie. Schnell, solange du noch dort wohnst.

Sie fing an sich auszuziehen, sowie sie in der Haustür standen, schleuderte ihre Kleider nach links und rechts und lief schon nackt bis auf ihre Leggins vor ihm die

Treppe hinauf. Ganz außer sich faßte er sie an den Schultern, versuchte sie auf die Schulter zu küssen und schob sie auf die Schlafzimmertür zu.

Das Bett war eine Überraschung für sie: Hey, das ist ja ein Ding! Zwei Doppelbetten zusammen? Da können wir eine Party machen! Probeweise sprang sie hinauf und hüpfte auf und ab wie auf einem Trampolin.

Es hat nur King-size.

O.K. King, willst du mir nicht die Leggins runterziehen? Ich bin ganz sauber gewaschen, extra für dich. Nein, warte. Ich ziehe dich zuerst aus. Sieh dir das an, dein kleiner Freund ist nicht da. Was ist los mit dem? Schüchtern?

Sie hatte seine Kleidungsstücke verstreut, auf dem Boden, auf der Kommode, und ihn jedesmal zurückgehalten, wenn er, dem Zwang der Gewohnheit folgend und sich lächerlich dabei vorkommend, ein Stück aufsammeln und über eine Stuhllehne hängen wollte. Als er ihr schließlich die Leggins und die Strumpfhose darunter abgestreift hatte und als sie ruhig auf dem Bett lag, die Arme hinter dem Kopf verschränkt, da wurde ihm klar, daß Carrie nur in seiner Phantasie existiert hatte: Natürlich kannte er ihr Haar, das Gesicht und den Hals, ihre Hände und Gesten und ihre *Stimme*. Aber jetzt erst sah er alles das, was er gleich und solange er es aushalten konnte, berühren würde: die siegesgewissen Glieder der Jägerin Diana, zwischen ihnen das dichte Haardreieck, eigentlich nur ein Streifen mit roten Punkten an beiden Seiten, die ihm verrieten, daß sie es rasiert hatte, um einen winzigen Bikini tragen zu können; er sah ihren Leib, ein unberührtes Tal, mit einem Nabel, so klein und vollkommen, daß der Anblick zu Tränen rühren konnte, und ihre Brüste, heilige Hügel. Das Tabernakel! Er hätte ihr die Beine gespreizt. Aber sie wollte, daß er es sähe.

Bevor er sie anfassen konnte, hob sie Knie und Becken an.

Sie fragte sehr sanft: Bist du soweit, Liebling?

In einem Zwischenzustand zwischen Bewußtlosigkeit und Wachheit schwebend nahm er nur eines mit Gewißheit wahr: seine Desorientierung. Draußen wurde es dunkel. Er mußte fest geschlafen haben. Dann sah er den Umriß ihres Körpers unter der Decke. Sie lag auf dem Bauch, mit dem Kopf fast an seiner Schulter, als habe sie deren Schutz gesucht; die Füße am anderen Ende des Bettes. Vorsichtig berührte er ihr Haar und spielte leicht mit den wirren Löckchen. Zuneigung und Sehnsucht nach ihrer Nähe – es erstaunte ihn, wie froh er war, sie weniger als eine Armeslänge entfernt und so phantastisch erreichbar zu wissen. Plötzlich sah er eine Seite seines arbeitslosen, vereinsamten Lebens, die er vorher nie bedacht und schon gar nicht begriffen hatte: Er war frei! Er brauchte sich weder Sorgen darüber zu machen, wie lange dieses Mädchen wohl noch schlafen würde, noch über ihre mögliche Unternehmungslust nach dem Aufwachen. Im Juni mußte der Empfang anläßlich Charlottes Hochzeit organisiert werden und dann sein Umzug in ein anderes Haus, der sich mehr und mehr von einer Notwendigkeit in einen Wunsch verkehrte. Abgesehen davon hatte er keinerlei Verpflichtungen oder Verabredungen. Seine künftigen Tage – so viele es eben sein mochten –, lagen als unerforschtes Neuland vor ihm.

In der letzten Umarmung hatte sie aufgestöhnt: Ist das gut so, Liebling, es ist nur für dich. Er lag begraben unter der schwarzen Lawine ihres Haarschopfes, den Mund von ihrem Nacken zu lösen war undenkbar, also drang er nur wieder und wieder und heftiger in sie ein. Sie stieß stöhnend hervor: Ja, jetzt gehöre ich wirklich dir.

Als es vorbei war, hatte sie gefragt: Hat es dir gefallen? Schmidtie, sprich mit mir, du weißt doch, nur du bist's, sag, daß du es schön fandest. Erzähl mir, warum.

Er glaubte, aus unermeßlicher Ferne zurückzukehren. Vielleicht hatte er geschlummert. Die Frage würde immer wieder gestellt werden, so lange, bis er Antwort gab. Deshalb erwiderte er: Du hast es doch gesagt, du hast gesagt, du gehörst mir.

Mein Liebling.

Niemand hatte ihn je so genannt. Sein Vater bestimmt nicht. Auch seine Mutter nicht – bis zu ihrem Tod war er für sie Schmidtie gewesen, manchmal auch Bebop, ein Spitzname, den sein Pate in Baltimore ihm gegeben hatte, der Mann, der Schmidt zu Weihnachten zuverlässig eine Postkarte mit einem Austernfischer von der Ostküste und einen Zehn-Dollar-Scheck schickte; auch nicht Mary – wenn sie wahllos und zerstreut Charlotte sowie alle anderen Kinder, die ihr über den Weg liefen, ihre Verlagsassistentin und ihn mit Kosenamen bedachte, hatten sie immer etwas mit Schätzen zu tun: mein Schatz, Schätzchen, Schätzelein; weder Corinne noch seine Partnerinnen für eine Nacht hatten das Wort je zu ihm gesagt. Wohl aber diese junge Frau mit der heiseren Stimme und der ungeschliffenen Diktion: Sie hatte ihn dreimal Liebling genannt, und das Wort war ihr nicht so automatisch über die Lippen gekommen wie ihr ständiges Nachfragen: Magst du mich? Er war schon fast bereit, an die Vergebung der Sünden und ein ewiges Leben zu glauben.

Das Telefon klingelte. Er warf einen Blick auf Carrie: keine Reaktion. Noch ein Wunder: der Schlaf eines jungen Mädchens. Er nahm den Hörer ab, erlaubte sich aber nicht, seiner Tochter zuzuhören, sondern sagte: Einen Augenblick bitte, ich möchte vom Küchentelefon aus mit dir sprechen.

Licht in der Küche anschalten; ein Glas kaltes Leitungswasser. Er holte das Telefon an den Tisch und setzte sich. Muß daran denken, das Schlafzimmertelefon wieder einzuhängen, wenn ich fertig bin.

Dad, wo warst du denn? Ich habe zweimal versucht, dich anzurufen, aber du warst nicht zu erreichen.

Bis gestern in Brasilien, heute morgen zu Hause und am frühen Nachmittag am Strand. Wenn du es genau wissen willst: Bis eben habe ich meinen Altherren-Mittagsschlaf gehalten!

Entschuldigung. Du bist gestern wiedergekommen und hast mich nicht angerufen?

Es ist ein langer Nachtflug, Baby; ich war müde. Zuerst habe ich noch etwas herumgetrödelt und gedacht, du würdest dich melden, dann ging ich aus, weil ich einen Happen essen wollte, und dann war es zu spät.

Ich habe deine Postkarte mit den Daten verloren, deshalb wußte ich nicht genau, wann du wieder zu Hause sein würdest. War es schön?

Sehr schön. Ich glaube, das habe ich dir geschrieben.

Stimmt. Die Postkarte habe ich auch bekommen. Dad, wir waren ein paar Mal mit Leuten aus der Kanzlei, Kollegen von Jon, im Haus draußen, als du verreist warst, deshalb kommen wir dieses und wahrscheinlich auch nächstes Wochenende wohl nicht zu dir.

Ist recht.

Übrigens: Renata meint, wir sollten mit der Planung für die Hochzeit anfangen. Sie läßt fragen, ob du schon etwas unternommen hast, ob es dir nicht zuviel wird, du weißt schon, ob du möchtest, daß sie dir hilft oder ob sie einfach alles für uns erledigen soll?

Wo geht's zum Luftschutzbunker? Die Frage kam Schmidt in den Sinn. Als nächstes werden auch die Großeltern noch mitmischen wollen.

Er antwortete mit einer Gegenfrage: Möchtest du immer noch im Juni heiraten, hier im Haus, und den Empfang hier geben?

Ich glaube schon, sicher, wenn du dich dem gewachsen fühlst; das wollte Renata eigentlich fragen.

Die schöne Renata wollen wir einen Augenblick aus dem Spiel lassen. Die Frage ist: Wie hätte es das Fräulein Charlotte gern?

Ich mache mir nur Sorgen, daß das Ganze sehr viel Arbeit für dich sein wird. Und unsere Freunde wohnen fast alle in New York. Hast du mal überlegt, wo wir sie unterbringen können?

Allerdings, das habe ich. Ich nehme an, die meisten sind erwachsen. Das heißt, man kann sie leicht in Hotels und Motels einquartieren. Ich habe mir gedacht, ich werde im voraus, von jetzt an, eine ganze Reihe Zimmer in verschiedenen Preisgruppen reservieren – manche für das Wochenende und manche nur für Samstag nacht. Ein paar Leute können wir hier unterbringen und vielleicht ein oder zwei Paare bei den Blackmans wohnen lassen. Deine Mom hätte auch Bernsteins oder Howards gefragt, aber ich habe sie lange nicht mehr gesehen. Vielleicht frage ich trotzdem.

Hier gehorchte ihm die Stimme nicht mehr.

Siehst du, Dad, das ist das Problem! Du wirst die Fassung verlieren!

Nein, das passiert nur, wenn ich mir überlege, wie Mom die Dinge in die Hand genommen hätte. Ich bin schon wieder in Ordnung, ganz bestimmt. Ich habe mir noch etwas ausgedacht, was vielleicht einigen Gästen hilft: einen guten bequemen Bus zu mieten, der gegen drei Uhr in Manhattan abfährt und einige Leute nach der Party zurückbringt. Das setzt voraus, daß die Heirat um sechs Uhr stattfindet.

Das klingt vernünftig! Und du kannst das Essen und alles, was dazugehört, organisieren?

Eltern können eine so große Gesellschaft nie »organisieren«. Ich erkundige mich nach dem Namen des Partyservice, der die Hochzeit von Parsons ausgerichtet hat. Warst du nicht auch dabei? Mom und ich fanden sie ganz zauberhaft. Der Service wird alles übernehmen, außer dem Orchester. Das würde ich lieber dir überlassen, es sei denn, du bist bereit, zur Musik von Peter Duchin oder Lester Lanin zu tanzen. Was ich wirklich brauche, ist die ungefähre Zahl der Gäste, die du einladen möchtest. Zweihundertfünfzig sind kein Problem, das weiß ich. – So viele Leute hatte Martha eingeladen, als Mom und ich heirateten.

Hmmmm.

Noch was – du siehst, ich habe mir wirklich Gedanken gemacht: Du möchtest vielleicht Moms Hochzeitskleid tragen. Das müßte man wohl etwas weiter oder enger machen, aber im Prinzip sollte es dir passen, und es liegt hier bereit für dich.

Oh. Meinst du? Ich weiß nicht.

Schmidt redete zwar geläufig über Kleidung, hatte sich selbst aber nicht damit aufgehalten, einen Bademantel überzuziehen. Es machte ihm Spaß, bei warmem Wetter oder im gut geheizten Haus nackt herumzulaufen. Draußen war es so kalt, daß er zum Glück vor Carries Besuch schon vorausschauend die Thermostaten im Schlafzimmer und im Erdgeschoß auf mollige dreiundzwanzig Grad gestellt hatte. Carrie! Es wäre ihm am liebsten gewesen, wenn sie weitergeschlafen hätte, bis diese Unterhaltung vorbei war. Trotzdem hob sich Schmidts Stimmung, als er sie sah: so neu und eindringlich erkundet, orchideenhaft kopflastig und gelenkig wie ein Fohlen kam sie auf Zehenspitzen in die Küche. Der weiße Frotteebademantel war lächerlich lang. »Hesperus erfleht dein Licht,/Mondes Göttin, wehrs ihm nicht!« Damit sie auch wirklich schwieg wie der Mond, legte er den Zeigefinger an die Lippen. Als Antwort schnitt sie ihm die Grimasse – ein wenig Bronx und viele andere, ihm unbekannte Elemente –, die er schon einmal gesehen hatte, als sie von außen in sein Autofenster gespäht hatte. Dann schürzte sie die Lippen, drückte ihren Finger darauf, ließ sich auf seinen Schoß fallen, schlang die Arme um ihn und fing an, ihre Zunge im Inneren seines freien, nicht gegen den Hörer gepreßten Ohres spielen zu lassen.

Das hat keine Eile, sagte er zu seiner Tochter. Wenn du dich entscheidest, es nicht zu tragen, dann findest du sicherlich ein sehr elegantes weißes Kostüm oder ein kurzes weißes Kleid. Ich will dir gern suchen helfen, wenn du möchtest. Ein anderes langes Kleid als das von Mom kommt nicht in Frage; es wird ja keine kirchliche Trauung sein.

Sie kicherte. Ganz bestimmt nicht! Übrigens werden wir einen sehr netten Rabbi haben.

Einen Rabbi!

Leah und Ronald erwarten das. Sagt Renata.

Leah und Ronald?

Jons Großeltern, Dad! Erinnerst du dich nicht? Du weißt doch, du hast sie kennengelernt.

Natürlich, tut mir leid.

Trauen kann er uns allerdings nicht, weil ich bis dahin nicht mehr konvertieren kann, aber er wird Gebete sprechen und die Ehe segnen.

Schmidt zuckte nicht zusammen, die Empfindungen, die Carries Zunge in seinem Ohr und ihre Finger an seiner rechten Brustwarze hervorlockten, waren zu köstlich.

Er fragte nur: Wird genauso viel Zeit für die rechte Kirche sein?

Welche wäre das, Dad? Kennst du irgendeinen Pfarrer? Wann bist du zum letzten Mal in der Kirche gewesen?

Zur Aussegnung deiner Mutter. David Haskell – so heißt der Pfarrer. Selbstverständlich kenne ich ihn.

Und davor?

Charlotte, du weißt genau, daß weder deine Mutter noch ich Kirchgänger waren. Darum geht es nicht.

Und worum geht es? Würdest du mir das erklären?

Das Novocain verlor seine Wirkung. Er schob Carrie von seinem Schoß herunter.

Nicht, bevor du mir erklärst, was du mit deiner Bemerkung über das Konvertieren gemeint hast.

Was ich gesagt habe. Daß zwischen Jetzt und Juni keine Zeit dafür ist. Später wird genug Zeit sein, und vielleicht trete ich dann über. Judesein muß mehr bedeuten als deine Episkopalkirche für dich. Das wäre wenigstens etwas Authentisches!

Authentisch! Haben sie dich unter Drogen gesetzt, Baby? Warum läufst du nicht gleich mit den Hare-Krishna-Jüngern herum? Willst du im Ernst Kerzen anzünden und rituelle Waschungen vornehmen? Ich wette, die liebe Renata tut das nicht. Haben wir das mit unserer Erziehung erreicht?

Dad, du hast den Nagel auf den Kopf getroffen! Genauso ist es: Mom hat mich dazu erzogen, die jüdische Tradition zu bewundern und deine Judenhetze widerlich zu finden. Hör dir doch mal selbst zu: Man muß nur einmal das Wort Rabbi in den Mund nehmen, und schon zeigt Herr Albert Schmidt sein wahres Gesicht! Dann ist Schluß mit Partyservice und hübschem weißen Kleid: doch nicht für die Tochter, die einen Juden heiratet und einen Rabbi auf den Rasen ihres Vaters treten lassen will!

Dieser Takt, diese unverstellten guten Manieren mußten Carrie angeboren sein. Oder waren sie das Verdienst Mr. Gorchuks, der in Wahrheit ein Moskowiterfürst oder Sohn eines zaristischen Generals war? Schmidt beobachtete mit dankbarer Bewunderung, daß sie auf einmal stocktaub zu sein schien und sich außerdem in die entfernteste Küchenecke zurückgezogen hatte; sie mischte ihm etwas, das aussah wie ein Bourbon mit Eis. Nackte Füße, leichte Schritte. Sie hatte das kleine runde Silbertablett gefunden und brachte ihm das Glas darauf. Dann hockte sie sich auf die Fersen und umschlang seine Beine. Wie eine Katze rieb sie ihren Kopf an seinen Knien.

Du glaubst doch wohl nicht, daß du irgend jemanden hinters Licht führen kannst? Bei Wood & King war es ein Standardwitz: Schmidts Endkampf gegen Zion! Deshalb haben sie dich nie an die Geschäftsführung herangelassen. Die halbe Kanzlei wäre gegangen! Frag Mr. DeForrest. Frag deine anderen Vertrauensleute dort. Sie werden dir sagen, daß sie keinen Antisemiten zum geschäftsführenden Sozius machen wollten.

Die Wirkung des hundertprozentigen Bourbon auf leeren Magen war märchenhaft.

Jack DeForrest? fragte er. Dieser notorische Anwalt Israels? Nick Browning? Oder vielleicht Lew Brenner, unser Ehren-Wasp? Werfen die den ersten Stein? Nein, Jon Riker tut das. Als ich ihm den Weg zum Sozius geebnet habe, muß ich wohl geglaubt haben, daß die Familie Riker schon mit der *Mayflower* ins Land gekommen ist.

Dad, *alle* sagen es. Sicher, du hast Jon geholfen, aber du hast dir die Nase dabei zugehalten. Erinnerst du dich an deine Mandanten? War ein einziger Jude dabei? Oder deine Freunde? Und erzähl mir bloß nichts von Gil Blackman!

Wenn du Juden zählen willst, mein Schatz, bitte sehr!

Mir liegt das nicht. Du kannst gleich bei all den Juden anfangen, die deine Mutter und ich mittags und abends zum Essen bei uns hatten, hier und in der Fifth Avenue, die übers Wochenende kamen und mit uns ausgingen. Also wirklich!

Das waren Moms Freunde, nicht deine!

Da hast du recht, Charlotte. Ich habe keine Freunde.

Bloß den berühmten Gil Blackman!

Ja, meinen alten Mitbewohner im College, der gar nicht so berühmt war, als wir uns kennenlernten. Na gut, Baby, ich glaube, du hast mir mehr als genug erklärt. Bitte, richte Renata aus, ich käme ganz gut allein zurecht, und grüß mir Jon und den Rest seiner Familie. Es wäre mir lieb, wenn du mir im Lauf der Woche noch schreiben würdest, wie viele Gäste du einlädst, falls du möchtest, daß ich die Hochzeit hier ausrichte. Wenn du etwas anderes im Sinn hast, dann organisiere du, und ich werde bezahlen.

Charlotte wollte etwas entgegnen – er wollte es nicht hören und sagte mit erhobener Stimme: Fang bloß nicht an, dich zu entschuldigen. Tu das nie! Wir werden einfach weiterleben.

Er unterbrach die Verbindung. Nach dem Klicken blickte das Gesicht an seinem Knie zu ihm auf. Mann, war das wüst!

Ja. Tut mir leid, daß du das mitgehört hast.

Ist schon in Ordnung.

Das Gesicht wanderte langsam an den Beinen aufwärts, Schmidts Zentrum entgegen, hielt inne, während Carrie ihren Bademantel öffnete, verharrte, bis es zufrieden mit seiner Wirkung war.

Ich will. Worauf wartest du noch?

Sie schob seine Hände von ihren Brüsten fort, ließ den Bademantel auf den Fußboden fallen und beugte sich mit ausgestreckten Armen über den Küchentisch.

Halt mich fest.

Später, außer Atem: Gefällt dir das? Du kannst kommen, Schmidtie. Ich will nicht. Ich habe es zu gern.

Auch sie war hungrig, aber sie wollte nicht zum Essen ausgehen. Gib mir deine Autoschlüssel. Ich hole uns Pizza, geht echt schnell. Ißt du sie mit allem drauf?

Sie hatte ein abgetragenes blaues Hemd von Brooks Brothers in seiner Kommode gefunden und über ihr Trikot gezogen; darüber trug sie seinen alten Tennispullover. Im Gehen holte sie aus ihrer Parkatasche die roten Lederhandschuhe, sein Weihnachtsgeschenk, und zog sie an. Er sagte, er habe sie vorher gar nicht bemerkt.

Ich wollte sie nicht mit Sand verderben, entgegnete sie. Ich hatte meine alten an. Diese sind so fein!

Er horchte, wie sie den Motor des Saab aufheulen ließ – ein volltönendes Brummen wie die Daytona-Bandaufnahmen, die der Medizinstudent, der in ihrem ersten College-Jahr gegenüber von Gil und ihm wohnte, immer abgespielt hatte. Dann zog er sich Hose und Sweater an. Ein Dinner für zwei bei Kerzenlicht in der Küche! Die Leichtigkeit des Seins war phantastisch. Schmidt deckte den Tisch, suchte aber vorher die Kante hoffnungsvoll nach einem Fleck von Carrie ab. Kein Glück. Er holte die georgianischen Leuchter – Gott sei Dank nicht angelaufen –, ein gestärktes weißes Tischtuch und Servietten. Brauchte man Salz und Pfeffer? Vielleicht den Pfeffer in der silbernen Mühle. Das Tafelsilber konnte er eigentlich ruhig Charlotte geben. Das neue Haus hatte bestimmt keine Abstellkammer und keine Schränke mit so tiefen Schubladen, daß der Kasten mit dem Shreve-Crump-and-Low-Silber und der andere, in Flanellhüllen eingesargte feierliche Krimskrams Platz fände. Seinen Wein würde er mitnehmen. Bis dahin wollte er aber jeweils zur Feier des

Tages noch eine Menge davon trinken und den Anfang mit den Burgunderflaschen machen, die er im Jahr von Charlottes Geburt eingelagert hatte. Ein solcher Wein zu Pizza! Das hätte er sich früher nicht träumen lassen.

Ja, schmeckt mir, sagte er zu Carrie und nahm einen großen Bissen. Schmeckt mir sehr.

Die Pizza war wirklich gut – üppig belegt mit einer zentimeterdicken Schicht Käse und Tomatensauce, Mengen von Pepperoni, Oliven, Anchovis und kleinen Dosenchampignons – und erinnerte Schmidt an die Pizzas, die er vor Jahren in dem Restaurant an der 72nd Street gegessen hatte, das die Mafia ganz und gar besaß, mit Schutzgeld gab sie sich nicht zufrieden. Der Eigentümer, der aussah wie Vittorio Gassmann, war nur Tarnung. Der Mafia gehörte auch das Haus in Babylon mit dem runden Schwimmbecken, das man auf einem mit Klebstreifen am Spiegel über der Bar befestigten Foto bewundern konnte; nur die Ehefrau in Bermudashorts und der kleine Junge waren wirklich sein Eigentum. Schmidt hatte den Tisch neu gedeckt, weil Carrie neben ihm sitzen wollte; der Platz ihm gegenüber war ihr zu weit weg.

Du solltest öfter zu Hause essen. Was du bei O'Henry's bekommst, ist kein Drittel von deinem Geld wert; nicht zu glauben! Besonders der Alkohol. Wo du soviel trinkst, ist das wichtig.

Ich weiß. Aber wenn ich dahin gehe, kann ich dich sehen.

Jetzt hast du das nicht mehr nötig. Ich komme dich besuchen.

Sie nahm seine Hand und küßte sie.

Du gibst mir einen Schlüssel, und wenn du schon im Bett bist, schleiche ich mich ganz leise rein und wecke dich auf. Nein – ich wecke einfach deinen kleinen Freund auf: Ich weiß schon, wie das geht.

Wenn du nicht aufpaßt, wirst du mich noch ganz auslaugen. Ich bin ein alter Mann, vergiß das nicht!

Ich mache nur Spaß. Wir schlafen einfach und halten Händchen. Hey, ich wollte dich was fragen. Findest du das in Ordnung, mit einem Kerl ins Bett zu gehen und überhaupt nichts zu machen – ich meine, nur mal ein Kuß und sonst nichts? Auch nicht fummeln?

Natürlich. So sind die meisten Eheleute – meistens.

Daß die Leute nicht mehr ficken, meine ich nicht. Ich meine, mit dir jetzt, da möchte ich am liebsten, daß du ihn die ganze Zeit reinsteckst. Aber dann habe ich Zeiten, da bin ich ganz zu, müde oder so. Dann will ich nur meine Ruhe haben.

Er nickte.

Möchtest du Eis mit Schokoladenstückchen? Ich habe eine Packung mitgebracht. Hey, ich hab noch dein Wechselgeld in meiner Tasche. Ich lege es auf die Platte neben den Toaster.

Als sie dann das Eis aßen, fragte sie: Du wirst doch nicht sauer, wenn wir heute nacht gar nichts machen? Vielleicht nur im Bett fernsehen und kuscheln? Versprochen?

Natürlich. Wenn wir Freunde sind, können wir nicht die ganze Zeit nur Bettspiele machen. Dann müssen wir auch etwas anderes zusammen tun – lesen, Musik hören, faul sein. Das wäre eine Chance, daß ich dich nicht anöde und langweile.

Ach, sei still! Du spinnst doch. Schmidtie, sieh mich mal an. Ich muß es wissen. Verlangst du, daß ich dir treu bin?

Was für eine merkwürdige Frage! Warum fragst du das?

Merkwürdig war die Frage allerdings, aber plötzlich fiel Schmidt ein, daß er sie schon einmal gehört hatte. Hatte nicht Gils Griechisch-Amerikanerin etwas in der Art von Gil wissen wollen? Gehörte das bei ethnischen Minderheiten zum Paarungsritual?

Ich muß das wissen. Ich will wissen, ob du ausrastet, wenn du merkst, daß ich jemand anderen ficke.

Gefallen würde mir das bestimmt nicht, antwortete Schmidt. Wieso auch?

O Schmidtie, du verlangst, daß ich dir treu bin.

Er hatte keine Elaine, um die er sich Sorgen machen mußte. Aber er hatte auch keine so hohe Meinung von sich wie Gil. Alles war genauso bodenlos, wie er vorhergesehen hatte, genauso schwierig und mühsam. Wie konnte er zulassen, daß eine solche Regel aufgestellt wurde – was hatte er ihr als Gegenleistung zu bieten. Sexualgymnastik? Luzide Unterhaltung? Abendliche Restaurantbesuche mit einem Herrn, den man ganz selbstverständlich für ihren Vater halten würde, stünden nicht der Olivton ihrer Haut und das krause Haar diesem Mißverständnis entgegen? Sollte er ihr kleine Geschenke machen? Große Geschenke – Bargeld, Collegegebühren? Natürlich, seine Liebe hatte er zu bieten! Aber verstand er die neue Sprache der Liebe? Wenn Verliebtsein soviel hieß wie heimliche Sehnsucht und Bezauberung, dann war es kein Problem! Dann konnte er Carrie erzählen, er habe sich während des gemeinsamen Mittagsschlafs in sie verliebt. Vielleicht brauchte sie nur diese Sicherheit, nur eine Bestätigung dafür, daß sie mehr erlebten als Gelegenheitssex; dann bedeutete Treue nichts anderes als das Gegenteil von wahlloser Promiskuität. Aber er hatte den Eindruck, ihre Gefühle seien viel differenzierter und komplexer. Spielerei mit Worten war nicht fair. Deshalb erklärte er ihr so zartfühlend wie es in seiner Macht stand, daß sie ihm sehr ans Herz gewachsen sei und daß er sie begehre, aber nur so lange, wie sie ihn wirklich haben wolle; dauern solle es nur, solange es ihr recht war.

Zum Schluß sagte er: Carrie, ich will fair sein, das mußt du verstehen. Wenn ich möchte, daß es dir gutgeht, daß du glücklich bist – und das wünsche ich mir sehr –, dann kann ich nichts von dir verlangen, was dich daran hindern würde, den Richtigen zu finden – einen netten jungen Mann im passenden Alter, nicht so einen abgewrackten Pensionär!

Gutgemeint und pompös. Schmidt war nicht mit sich zufrieden. Bei Carrie kam es auch nicht gut an.

Jawohl, schon verstanden. Im Bett findest du mich gut, aber verliebt bist du nicht. So sehe ich das.

Sie sah traurig aus. Dann hellte sich ihr Gesicht auf. Sie rückte auf seinen Schoß. Sie fragte: Du wirst also nicht sauer auf mich?

Wie könnte ich?

Ich weiß ja nicht. Da ist so einer in Sag Harbor – Bryan –, mit dem bin ich irgendwie zusammen, seit ich den Job habe. Wenn ich dem von dir erzähle, rastet er aus. Ich weiß nicht. Der rast im Zimmer rum, knallt mit dem Kopf gegen die Wand, schlägt Sachen kaputt. Ganz irre.

Sie lachte und steckte die Zunge in Schmidts Ohr.

Bei dieser Eröffnung war Schmidt zumute, als hätte er einen Eiszapfen verschluckt.

Aber wenn das so ist, dann erzähle ich ihm nichts. O.K.?

Er schob seine Hand unter ihren Pullover, in die Schale des Büstenhalters. Die Brustspitze richtete sich sofort auf. Er fing an, sie abwechselnd ziemlich fest zu drücken und dann mit sanfterem Streicheln zu belohnen. Nichts sonst war wichtig. Er mußte ihren Körper behalten. Sie hatte gesagt, sie gehöre ihm.

Und diesem Bryan macht es nichts aus, wenn du den ganzen Tag wegbleibst und die Nacht mit mir zubringst? Du bleibst doch?

Er drückte mit aller Kraft.

O Gott, Schmidtie, mach weiter, ich werde schon feucht, reib jetzt. Reib fest!

Und dann schrie sie auf.

Die Videokassetten, die er hatte, interessierten sie nicht. Eishockey war ihr recht. Sie benutzte seine Zahnbürste und bestimmte, daß sie im Bett Schlafanzüge trügen. Als sie sich hinlegten, wollte sie, daß er auf seiner Bettseite blieb. Er habe ihr erklärt, man müsse es nicht immer tun; nun könne er es beweisen. Sie würden jetzt das Spiel ansehen. Carpe diem. Schmidt streckte sein Bein in ihre Richtung, so daß seine Zehen die ihren berührten. Das war offenbar in Ordnung.

Und Bryan? fragte er. Macht es ihm wirklich nichts aus, wenn du eine ganze Nacht lang verschwindest?

Aus Quogue kam er; seine Eltern waren nach Florida gezogen. Seine Schwester, die noch hier wohnte, war mit einem Doktor verheiratet. Sie hatte das College bis zum Examen geschafft. Bryan nicht. Er machte Tischlerarbeiten, und im Sommer hütete er mit einem Kumpel Häuser. Der Kumpel hatte ein Haus in Springs, da wohnte er mit seiner Freundin, der rothaarigen Kellnerin bei O'Henry's. Bryan war dort Untermieter. So hatte Carrie ihn kennengelernt. Sie war nicht zu den anderen gezogen, weil der Kumpel ruppig war und am Strand nicht die Finger von ihr gelassen hatte.

Bryan braucht mich, erklärte sie Schmidt. Weil, er wartet in meinem Zimmer, wenn ich nach Hause komme. Manchmal will er rumspielen, aber meistens trinken wir Bier und rauchen. Darum habe ich dich gefragt, was du meinst: Kann man mit einem Kerl gehen, aber keinen Sex mit ihm haben?

Aber ihr tut es doch!

Na ja, wenn er will. Wie ich dir gesagt habe. Wir hängen rum. Er ist nicht die Liebe meines Lebens. Ich will nur nicht, daß er ausrastet.

Sie schlüpfte zu ihm hinüber und flüsterte: Mach nicht so ein Gesicht, Liebling. Du kannst alles mit mir machen, was du willst, immer. Ich hab dir doch gesagt, ich gehöre dir. Und ich will dir auch treu sein. Das möchte ich. Du darfst dir nur im Restaurant nichts anmerken lassen, versprochen? Und bitte, sei nicht sauer wegen Bryan!

Er wollte ihre volle Aufmerksamkeit haben. Er wartete das Ende des Hockeyspiels ab. Ganz vorsichtig, als stiege er barfuß aus dem Auto auf einen glühendheißen, mit Glasscherben übersäten Parkplatz, stellte er dann seine Frage: Und wer ist die Liebe deines Lebens?

Sie lachte und kitzelte mit ihren Zehen den Fuß, den er zu ihr hingestreckt hatte.

Das bist du natürlich, du Dummbart.

Dann ernst: Das war nur Spaß. Es ist lange her. Ich war noch keine fünfzehn. Ein alter Kerl, wie du. Er hat mich aufgemacht. Mann, den habe ich echt geliebt.

Wie ist das passiert?

Das war echt irre. Ich hatte diesen Freund, das war ein Jude. Der war süß! Nach der Schule sind wir immer in den Chemieraum gegangen. Er hatte den Schlüssel, weil, er war der beste Schüler und arbeitete immer an Projekten und so. Also, wir schlossen die Tür ab und legten uns auf den Fußboden und knutschten rum. Ich war ganz schön heiß, aber ficken durfte er mich nicht. Ich hatte echt Angst, schwanger zu werden. Mein Vater hätte mich umgebracht.

Schmidt bemerkte, daß ihre Hand unter der Decke arbeitete. Die Erinnerung erregte sie.

Eines Tages sind wir im Labor, und Frank hat mich auf dem Fußboden, meine Beine breit bis zum Anschlag und mein T-Shirt ausgezogen, da geht die Tür auf und das Licht an. Und rat mal, was passiert: Mr. Wilson kommt rein und tritt fast auf uns. Der Chemielehrer. Er hatte also auch einen Schlüssel. Hatte ich eine Angst! Er hatte uns in der Hand: Wir hätten beide aus der Schule fliegen können. Aber von wegen; er ist ganz höflich, entschuldigt sich noch und geht wieder, schließt die Tür hinter sich ab. Frank hatte Sorge, daß er mich belästigt und verlangt, daß ich Sachen mit ihm mache, aber nichts passiert. Wenn er mich auf dem Flur sieht, sagt er nur: Hallo, Carrie, und lächelt, und dann ist das Schuljahr um. Habe ich dir erzählt, daß mein Vater bei der Schulbehörde arbeitet? Eines Tages in den Ferien bin ich gerade in der Livingston Street, also besuche ich ihn, und als ich wieder gehe, steigt Mr. Wilson mit mir in den Lift ein. Ich wäre fast gestorben!

Und er betrachtet mich echt cool, als ob er mich auszieht, und dann sagt er: Trinken wir einen Kaffee oder eine Cola. Wir setzen uns in so eine Nische in der Cafeteria, und er erklärt mir, was für ein guter Schüler Frank ist und was für ein netter Junge, und dann fragt er, ob es mir ernst mit ihm ist. Ich sage, das weiß ich nicht. Dann erklärt er mir, daß Mädchen vorsichtig sein müssen, und daß es schade ist, wenn man auf einem dreckigen Fußboden Liebe lernt. Glaub mir, das war wie nicht wahr!

Das glaube ich dir.

Das kannst du gar nicht glauben. Dieser alte Mann, vielleicht sogar noch älter als du, aber er sah nett aus – eigentlich wie du, nur größer und breiter, aber nicht fett, bloß schwer –, dieser Mann redet mit mir über Verhütung und daß ein Kerl nicht in dem Mädchen zu kommen braucht, wenn er aufpaßt, und lauter solches Zeug; nur redet er so, daß alles ganz wunderbar klingt, und er erzählt mir, daß er Professor an einer Universität gewesen ist. Dann ist irgendwas passiert, und er mußte für ein paar Jahre verschwinden. Als er wiederkam, hatte er seinen Job verloren, und deshalb unterrichtet er an der High School.

Also esse ich mein Eis auf, und er trinkt seinen Kaffee aus, und dann hat er mich so angeblinzelt und gesagt: Zeit zum Nachhausegehen. Inzwischen war ich echt gut drauf, und ich frage ihn, ob er zu Frau und Kind zurück muß. Da hat er nur gelacht und gelacht. Nein, sagt er, es gibt zu viele Mädchen auf der Welt! War das nicht süß? Er wohnte nur ein paar Straßen weiter, also habe ich gesagt, ich würde ein Stück mitkommen, und habe ihn beim Gehen immer absichtlich angerempelt, nur aus Quatsch. Und plötzlich faßt er mich am Ellbogen und sagt ganz leise: Deine Möse ist allerhand. Das habe ich gesehen. Ich will dich ficken. Ich dachte, ich zerschmelze. Ich sag dir, Schmidtie, ich habe geglaubt, ich schaffe die Treppe nicht, ich wollte ihn so sehr.

Der Mann hat dich vergewaltigt. In New York kommt man ins Gefängnis wegen Mißbrauch einer Vierzehnjährigen!

Das siehst du falsch, Schmidtie. Er hat mich nicht vergewaltigt und nicht mißbraucht. Er war meine große Liebe. Du bist bloß eifersüchtig.

Tut mir leid, sagte Schmidt. Mir kam es eben so vor. Und, wie ging es dann weiter?

Er ist ziemlich viel ausgeflippt. Ich habe keinen Stoff mit ihm genommen. Zuerst wollte er das, aber als ich nein sagte, hat er es nie wieder verlangt. Einmal ist er ganz übel abgedreht. Er wäre fast gestorben. Sie haben ihn abgeholt, dann wieder rausgelassen und wieder abgeholt. Er drehte immer wieder ab. Die reine Routine.

Und du hast dich weiter mit ihm getroffen.

Zuerst. Das wurde echt heavy. Dann, in meinem letzten Highschool-Jahr, war er ein ganzes Jahr lang weg. Er verlor seine Wohnung und alles. Manchmal ist er nur so rumgestrichen. Beim Brooklyn College ist so was wie ein kleiner Park. Da saß er immer und wartete auf mich. Ach Scheiße, Schmidtie, laß mich in Ruhe. Er ist ein obdachloser Penner geworden! Er hat gewollt, daß ich mit ihm unter den Holzsteg bei Far Rockaway gehe, und ich konnte nicht, weil, er war so stinkig!

Sie weinte heftig. Zuerst stieß sie ihn jedesmal weg, wenn er versuchte, ihr den Kopf oder den Arm zu streicheln. Dann fiel ihm ein, daß er noch eine Tafel Schokolade im Kühlschrank hatte; die holte er ihr. Sie aß sie wie ein unglückliches kleines Mädchen und schlief dann in seinen Armen ein.

Sie wachte als erste auf, obwohl es schon nach neun Uhr morgens war. Sie frühstückten. Vor der Arbeit werde sie nicht mehr nach Sag Harbor fahren, erklärte sie Schmidt; sie brauche nichts von dort, sie könne zur Arbeit gehen, so wie sie sei. Die Küche war voll Sonne. Er bat sie, sich neben ihn auf den Fensterplatz zu setzen.

Bist du auch nicht sauer auf mich? fragte sie. Ich meine, weil ich mich wie ein Baby benommen habe?

Dir ging es schlecht, das ist alles.

Und du magst mich noch? Jetzt, wo du das mit Mr. Wilson weißt? Du ekelst dich nicht? Du willst immer noch mit mir schlafen?

Was mit ihm passiert ist, dafür kannst du doch nichts. Jetzt verrate ich dir ein Geheimnis: Ich glaube, ich fange an, dich zu lieben.

Und Bryan?

Bryan hatte er ganz vergessen; ihm ging nur die neue Tatsache im Kopf herum: der Mann.

Das macht nichts, antwortete er.

XII

Eine Woche später klingelte das Telefon. Hallo, hallo, sagte die sonore Stimme. Hier ist Renata. Ja, natürlich, dachte Schmidt, Donnerstagmorgen, der Tag, an dem Dr. R. Riker sich um Familienangelegenheiten kümmert. Zu dumm, daß Carrie noch hier ist. Aber vielleicht schläft sie weiter.

Schmidtie, wir haben so viel zu bereden, daß ich gleich zur Sache kommen muß. Kannst du dich mit mir in der Stadt treffen, wollen wir zusammen zu Mittag essen?

Heute? fragte Schmidt und versuchte, den Begriffstutzigen zu spielen.

Ja, wenn irgend möglich. Das ist der einzige Tag in der Woche, an dem ich Zeit habe. Entschuldige, daß ich dich erst im letzten Augenblick frage. Ich habe gestern abend versucht, dich zu erreichen, aber du hast dich nicht gemeldet. Kannst du nicht mit dem Auto fahren oder den Bus nehmen?

Muß das wirklich sein? Können wir uns nicht am Telefon unterhalten?

Das ist nicht dasselbe, das weißt du doch. Außerdem, hast du nicht Lust, mich zu sehen?

Nicht sonderlich, dachte Schmidt, du alte Hexe, du willst dich doch bloß wieder einmischen. Die hörbare Antwort klang anders: Wie kannst du daran zweifeln, meine Liebe?

Er lud sie ein, sich in seinem Club mit ihm zu treffen. Da er wußte, daß schließlich er die Rechnung übernehmen würde, konnte es ruhig der Club oder McDonald's sein. Ihm war das Clubessen gut genug, und Dr. Renata würde es nicht schaden, etwas auf ihr Gewicht zu achten.

Eigentlich tat er ihr einen Gefallen damit. Außerdem konnte er dann Julio, dem puertoricanischen Portier, die Hand schütteln; er hatte ihn lange nicht mehr gesehen – wer weiß, vielleicht war er ein Onkel von Carrie, ein Späher, Vorreiter eines angriffslustigen Stammes –, und er konnte sich mit Zigarren versorgen. Einen Augenblick lang überdeckte die Zufriedenheit mit diesen boshaften Witzeleien Schmidts Übelkeit, so wie Pfefferminzzahnpasta den faden Geschmack nach dem Erbrechen.

Der Augenblick war nur kurz. Danach begannen wieder die Gedanken in seinem Kopf zu kreisen, die ihn ständig verfolgten.

Warum setzte sich seine Tochter nicht von Angesicht zu Angesicht mit ihm auseinander? Was hatte er ihr denn angetan in all den Jahren, als er überzeugt gewesen war, sie zu lieben und von ihr geliebt zu werden? Unerträglich, daß man Charlotte dieses niederträchtige Gerücht eingeflüstert hatte, er sei für seinen Antisemitismus berüchtigt gewesen. Und daß sie daran glaubte, war noch schlimmer. Wer konnte eine derartige Lüge in Umlauf gesetzt haben? Doch nur Jon Riker, im stillen Kämmerlein allein mit seiner Verlobten. Wenn er das getan hatte, dann war er ein ganz übler Patron, schlimmer als ein Verräter, dann war er ein Mann, dem man nicht mehr die Hand geben sollte.

Und eine Lüge mußte es sein. Er konnte sich auch nicht eine Handlung in seiner ganzen Laufbahn bei Wood & King denken, die Grund zu einer solchen Behauptung gegeben hätte. Bestimmt nicht die Art, wie er seine Mitarbeiter behandelt hatte oder die anderen Juden in der Kanzlei, ob Sozii oder Assistenten, und auch nicht seine Rolle beim Aufspüren von Nachwuchsanwälten. Im Gegenteil: Er hatte sein Ansehen als ein Alumnus, der im Vorstand der *Harvard Law Review* gesessen hatte, dazu genutzt, eine ansehnliche Zahl ihrer jüdischen Mitglieder zur Arbeit in der Kanzlei zu bewegen. Einige davon sahen so semitisch aus wie die Karikaturen in Nazipropagandaschriften; auch sein Favorit, der beste Mitarbeiter, den er je gehabt hatte, der Mann, der die Kanzlei W & K am Ende verließ, weil er eine Professur in Harvard bekam. Der trug sogar eine Yarmulka im Büro! Was konnte es dann sein? Nichts, was er gesagt hatte. Judenwitze hatte er nie erzählt – er erzählte überhaupt keine Witze, weil seine seltenen Versuche, witzig zu sein, nie jemanden zum Lachen gebracht hatten.

Das Gerede über die Mandanten war auch Unfug. Das hätte die arme Charlotte eigentlich wissen müssen, aber dem war wohl nicht so; in historischer Perspektive konnte offenbar niemand die Dinge sehen. Zu der Zeit, als er seine Beziehungen zu Versicherungsgesellschaften und anderen bedeutenden amerikanischen Finanzinstitutionen festigte und damit W & K Großaufträge verschaffte, gab es im Vorstand dieser Gesellschaften alles in allem vielleicht fünf Juden, die über Investitionen und Auftragsvergabe an Kanzleien entschieden, und das waren mit Sicherheit keine Juden, die Yarmulkas trugen, und es gab dort keine Schwarzen und keine Puertoricaner, auch keine Frauen und, soweit er wußte, keine Homosexuellen. Diese Leute waren weiße männliche Protestanten – normalerweise hatten sie dieselben Vorbedingungen wie er. Das war kein Grund, sie besonders zu schätzen. Zu viele von ihnen waren Langweiler, schlafmützige Trampel, aber Mandanten nahm man, wie sie kamen, und sagte noch Dankeschön dafür!

Und die Freunde! Sie hatten jüdische Freunde gehabt. Natürlich hatte er die meisten durch Mary kennengelernt. Er hatte sich Mühe mit ihnen gegeben, so gut er konnte, und als Mary starb, waren sie diejenigen gewesen, die, wie alle Bekannten aus Marys Welt, den Kontakt zu ihm abgebrochen und ihn fallengelassen hatten, nicht umgekehrt. Dasselbe galt für die Homosexuellen, die immer mit schöner Regelmäßigkeit zum Mittag- und Abendessen gekommen waren. Mary lernte sie kennen, weil Homosexuelle eben in Verlagen arbeiten und schreiben. Aber Dad, willst du damit sagen, daß Schwarze und Puertoricaner nicht schreiben? Nein, meine liebe Charlotte, natürlich will ich das nicht sagen; selbstverständlich schreiben sie. Aber im Verlagswesen sind sie nicht leicht zu finden; da sind sie die Stecknadeln im Heuhaufen. Und deine Mom hatte nicht das Glück, Wright, Baldwin oder Morrison als Autoren zu gewinnen, und selbst wenn, hätten sie vielleicht keinen Wert darauf gelegt, sich mit Mr. und Mrs. Albert Schmidt anzufreunden! Er hatte immer gedacht, er hätte auch eigene jüdische Freunde, in der Kanzlei nämlich. Wenn Mr. Riker, oder wer immer diese Geschichten über ihn verbreitete, glaubwürdig war, dann hatte er, Schmidt, sich einer Illusion hingegeben. Daraus folgt, daß du ganz recht hattest, Charlotte: da bleibt keiner mehr, der zählt, nicht einer, nur der unmögliche Gil Blackman!

Schmidt war zwar moralisch entrüstet, aber trotzdem trieb er weiter Gewissenserforschung. Schätzt du Juden, Schwarze, Puertoricaner oder Homosexuelle? En bloc: Nein. Hast du dich gefreut zu hören, daß Charlotte diesen rechtschaffenen, brillanten, sehr erfolgreichen jungen Juden heiraten würde? Nein, das habe ich nicht. Warum nicht? Weil er Jude ist? Nicht nur deshalb. Aber wenn er ein bornierter Streber mit einem nicht geänderten, nicht anglisierten Namen, ein Mr. Jonathan White zum Beispiel, gewesen wäre, hättest du dann einmal tief Luft geholt und dich ganz schnell wieder beruhigt? Sehr wahrscheinlich. Und Mr. Whites Doktoreltern hättest du zu

Thanksgiving in ihrem Apartment in Manhattan aufsuchen können, ohne daß es dir wie ein gefährliches Abenteuer vorgekommen wäre? Vermutlich. Danke, Mr. Schmidt. Eine Frage noch: Wäre es Ihnen lieber, wenn Carrie keine puertoricanische Kellnerin aus der Unterschicht wäre? Ich mag ihre Haut und ihr Kraushaar. Ich fürchte, das ist keine Antwort auf die Frage. In ihrem Fall soll's der Teufel holen.

Seine Stimmung verdüsterte sich.

Mr. Schmidt, haben Sie das Recht, dem Verlobten Ihrer Tochter Ihre Zuneigung nur deshalb zu verweigern, weil er Jude ist – ja, ich weiß schon, Sie brauchen sich nicht zu wiederholen, nicht nur, aber hauptsächlich aus dem erwähnten Grund? Ja, unbedingt, alles Recht. Wer hat das Recht, in meinen Gefühlen herumzustochern? Ich sitze auch nicht zu Gericht über die Gefühle der Doctores Riker oder der hochverehrten Großeltern. Mir genügt es, wenn sie sich anständig betragen. Was ist an meinen Handlungen auszusetzen?

Die Antwort gefiel Schmidt ganz gut, aber zufrieden war er nicht.

Er traf Renata in dem für Gäste reservierten Warteraum. Schwarzes Jerseykostüm, das sehr nach Chanel aussah, schwarze Lackschuhe mit hohen Absätzen, schwarze Lederhandtasche an einer Goldkette und blickdichte schwarze Strümpfe von aufregendem Glanz; sie hatte sich sorgfältig für die besondere Gelegenheit – was für eine Gelegenheit eigentlich? – angezogen, so viel war klar. Vergebliche Mühe. Sie hätte sich genausogut in Sackleinen hüllen können. Aber woher hätte sie wissen sollen, daß Schmidt sich kaum vier Stunden zuvor von Auroras Lager erhoben hatte?

Laß uns in den Speiseraum gehen, sagte er. Hier werden keine Tischbestellungen angenommen. Wer zuerst kommt, mahlt zuerst! Trinken können wir am Tisch.

Als sie saßen, schnitt er ihre bewundernden Ausrufe über die Eleganz des Gebäudes und sein gutes Aussehen ab. Übung macht den Meister: Nicht umsonst hatte er unzählige Jahre den Vorsitz bei Konferenzen geführt und Diskussionen auf den Punkt gebracht. Was stand auf der Tagesordnung, und was schlug sie vor?

Schmidtie, sagte sie, ich will ganz offen sein. Ich finde, so hätte Charlotte nicht mit dir reden sollen. Sie wollte ein paar Dinge loswerden, und sie wußte nicht, wie sie es anfangen sollte. Sie war überreizt. In einer solchen Verfassung werden Leute mit ihrer psychischen Konstitution aggressiv. Du hast dich sehr zurückgehalten. Ich war stolz auf dich.

Danke! Darf ich daraus schließen, daß Charlotte dir über unsere Unterhaltung genau Bericht erstattet hat? Bewundernswert, daß du so viel Zeit für Vater und Tochter findest, die nicht deine Patienten sind!

Jetzt bist du sarkastisch, Schmidtie. Muß das sein?

Nein. Nur ein Spiegel meiner überreizten Gefühle.

Genau. Und eines dieser Gefühle sagt dir, daß ich schuld an Charlottes Verwirrung und ihren Aggressionen bin.

Bis zu einem gewissen Grad. Natürlich hast du sie nicht großgezogen. Erziehung ist wichtig, glaube ich. Das heißt, die arme Mary und ich, wir müssen den Großteil der Schuld auf uns nehmen. Oder glaubst du, Charlotte ist von Natur aus so, ist es genetisch? Die Gene hat sie auch von uns.

Daß diese Unfähigkeit, mit Konflikten umzugehen, diese Hemmung, dem Vater etwas zu sagen, was er nicht hören will, genetisch bedingt ist, glaube ich kaum.

Na gut, dann sind wir wieder bei der Erziehung. Erfahrungen in der frühen Kindheit. Und wohin führt uns das?

Zu der Frage, wie wir das Durcheinander wieder in Ordnung bringen! Im Moment steht ihr, Charlotte, Jon und du, unter schrecklicher Spannung. Die Blockierung in euren Beziehungen muß aufgehoben werden.

Wenn Charlotte dir unsere Unterhaltung im einzelnen geschildert hat – danach habe ich dich gefragt, erinnere dich bitte –, dann weißt du auch, was ich als nächstes von ihr erwarte. Ich habe eigentlich die Absicht, von ihrer Antwort auszugehen.

Davon auszugehen – in welche Richtung? Angenommen, was sie dir schreibt, ist nicht das, was du hören möchtest. Tut sich dann eine Kluft zwischen euch auf?

Die Kluft besteht schon. Was ich tun soll, werde ich mir überlegen, wenn ich ihren Brief vor Augen habe. Vielleicht ist er schon in der Post. Du wirst es wohl wissen. Wolltest du mich deshalb sehen?

Charlotte hat mir nicht nur von eurer Auseinandersetzung erzählt. Sie gab mir eine Bandaufnahme davon. Hier. Für dich. Ich habe eine Kopie. Ich habe sie noch einmal abgespielt, gerade eben, bevor ich hierher kam.

Er schob die Kassette heftig in ihre Richtung zurück. Sie saßen an einem Ecktisch. An allen vier Wänden des Raumes hingen Porträts der hervorragenden New Yorker, die Clubpräsidenten gewesen waren; Vorfahren von ihm waren nicht darunter, und trotzdem schaute er hilfesuchend, in der Hoffnung auf ein Zeichen, zu diesen intelligenten, skurrilen Gesichtern auf. Die älteren Herren unter den Clubmitgliedern, die, unbeirrt von der Kälte, an ihrer Routine festgehalten hatten, tranken entweder einen Stock tiefer ihre Martinis aus oder waren mit einem neuen Drink in den Speiseraum nebenan gegangen, der den Clubmitgliedern ohne lästige Gäste vorbehalten war.

Dort plauderten sie nun über die Themen, über die man beim Essen so redet: über die Wahrscheinlichkeit, daß Macy's Bankrott erklärte, über George Bushs sinkenden politischen Stern, über den Sexualtrieb des Gouverneurs von Arkansas. Immer wenn die Tür zwischen den beiden Räumen sich öffnete, hörte er den fröhlichen Lärm der animierten Stimmen. Konnte er wohl von seinem Stuhl aufspringen und in ihre Mitte flüchten, Weisheit oder Zuflucht beim Stamm suchen? Hilfe, zu Hilfe, mich greift eine schwarzgekleidete Seelenklempnerin an, und ihr Sohn, der Anwalt, heiratet meine Tochter. In der Nähe saßen zwei Clubmitglieder, selbst Seelenklempner, jeweils mit Gästen. Die würden ihn festhalten und den Notarztwagen rufen. Es hatte keinen Zweck.

Deshalb fragte er: Ist es nicht gesetzwidrig, ein Telefongespräch auf Band aufzunehmen, ohne um Erlaubnis zu fragen?

Jon meint: Nein. Weißt du, sie hat es nur getan, weil beide wußten, daß sie zu erregt sein würde, um sich genau an das Gesagte erinnern zu können.

Ich lasse den Bastard aus der Anwaltschaft ausschließen! Der fliegt aus der Kanzlei!

Ha! Ha! Du träumst wohl, alter Freund, sagte er zu sich selbst, kaum waren ihm diese Worte herausgerutscht. Bildest du dir ein, Jack DeForrest und seine Bande von Pfennigfuchsern ergreifen Maßnahmen gegen einen Spezialisten in Konkursverfahren, ausgerechnet jetzt, da ihnen Akten über Akten im Konkursgericht das Wasser im Mund zusammenlaufen lassen? Glaubst du, sie würden der Gans den Hals umdrehen, wenn sie dabei ist, goldene Eier zu legen? Weshalb? Weil er sich nicht wie ein Gentleman benimmt? Seit wann sollen Konkursspezialisten Weichlinge sein? Pech für Schmidt, daß er nicht Frieden mit seiner eigenen Tochter halten kann. Starr war er schon immer, hat sich nie gut an neue Situationen anpassen können.

Er beobachtete, daß Renata ihren Lippenstift wegpackte und eine zweite Makrone in Angriff nahm. Er entschuldigte sich bei ihr. Sie schenkte ihm ein freundliches Lächeln.

Na gut, sagte er. Kommen wir zum springenden Punkt. Was wollen sie?

Lieber Schmidtie. Können wir noch einen Kaffee trinken? Aus einer dieser herrlichen französischen *Café-filtre*-Maschinen? Die habe ich seit Jahren nicht mehr gesehen.

Sie sind irgendwie verschwunden.

Er winkte einem Kellner.

Versteh doch, Schmidtie, Charlotte hat Angst vor dir und will dich nicht verletzen. Glaub mir das. Ich weiß es. Und Jon verehrt dich. Unterbrich mich nicht. Es ist wahr. Natürlich haben solche Situationen immer auch einen ödipalen Aspekt. Der macht die Verständigung zwischen euch so schwierig. Der springende Punkt ist leicht zu finden. Im Leben junger Menschen kommt irgendwann der Moment, da sie eine neue Bindung eingehen: die Ehe! Auf einmal ist ihre Treuepflicht nicht mehr dieselbe. Die Veränderung kann sehr bestürzend sein. In Charlottes Fall ist es so, daß sie wirklich Teil unserer Familie werden möchte, ohne Rücksicht auf die Konsequenzen. Das hat viel mit Marys Tod zu tun, auch damit, daß es auf eurer Seite keine Vettern, Kusinen, Onkel oder Tanten gibt, und damit, daß wir sie so herzlich in unsere Familie aufgenommen haben. Verstehst du?

Ja, ich verstehe. Du bist Naomi, und sie ist Ruth, die Moabiterin.

Also wirklich, Schmidtie, wie kannst du nur! Ruths Mann war tot!

Ein unwichtiges Detail. Der Witz an der Geschichte

ist, daß Ruth ihre Schwiegermutter liebte. Ist das bei euch auch so? Hast du meine Tochter behext? Hypnotisiert?

Schmidtie, hör auf damit! Jon liebt sie, und Charlotte fühlt sich sehr zu unserer Familie hingezogen; das habe ich versucht, dir zu erklären. Glücklicher oder normaler könnte es gar nicht zugehen. Die Folgen sind für dich ärgerlich: Charlotte hat manches neu überdacht. Sie findet eine Hochzeitsfeier in Bridgehampton keine gute Idee mehr. Offenbar habt ihr euch beide den Leuten dort entfremdet, so daß praktisch alle Gäste importiert werden müßten! Das kommt mir unnatürlich vor.

Und das Haus? Möchte sie nicht mehr auf dem Rasen ihres Elternhauses verheiratet werden, es ist doch das Haus, in dem sie jeden Sommer war, in dem sie alle ihre Ferien verlebte?

Natürlich liebt sie das Haus. Es ist so schön. Aber das Haus ist für euch beide zum Problem geworden. Für Jon ist es auch eine finanzielle Belastung – aber mehr noch eine Sache des Lebensstils; er kann sich nicht recht vorstellen, daß er und Charlotte in die Hamptons passen. Dein Wunsch, Charlotte das Haus zu schenken, hat das Ganze auf einmal so dringlich gemacht – vielleicht auch bedrängend. Jon hat eine andere Idee. Wir hoffen, du fühlst dich nicht vor den Kopf gestoßen – du bist so unglaublich großzügig gewesen!

Aha, dachte Schmidt. Ich soll mich bei dichtem Nebel mit dem Auto über die Klippe stürzen. Sie kassieren die doppelte Entschädigung von der Unfallversicherung, dazu all meine Habe und verkaufen anschließend das Haus. Das muß es sein.

Vielleicht darf ich Näheres erfahren. Soll ich es von dir erfahren? Sie werden wohl zu beschäftigt oder zu timide sein, um selbst mit mir zu sprechen.

Schmidtie, sie wollen nicht mit dir streiten. Das ist alles. Jon hat sich folgendes ausgedacht – er sagt, es bringe Steuervorteile: Könntest du nicht Charlotte auskaufen, statt ihr das Haus zu schenken, hohe Schenkungssteuer zu zahlen und dann auszuziehen? Auf diese Weise kommen sie an Kapital, und du bekommst das Haus. Vererben kannst du es Charlotte immer noch.

Der Vorschlag ist allerdings umwerfend! Was machen sie mit dem Kapital? Das Apartment können sie davon bezahlen, und sie müssen kein Geld von dir und Myron leihen – es sei denn, ihr hättet vor, ihnen etwas zu schenken.

Zur Frage der Transaktionen zwischen Riker und Riker äußerte sie sich nicht.

Das hängt vom Wert des Hauses ab. Jon sagte, er wisse nicht, ob du es schon hast schätzen lassen. Ja, das Geld würden sie zum Kauf des Apartments verwenden, aber vielleicht erwerben sie noch etwas anderes. Wir haben im Sommer immer Ferienhäuser gemietet, aber jetzt haben wir einen Besitz im Norden im Auge, in der Nähe von Claverack. Kennst du die Gegend?

Ja.

Zu dem Besitz gehört ein entzückendes kleines Bauernhaus. Sie meinten, das könnte genau das richtige für sie sein. Die Skigebiete in der Umgebung würden sie gern nutzen.

Schmidt nickte und zündete sich ein Zigarillo an.

Schmidtie, du verstehst doch was von Steuern? Jon hat mir alles erklärt, aber ich habe es mir nicht merken können.

Das sind nur Details. Die eigentliche Frage ist, ob ich das Haus halten kann, wenn ich so viel Geld verschenke oder ausgebe. Ich hatte damit gerechnet, ein kleines Haus zu kaufen, dessen Betriebskosten nicht so hoch wären.

Ich bin mir einigermaßen sicher, daß ich tue, was Jon und, wie ich annehme, Charlotte ebenfalls, wollen. Gib mir einen oder zwei Tage Bedenkzeit.

Du bist wirklich sehr gütig und großzügig. Wenn das Haus zu groß ist, könntest du es doch verkaufen, nachdem du Charlotte ausgezahlt hast.

Das ist nicht ganz das, was Mary sich vorgestellt hat. Ich muß es mir überlegen. Nimmst du meine Antwort entgegen?

Sie werden sich sehr freuen, wenn du mit ihnen sprichst, Schmidtie.

Davon bin ich überzeugt. Wie steht es mit der Hochzeit? Ich nehme an, heiraten wollen sie nach wie vor, einander, irgendwo.

Das ist nicht komisch. Du bist dir offenbar nicht darüber im klaren, wie sehr sie einander lieben. Sie würden gern in New York Hochzeit feiern. Natürlich nicht in einem Hotel, und unser Apartment ist wirklich zu klein. Sie haben an eines der hübschen neuen Lokale im Zentrum gedacht.

Die kenne ich gar nicht. Ich unternehme also nichts. Das wird uns allen das Leben leichter machen. Du bist die Dame, die das Tonband abgehört hat. Habe ich dazu nicht irgendwas gesagt?

Du hast sehr großzügig angeboten, du würdest die Hochzeit bezahlen, auch wenn sie nicht in Bridgehampton stattfände.

Daran halte ich mich auch. Du kannst Charlotte beruhigen.

Aber wir würden uns nur zu gern beteiligen – schließlich wird es eine moderne Party!

Vielen Dank. Das wird nicht nötig sein. Der neue Plan wird mir am Ende sogar Geld sparen. Geh noch nicht, setzte er hinzu, als er sah, daß sie die verschmähte Kassette in ihre Handtasche steckte. Du hast mir schon sehr viel gesagt, aber da wäre noch etwas. Charlottes Andeutungen über meinen schlechten Ruf bei Wood & King haben mich ziemlich überrascht. Merkwürdig, daß mich nie jemand gewarnt hat. Ich kann das nicht in Einklang mit deinen Behauptungen bringen: Du hast gesagt, Jon und seine Generation hätten solche Hochachtung vor mir. Daß du übertreibst, war mir klar, aber hast du das genaue Gegenteil der Wahrheit gesagt?

Ich habe gehofft, du hättest verdrängt, was Charlotte zu diesem Thema gesagt hat.

Wie könnte ich?

Der Speiseraum war leer. Sie blickte um sich und meinte dann: Die Kellner wünschen sich sicher alle, wir würden endlich gehen.

Ohne Zweifel.

Er wollte noch etwas dazu sagen, zum Beispiel: Mach dir keine Sorgen, sie dürfen die Mitglieder nicht vertreiben, wenn eine Unterhaltung länger dauert; aber dann fiel ihm Carrie ein, er dachte daran, wie man ihr die Müdigkeit an den Augen ansah, wie ihr der Kopf von einem Augenblick zum anderen zu schwer zu werden schien.

Und so sagte er etwas anderes: Nicht schlecht, dein Ablenkungsversuch, aber so kommst du mir nicht davon. Gehen wir hinunter in den Leseraum.

Noch einen Kaffee? fragte er, als sie sich wieder setzten. Vielleicht möchtest du einen Kognak. Ich sollte keinen trinken, ich muß noch fahren.

Danke, Schmidtie, ich möchte nichts. Ich meine, du solltest diese Bemerkungen dem aggressiven Verhalten von Charlotte zurechnen, das ich dir beschrieben habe. Sie wußte, daß dich ihre und Jons Entscheidungen über die Hochzeit und das Haus enttäuschen und verletzen würden, und deshalb fühlte sie sich schuldig und unglücklich, und der einzige Ausweg für sie war, dich anzugreifen und noch mehr zu verletzen. Das Stichwort hast du ihr gegeben, als sie von dem Rabbi und der möglichen Konversion sprach. Das ist alles.

Das verstehe ich nicht. Was willst du damit sagen: Bestand die Aggression nun darin, daß sie die Wahrheit sagte, oder darin, daß sie mich anlog? Hat sie sich nur ausgedacht, was sie mir erzählte?

Nicht ganz. Sie weiß, daß du gegen Jon warst, weil er Jude ist.

Ganz plötzlich wurde Schmidt sehr müde. Schlafen, er mußte schlafen, wenigstens ein paar Minuten.

Er wollte sagen: Ich war nicht gegen ihn, und: Ich war nicht nur deshalb unglücklich, weil er Jude ist; aber was hätten Haarspaltereien genützt?

Renata, es tut mir leid, daß ich nicht entgegenkommender reagiert habe.

Bei unserer ersten Begegnung habe ich dir erklärt, daß du sehr angespannt bist. Das mußte sich auf dein Verhalten auswirken. Aber ich merke, daß du starke antisemitische Regungen hast. Vielleicht solltest du sie einmal genauer betrachten. So schlimm sind Juden gar nicht. Im Durchschnitt nicht übler als andere Leute.

Sie sind anders.

Laß nicht zu, daß dir das Angst macht.

Bevor sie in das Taxi stieg, das er an der Straßenecke für sie herbeigewinkt hatte, hielt sie ihm die Wange zum Kuß hin und sagte: Oh Schmidtie, ich hatte gehofft, wir würden gute Freunde werden. Ist das jetzt noch möglich? Antworte mir nicht gleich, nicht im Zorn.

Er ging noch nicht sofort zur Garage, sondern erst zum Club zurück und auf die Toilette. Gesicht leicht gerötet, ansonsten erkennbar. Er wusch sich mit kaltem Wasser und spülte den Mund mit Listerine. Die Zigarren warteten auf der Bank im Foyer. Auf Julio konnte man sich verlassen; der war ein echter Freund; Gil Blackman ebenfalls. Intelligent und zynisch, und er kannte Gil schon ewig lange. Er bat Julio, ihn mit Gils Büro zu verbinden. Eine englische Stimme, wie die von Wendy Hiller in *I Know Where I'm Going*, gab ihm die Auskunft, Mr. und Mrs. Blackman seien in ihrem Haus auf Long Island. Oho! Konnte sie ihn dorthin weiterverbinden?

Du bist also aus dem Paradies heimgekehrt, alter Schlawiner, rief der robuste Maestro. Wann sehe ich dich?

Ich hatte gehofft, ich könne gleich in dein Büro kommen. Ich bin in der Stadt. Aber da du draußen bist, fahre ich heute nachmittag zurück.

Dann iß mit mir zu Abend. Was bin ich froh! Die Mami ist zu Besuch hier. Elaine und sie können einen Abend gemütlich zu Hause mit dem Essenstablett vor dem Fernseher sitzen. Frauen unter sich! Ha, ha! Gegen halb acht bei O'Henry's? Ja, je eher, desto besser! Ich kann's gar nicht erwarten, wegzukommen. Ciao!

Die Mami war Elaines Mutter. Laut Gil hatte sie sich immer noch nicht damit abgefunden, daß ihre Tochter, ein direkter Abkömmling des berühmtesten Arbeitskleiderfabrikanten auf der Welt, eine Mesalliance mit einem Eindringling geschlossen hatte, dessen Großvater in Odessa geboren war. Die Kränkung war ihr tief unter die Haut gegangen, diese Haut, die durch kosmetische Chirurgie ebenso zeitbeständig geworden war wie die Kalksteinfassade ihrer Villa in Pacific Heights. Würde ihr Problem auf Dr. Renatas Behandlung ansprechen? Schmidt fürchtete, daß es dazu zu spät sein könnte.

Den Saab auf Dauergeschwindigkeit eingestellt, hielt sich Schmidt entschlossen auf der äußersten linken Spur der Schnellstraße, schlängelte sich an langsamer Fahrenden vorbei und ging in Gedanken noch einmal durch, was gefordert und was geboten worden war. Der Kauf von Charlottes Anwartschaft auf das Haus? Eineinhalb Millionen, rechnete er. Das war viel Bargeld, aber er würde es schaffen. Vielleicht folgte er sogar Dr. Renatas Rat, verkaufte das Haus und zog in eine Bleibe, die nicht wie ein ständiger Aderlaß von Hundertdollar-Scheinen war. Wenn nicht gleich, dann vielleicht später. »Eingeatmeter Staub war ein Haus – Wand, Holzwerk und die Maus.« Er würde ja nicht den Stammsitz der Schmidts verkaufen. Den mußte ein anderer längst zu Geld gemacht haben. Dieses Haus war nichts, abgesehen von seinem Leben mit Mary, das vorbei war, und abgesehen von den Erinnerungen an Charlottes Kindheit, die ebenfalls vorbei war. Charlotte mißachtete Marys Wünsche, nicht er. Er mußte nicht den Märtyrer spielen. Wenn er das Haus nicht verkaufte, würden die beiden es tun, sowie er gestorben und der Nachlaß geregelt war.

Carrie blinzelte ihm zu. Als er am Morgen das Haus verlassen hatte, hatte sie, unter den Decken vergraben, ausgesehen wie eine riesengroße Katze. Wenn sie nicht ihre Kellnerkleidung trug, hatte sie wahrscheinlich noch dasselbe rosa Flanellhemd mit dem Muster aus roten und blauen Blumen an wie in der Nacht zuvor, als sie so lautlos im Schlafzimmer erschienen war, daß er weitergelesen hatte, bis er ihre Stimme hörte: Wer kommt denn da und will mit Schmidtie spielen? Er blickte auf – in eine Halloween-Hexenmaske. Jetzt habe ich dich aber erschreckt, was?

Hey, heute kommst du aber früh! Was trinkst du? Dasselbe wie immer?

Ja, bitte. Ganz kalt.

Er erzählte ihr, daß er auf Gil Blackman warte, den

Mann, mit dem sie ihn gesehen habe, als er so lange beim Mittagessen saß.

Ach ja, der. Dann lasse ich zwei Gedecke auf dem Tisch. Viel Spaß. Bis dann.

Kommst du heute nacht? Er stellte seine Frage mit sehr leiser Stimme, flüsterte aber nicht.

Keine Antwort. Panik in Schmidts Herz. Hör auf, du alter Narr. Sie hat dir erklärt, daß sie es nicht jede Nacht mag. Laß ihr ein bißchen Luft. Wenn du das nicht tust, verlierst du ihre Achtung.

Sie brachte ihm seinen Martini und stellte das Glas auf einer quadratischen Cocktailserviette vor ihn hin. Kein Wort. Die Serviette trug den Aufdruck »O'Henry's« in roten Großbuchstaben und eine Telefonnummer darunter. Als er das Glas hob, sah er, was sie mit roter Tinte zwischen Buchstaben und Nummer geschrieben hatte. Er assoziierte diese säuberliche, eckige Schrift mit Mädchen, die in sehr gute Schulen gegangen waren, aber, da er so viele von Carrie zusammengestellte Rechnungen bezahlt hatte, kannte er ihre Schrift. Die Nachricht lautete: »C liebt S.«

Auftritt Mr. Blackman. Langer Lammfellmantel mit Gürtel, darunter schwarze Hosen, schwarzer Kaschmirpullover. Üppiges Haar, kürzer als sonst geschnitten. Ja, Mr. Blackman nimmt einen Martini. Genauso wie sein Freund, Mr. Schmidt. Ungemischt, mit einer Olive. Und ganz kalt!

Nett!

Er folgt Carrie mit den Augen, als sie, den Kopf zur Seite geneigt, an die Bar geht, um seinen Martini zu holen.

Gar nicht übel, muß ich schon sagen. Irgendwie lateinamerikanisch. Ist das nicht das Mädchen, das dich auf dem Bürgersteig angesprochen hat, als wir neulich hier zusammen gegessen haben?

Ja, sie arbeitet hier.

Eine dumme Antwort, aber Gil sagt nicht: Also wirklich! Er fragt nur nach dem Amazonas. War alles so, wie er und Elaine es beschrieben hatten?

Noch schöner!

Und hat der andere Schmidt dich in seinem Boot herumgefahren?

Ja, nur hat er behauptet, er heiße Oskar Kurz. Vielleicht hat er den Namen gewechselt!

Ansonsten war es derselbe Mann? Indianische Frau mit kleinen Brüsten? Ja? Dann muß er sich einen anderen Namen zugelegt haben, oder er leidet unter Wahnvorstellungen! Vielleicht meint er, er sei irgendwo im Kongo! Ha! Ha! Ha!

Wie war Venedig?

Laß uns erst Essen bestellen.

Gil flirtet mit Carrie über Manhattan Muschelsuppe und gebratene Brüste von freilaufenden Hühnern. Ganz amüsant, dem Feind an einem kleinen Tisch gegenüberzusitzen. Das Restaurant wimmelt von Feinden: lauter Männer, die reich aussehen und schnell reden. Ja, aber sie haben Ehefrauen. Carrie würde die Probleme nicht mögen. Mach dir nichts vor, Schmidtie, Gil weiß, wie man solche Probleme löst. Vielleicht hilft nur, ihm von Carrie zu erzählen. Das ist etwas anderes, als sich im Restaurant etwas anmerken zu lassen.

Venedig war wie immer im Winter. *Acqua alta*, dicker Nebel, so daß die Vaporettos ein paar Stunden lang nicht mehr fuhren, und tagelang nur grau und naß. Die Zimmer im Monaco sind zu klein – auch die besseren! Elaine hatte sich erkältet und putzte sich die ganze Nacht lang die Nase. Ich hätte sie umbringen können.

Ich bin froh, daß du es nicht getan hast. Und eure fröhlichen Zecher?

Anödend. Eigentlich ist es doch hirnverbrannt, mit Leuten, die man immer und überall sieht, in New York und an der Küste, auch noch Ferienreisen zu unternehmen. Warum mache ich das? Das übersteigt mein Fassungsvermögen. Ich hätte nichts gegen eine kleine Reise mit dir; du bist ein ruhiger Typ, und du bist allein. Es ist die Hölle: du bestellst im Restaurant einen Tisch für sechs Personen und mußt die andern fünf zwingen, sich einigermaßen an die Zeit zu halten! Einer kommt immer aus einer ganz anderen, ganz ungünstigen Richtung – zum Beispiel von der Gesuiti-Kirche! Natürlich verläuft er oder sie sich und erscheint erst ein bis zwei Stunden nach den anderen. Das habe ich jeden Tag durchgemacht, zweimal täglich sogar! Nie wieder!

Er hielt inne, um die Weinflasche genauer zu betrachten. Dieses Zeug ist gräßlich. Hast du was dagegen, wenn ich eine andere Flasche bestelle?

Carrie war nicht zu sehen.

Gil fuhr fort: Ich hätte sagen sollen, die Finanzierung meines Films sei in Gefahr, und ich müsse bis zum Jahresende in New York bleiben und das Geld zusammenbringen. Dann hätte ich vielleicht Elaine und Lilly mit Fred und Alice nach Venedig schicken und selbst in New York bleiben können.

Ganz so schlimm wird es doch nicht gewesen sein!

Doch, so war es, und so ist es immer noch. Glaub mir. Ich meine nicht nur Venedig.

Carrie räumte den Nachbartisch ab. Gil warf ihr ein gewinnendes Lächeln zu und nannte den Wein, den er ausgesucht hatte. Nachdem das erledigt war, machte er wieder ein finsteres Gesicht.

Schmidt war ganz überrascht, wie wenig es ihn irritierte, unvermeidlich weiter von Gils Kümmernissen hören zu müssen.

Was ist denn nun wirklich los? Er gab sich Mühe, besorgt auszusehen.

Jetzt ist es endlich passiert: Meine Jugend ist tot. Dahin. Vorbei. Das Ich, das mir vertraut war, ist tot.

Gil, wovon redest du eigentlich?

Meine Freundin. Katerina. Die, von der ich dir erzählt habe. Sie hat mich verlassen. Als ich in Venedig war, flog sie nach Jamaika. Kennst du Periklis Papachristou?

Nicht daß ich wüßte.

Doch, du kennst ihn. Du hast ihn in unserem Apartment kennengelernt. P.P., für Powerplay, offensives Spiel. Er ist Agent. Jedenfalls, dieser P.P. mietete ein Haus auf dem Round Hill und lud eine Handvoll Leute ein. Auch Katerina, seine Landsmännin. Dort lernte sie diesen anderen Kerl kennen, der ebenfalls Grieche ist. So ein dreißigjähriger Börsenmakler, geschieden, kinderlos, war eine Zeitlang ständiger Begleiter von Bianca Jagger. Er hat Katerina gleich am ersten Abend flachgelegt, blau und grün war sie danach. Natürlich war sie selig. Als sie zurückkamen, ist sie sofort zu dem Trottel gezogen. Sie hätte die Reise nach Jamaika nicht gemacht, wenn ich in New York geblieben wäre!

Hat sie dich nicht gefragt, ob sie dir treu zu bleiben habe? Du hättest ja sagen sollen.

Quatsch! Wie denn, Schmidt? Ich habe dir doch erklärt, ich konnte sie nicht glauben lassen, ich würde Elaine aufgeben.

Ich erinnere mich. Wenigstens ein Problem bist du damit los: Du mußt Elaine nicht anlügen. Aber im Ernst, was hast du denn erwartet? Wolltest du sie bis in alle Ewigkeit auf deiner Bürocouch beglücken? Solche Geschichten sind nicht von Dauer.

Doch, sie dauern. Nein, du hast recht, sie tun es nicht. Nicht, wenn man eine Frau wie Elaine hat. Ich hätte Katerina mit auf Reisen nehmen müssen und so weiter. Wie Tom Roberts! Er lebt in New York mit seiner Frau, sie sieht aus wie eine alte Zigeunerin, du weißt schon, wen ich meine, und mit ihr geht er zum Essen und zu Einladungen, aber auf Reisen begleitet ihn immer seine Sekretärin. Außerhalb der Stadt ist sie Mrs. Roberts! Aber Elaine würde das nie mitmachen.

Na, siehst du.

Gar nichts sehe ich, nur daß du Null Mitgefühl mit mir hast.

Sie hatten die Flasche mit dem Wein Nummer Zwei ausgetrunken, und Gil bat Carrie, eine neue zu bringen. Diesmal fragte er sie nach ihrem Namen.

Als Katerina mir von dem Trottel erzählte – bis in alle Einzelheiten, deshalb weiß ich Bescheid über ihre erste gemeinsame Nacht –, sagte sie: Weißt du, ich habe dich wirklich geliebt. Wenn du nicht so alt wärst, hätten wir's schaffen können. Es ist besser für mich, mit jemandem in meinem Alter zusammenzusein. Darauf konnte ich gar nichts entgegnen. Daß ich »alt« bin, hätte ich nie gedacht. Immerhin bin ich in guter Verfassung, meine Arbeit ist besser denn je, Frauen mögen mich. Ich habe geglaubt, ich sei älter geworden, aber doch nicht alt. Als sie das gesagt hatte, mußte ich freilich daran denken, wie wir in Katerinas Alter Leute eingeschätzt haben, die damals so alt waren wie wir jetzt, und das hat mich umgeworfen. Du wirst es nicht glauben, aber sie meinte tatsächlich, ich sei fünfundsechzig. Mein Hinweis, ich sei erst einundsechzig, änderte natürlich gar nichts. Was sind schon vier Jahre mehr oder weniger in ihren Augen? Das ist der Grund, warum ich dir sage: Es ist wie der Tod, meine Jugend ist tot! Soll ich dir noch was sagen? Ich entbehre den Sex mit ihr. Jetzt denke ich daran, wenn ich mit Elaine im Bett bin.

Ich habe der Tatsache, daß ich ein alter Mann geworden bin, ohne Hilfe einer Katerina ins Gesicht gesehen, sagte Schmidt. Mir hat es der Spiegel verraten, und ich habe es an meinen veränderten Gefühlen mir selbst und anderen gegenüber gemerkt. Angenehm ist das nicht.

Sie versanken in Schweigen, Schmidt überlegte, wie viel Zeit ihm wohl bis zu Gils nächstem Einfall bliebe. Jetzt war der Zeitpunkt zum Sprechen gekommen. Jedenfalls wollte er reden. Ohne Bryan oder den Mann zu erwähnen. Das änderte ja wohl kaum etwas.

Sieh an, sehr hübsch! Sie sieht wirklich nach was aus. Ich weiß nicht, ob sie als Model arbeiten könnte. Aber Probeaufnahmen würde ich schon mit ihr machen, dagegen habe ich nichts – da sie Schauspielerin werden möchte.

Danke. Das bleibt unter uns, ja? Sie hat mich gebeten, nichts auszuplaudern.

Wem sollte ich es schon erzählen?

Elaine zum Beispiel. Tu es möglichst nicht.

Weißt du schon, wie es weitergehen soll?

Keine Ahnung. Vielleicht mache ich mir gar keinen Plan. Ich habe in meinem Leben schon so entsetzlich viel geplant. Meistens ist es nicht besonders gut ausgegangen. Jetzt brauche ich keine Pläne mehr zu machen; das ist der einzige Vorteil an meiner gegenwärtigen Lage.

Und was ist mit Charlotte? Soll sie von Carrie erfahren?

Ach, das Problem Charlotte. Vielleicht kann man diese Frage auch erst einmal auf sich beruhen lassen. Reicht die Zeit, daß ich dir von Charlotte und ihrer neuen Familie erzählen kann? Das lag mir auf der Seele, als ich dich anrief.

Und ob die Zeit reicht. Vergiß nicht die Mami, die ich zu Hause sitzen habe. Sie lehrt dich, Zeiteinheiten in Ewigkeiten zu zählen.

Als Schmidt alles erzählt hatte, fragte er Gil: Glaubst du, ich habe den Verstand verloren, oder sind die anderen, samt der Seelenklempnerin, nicht ganz bei Trost?

Nein, ich glaube, du spinnst nicht. Ich denke, du bist ausgenutzt worden und hast dich alles in allem sehr gut gehalten. Ein paar Randbemerkungen möchte ich aber doch machen. Wie alt ist Charlotte? Sechsundzwanzig? Siebenundzwanzig? Sie ist erwachsen, und du solltest ihr die Verantwortung für ihr Tun überlassen wie einer Erwachsenen. Also nicht so, wie man gelegentlich versucht, Kinder zur Rechenschaft zu ziehen. Und was ich dir noch sagen muß: Du solltest nicht unterschätzen, wie verletzend Antisemitismus für Juden ist – selbst wenn er so harmlos, man könnte auch sagen: so belanglos daherkommt wie deiner. Nimm mich als Beispiel. Ich habe mich schon oft sagen hören, habe auch dir vielleicht mal gesagt, daß es mir gleichgültig sei, ob Leute antisemitisch sind, solange sie sich nicht in meine Arbeit einmischen oder mir vorschreiben wollen, wo ich wohnen soll; und vor allem, solange sie nicht versuchen, mich in einen Ofen zu stecken. Das stimmt nur zu Hälfte. Vielleicht sogar nur zu einem Viertel. In Wirklichkeit ist es sehr verletzend, nicht beliebt zu sein und weniger geachtet zu werden, als man erwarten darf, obwohl man doch gar nichts getan hat, was solche Ablehnung provozieren könnte. Man fühlt sich behandelt, als sei man abstoßend häßlich, und ist es doch gar nicht. Du kennst den Song von Louis Armstrong: »All my sin is in my skin.« Diese Verletzungen vergißt man nie.

Es tut mir leid, sagte Schmidt. Habe ich dich auch so verletzt?

Vor langer Zeit. Aber damals waren praktisch alle so wie du oder schlimmer, viel schlimmer. Bei dir fiel es nicht so auf. Wie auch immer, jetzt, da ich bin, der ich bin, und da alle Welt versucht, mir in den Hintern zu kriechen, ist es mir wirklich ganz gleichgültig.

Die Kids wollen, daß es nach ihrem Kopf geht; eine Hochzeit in der Stadt, erzählte er Carrie mitten in der Nacht. Zuerst hat es mir die Sprache verschlagen. Dann dachte ich: Laß sie. Wenn sie es unbedingt so wollen. Und hier wohnen wollen sie auch nicht. Ein Haus irgendwo im Norden gefällt ihnen besser; in der Nähe von Jons Eltern wird es sein. Ich werde wohl Charlottes Anteil am Haus kaufen, danach bin ich dann wahrscheinlich zu arm, um dieses Haus halten zu können, also werde ich es verkaufen und in eine viel kleinere Bleibe ziehen, aber das hat keine Eile.

Das ist cool: Weißt du was: Bryan macht auch Bauarbeiten. Wenn du dir Häuser ansehen willst, wo er gearbeitet hat, dann zeigt er sie dir.

Das war etwas, worauf Schmidt sich freuen konnte. Ein Gedanke führte zum anderen. Er überlegte laut, wie es dem Mann inzwischen gehen mochte.

Mr. Wilson? Warum nennst du ihn immer den Mann? Er hat es irgendwie nicht gepackt, sich hier weiter über Wasser zu halten. Ich weiß nicht. Wahrscheinlich ist er in New York. So ein Mist!

Ich habe das Gefühl, er weiß Bescheid über dich und mich.

Ja, ja, der ist schlau! Sie kicherte.

Aber woher? Hast du ihm was erzählt?

Der hätte mich umgebracht. Er hat es geschnallt, als ich dich zum Parkplatz gebracht habe. Da hat er irgendwo rumgestanden.

Aber da war doch gar nichts!

Ich sage dir doch: er ist schlau. Der hat gemerkt, daß ich dich mag. Da war er echt scheiße drauf.

Und Bryan? Hast du ihm von Bryan erzählt?

Das ist was anderes. Das geht ihm am Arsch vorbei. Komm, wir schlafen jetzt. O.K.?

Am nächsten Morgen rief er Dr. Renata an, nachdem Carrie gegangen war. Sie hatte einen Patienten. Er bat, ihr eine Nachricht auf den Anrufbeantworter sprechen zu dürfen.

Renata, hier ist Schmidtie. Wegen des Hauses. Würdest du bitte Charlotte und Jon ausrichten, ich sei bereit, Charlotte auszuzahlen? Sie möchten sich doch mit Dick Murphy bei W & K in Verbindung setzen. Er ist mein Anwalt.

XIII

Am folgenden Mittwoch, an Carries freiem Tag – als er nach neun Uhr versucht hatte, sie zu wecken, mit einem Kuß aufs Ohr und der Frage, ob sie frühstücken wolle, hatte sie nur: Nein, nein, nein gebrummelt und sich tiefer in die Kissen vergraben –, ging Schmidt, wie gewohnt, pünktlich um neun Uhr dreißig zum Postamt, um seine Briefe zu holen. Der tägliche Ausflug dorthin war ein Ritual; er erwartete ohnehin nur Reklamesendungen und Rechnungen und hätte gut einmal wöchentlich, zum Beispiel montags, gehen können. Das hätte keinen Unterschied gemacht. Rechnungen bezahlte er bestimmt nicht täglich. Diesmal freilich wurde seine Gewissenhaftigkeit belohnt: Ein Brief von Charlotte wartete auf ihn. Er wollte ihn nicht vor Carries Augen studieren, und womöglich wurde sie wach oder kam in die Küche, bevor er den Brief durchgelesen hatte. Vielleicht brauchte er auch einen Moment, um sich wieder zu fassen. Er beschloß, den Brief im Süßwarenladen zu öffnen und bei einer Tasse Kaffee zu lesen.

Hatten die Turteltauben einen Laserdrucker zu Hause? Hatte sie den Brief im Büro geschrieben? Jon hatte ihn so oder so gelesen, das stand zweifelsfrei fest. Damit wurde er fast zu einem juristischen Schriftstück: Man weiß nie, wer der wirkliche Autor ist, Mr. White oder Mr. Brown, der unterschrieben hat.

Der Wortlaut des Briefes:

Hi, Dad,

es ist nicht so einfach, am Telefon mit Dir zu reden, und diesen Brief zu schreiben ist ganz bestimmt nicht einfach. Schreiben wird wohl leichter sein. Also schreibe ich. Jon und Renata fanden, ich sollte »Danke« sagen und »Tut mir leid«. Hiermit sage ich beides.

Jon und ich sind Dir dankbar, daß Du eingewilligt hast, mein Anwartschaftsrecht zu kaufen. Jon hat mit Mr. Murphy gesprochen und erfahren, daß das kein Problem ist. Ich hoffe, es macht Dir keine Umstände. Bridgehampton hat sich seit meiner Kindheit verändert, und mir ist die Gegend jetzt zu belebt; sie gefällt mir nicht mehr. Renata und Myron werden sich im Ulster County ansiedeln, dort ist es noch ländlich. Wir werden ihre Nachbarn, und mehrere Paare, Kollegen von Jon bei W & K und aus meinem Büro, die dort schon Häuser haben oder suchen, werden auch in der Nähe sein. In den Hamptons haben wir keine Freunde, und wir wissen nicht, wie wir dort Paare, die zu uns passen, kennenlernen sollen. Ich kann mir nicht vorstellen, daß wir sie über deine und Moms Freunde kennenlernen würden.

Könnte ich wohl ein paar Möbel aus dem Haus bekommen? Ich stelle eine Liste der besseren Möbelstücke zusammen, die Tante Martha gehört haben. Ich glaube, Mom hat sie für mich bestimmt. Ich schicke die Liste bald. Wenn wir ein Haus kaufen, lasse die Möbel doch bitte bringen. Jon läßt Dir sagen, seiner Meinung nach sollten wir den Transport bezahlen. Und würdest Du uns bitte das Silber überlassen?

Ich denke mir, am Ende bist Du ganz froh, daß Dir die Mühe mit der Hochzeit erspart bleibt, vor allem, weil Du die meisten Gäste gar nicht kennen wirst. Außer den Leuten aus der Kanzlei. Es wäre sehr viel Arbeit für Dich geworden, und jetzt kannst Du aufatmen und Deine tägliche Routine wieder aufnehmen. Es muß schön sein, im Ruhestand zu leben!

Wir haben verschiedene Restaurants in Soho und Tribeca ausprobiert. Am besten hat uns das Nostradamus gefallen, an der Ecke Broadway und Spring Street. Die Gegend wirst Du wohl nicht kennen. Das Restaurant gibt es erst seit zwei Jahren. Ein Mann in meinem Büro ist mit der Chefin verheiratet. Sie kocht leichte Cajun-Küche. Sie können 250 Personen unterbringen, und dann bleibt noch Platz zum Tanzen. Eine Band brauchen wir nicht. Wir werden einen DJ engagieren. Sie haben als Preis $ 200 pro Person angesetzt, alles inklusive. Sie sind jeden Abend ausgebucht, deshalb brauchen sie eine Anzahlung von 20 % bis zum Ende der nächsten Woche. Den Scheck kannst Du auf meinen Namen ausstellen. Ich bezahle dann von meinem Konto.

Die Hochzeit wird am 20. Juni sein. Wir heiraten am Morgen in der City Hall, und das Fest beginnt dann um sieben. Renata und Myron werden Anfang der Woche vom Psychoanalytiker-Kongreß in Toronto zurückkommen, und Jon hat das Datum mit den wichtigsten Partnern abgestimmt. Du wirst wohl keine allzu großen Probleme mit Deinem Terminkalender haben!

So hoffen wir, daß Du kommst und Dir ansiehst, wie eine Hochzeit in anderem Stil sich ausnimmt.

Du hast Dich darüber aufgeregt, daß ich zum Judentum übertreten will. Es wird nicht gleich passieren, weil ich noch viel lernen muß, auch wenn ich mich für das Reformjudentum entscheide, aber jedenfalls bewege ich mich in diese Richtung. Die jüdische Religion ist wunderbar, und die Episkopalkirche hat mir nie besonders viel gebracht. Wenn wir Kinder haben sollten, wird es nicht so verwirrend für sie sein. Wir werden ihnen eine spirituelle Basis geben können. Das ist für manche Menschen wichtig.

Der Brief ist lang geworden, scheint mir, also verabschiede ich mich jetzt.

Charlotte

Schmidt gehörte zu den Menschen, die jeden Geschäftsbrief sofort und Privatbriefe möglichst einen Tag nach Eintreffen beantworten. Deshalb geht es nur wenig oder gar nicht auf Kosten der Spannung, wenn der Text seines Antwortbriefs jetzt gleich wiedergegeben wird, während er noch überlegt, was er seiner Tochter sagen soll.

Donnerstag

Liebe Charlotte,

ich habe nicht viel von Dankbarkeit oder Entschuldigung in Deinem Brief entdecken können, aber darüber will ich nicht mit Dir streiten. Nicht in einem Brief, der zum Teil von Deiner Hochzeit handelt.

Mein Scheck zur Deckung der Anzahlung bei Nostradamus liegt bei. Kennst Du das berühmte Buch mit den Voraussagen des Philosophen aus dem sechzehnten Jahrhundert, nach dem das Restaurant benannt ist? Vielleicht macht es Dir Spaß, das Buch zu Rate zu ziehen. Vielleicht wäre es auch klug. Ich kann es nicht ohne weiteres für dich tun, weil die Bücherei in Bridgehampton das Buch nicht hat. Im übrigen gehe ich davon aus, daß Jon eine genaue Aufstellung der Leistungen, die in dem Alles-Inklusive-Preis enthalten sind, bekommen und überprüft hat.

Du hast richtig vermutet; mein Kalender enthält keine anderen Verabredungen für den bewußten Tag. Ich habe mir vorgenommen, am 20. Juni dabei zu sein.

Da ich noch nicht tot bin, kannst Du Moms und mein Silber nicht gleich jetzt bekommen. Ich werde Dir Leuchter, Tabletts und dergleichen Gegenstände aus dem Besitz von Tante Martha schicken. Vielleicht ist es Dir entfallen, aber Deine Mutter hat Marthas Tafelsilber einer ihrer Assistentinnen zur Hochzeit geschenkt. Das muß ungefähr vor fünf Jahren gewesen sein. Aus demselben Grund

– daß ich noch am Leben bin – werde ich mir die Liste mit den Möbeln, die Du haben möchtest, erst einmal ansehen und dann entscheiden, was ich Dir schicken kann, ohne das Aussehen der Räume hier zu verändern. Ich hoffe, Murphy hat Jon erklärt, daß ich mit Deinem Anwartschaftsrecht auch die bewegliche Habe im Haus kaufe, damit meine ich Dein Recht auf diese Habe nach meinem Tod, denn zu meinen Lebzeiten gehört mir das Mobiliar sowieso. Das ist im Preis eingeschlossen. Ich hoffe auch, er hat Euch informiert, daß das Geld bereitliegt. Wir können den Handel jederzeit abschließen.

Ich erinnere mich nicht mehr, was Du mir am Telefon von Deinen und Jons Plänen für die kommenden Wochen gesagt hast. Falls Ihr für ein Wochenende hierher kommen möchtet, seid Ihr herzlich willkommen, aber ich würde darum bitten, daß Ihr Euch ein paar Tage vorher anmeldet. In Zukunft habe ich womöglich gewisse Verpflichtungen.

Dein
Vater

Schmidt fragte sich: Soll ich Renata eine Kopie meines Briefes an Charlotte schicken? Sie hat das Tonband. Wenn sie den Brief erhält, kann sie eine richtige Sammlung anlegen. Am Ende ließ er es: Er schämte sich zu sehr.

XIV

Und wieder ist Carries freier Mittwoch: Zwei Tage vor Frühlingsanfang. Forsythien blühen in dichten Büscheln am Rand des Rasens hinter Schmidts rückwärtiger Veranda. Ihre Farben wirken von Jahr zu Jahr leuchtender. Die Krokusse und Narzissen sind auch schon herausgekommen. Gänse rufen auf dem Teich hinter Fosters Acker. Ungefähr alle halbe Stunde hört man die großen Flügel klatschen, und ein Getümmel von Vögeln nimmt Kurs aufs Meer, erst unterwegs formiert es sich zu einem umgekehrten V. Das ist nur ein schlechter Scherz, genau wie die dicklichen Mädchen mit Frostbeulen, die gestern im St. Patricks-Zug mitmarschierten. Diese Vögel ziehen nirgendwohin. Sie werden am Himmel kreisen und dann zum Teich zurückkehren; dort sind sie geboren, und dort werden sie sterben. Trinker auf dem Heimweg, wenn die letzte Kneipe zugemacht hat, sie torkeln über die Third Avenue zum U-Bahn-Eingang an der 86th Street und pissen gegen die Gitter der geschlossenen Ladentüren.

Es ist so angenehm auf der Veranda. Nur an einem einzigen Tag in der Woche kann sie so wie jetzt die Augen schließen und das Gesicht in der schwachen Sonne baden. Schmidt fragt sich, ob sie wirklich so hart arbeiten muß; er könnte ihr doch einen Zuschuß zum Einkommen anbieten. Würde das die Balance gefährden, sollte er eine Veränderung riskieren? Sie sitzt im Liegestuhl. Inzwischen hat sie wohl alle seine Kleider anprobiert. Die schwere weiße Strickjacke steht ihr sehr gut. Sie sieht darin noch exotischer aus als sonst. Schlummert sie? Die morgendlichen Liebesspiele waren ausgiebig und heftig gewesen; sie hatte ihn bis an seine Grenzen getrieben. In der Nacht zuvor war es zu spät geworden, und sie war zu müde. Sie hatte noch in Sag Harbor vorbeischauen und ein Päckchen für Bryan abliefern müssen. Als Schmidt am Morgen in die Küche hinunterkam, um Frühstück für sich und Carrie zu machen, saß der Bursche schon da. Er hätte sich sein Päckchen also selbst holen können, statt sie mitten in der Nacht noch hin und her fahren zu lassen. Es sei denn. Wenn Schmidt Carrie fragt, wird sie ihm Auskunft geben – genauer, als er es wissen will. Bryan und Carrie – und immer dieselben Gesten, die so monoton sind wie die Mätzchen der Gänse. Ich gehöre dir, Schmidtie, ja so, nimm mich so, hatte sie noch vor zwei Stunden in seine Armbeuge geflüstert. Was braucht er mehr?

Vielleicht ganz gut, daß Carrie nicht zusammen mit Schmidt in die Küche gekommen ist, mit ihm scherzend, ihre Hände unter seinem Bademantel, in seinem Pyjama. Offiziell weiß Bryan nicht Bescheid. Er soll glauben, Schmidt habe nur eine Hilfe gebraucht, die mehr Grips hat und nicht so hastig ist wie die Polinnen, sie müsse die Putzkolonne nicht ersetzen, sondern nur darauf achten, daß die Einkäufe gemacht, die Blumen gegossen werden und dergleichen mehr; als Gegenleistung habe er ihr ein Zimmer mit eigenem Bad angeboten und ein kleines Taschengeld für zusätzliche Arbeiten. Falls Bryan Verdacht schöpft, würde sie ihn beruhigen: Der alte Knacker ißt bei O'Henry's. Der Deal ist gut. Sein Haus ist echt nah beim Restaurant. Im Sommer kann ich das Schwimmbecken benutzen, wenn er nicht gerade selbst schwimmt. Keiner will, daß Bryan ausrastet. Carrie hat das Apartment in Sag Harbor vorläufig noch behalten, weil sie die Sache langsam angehen möchte, und auch – dessen ist Schmidt sich ganz sicher – damit Bryan, wenn er mit ihr schlafen will, dies weder unter Schmidts Dach tun muß noch hinten in seinem Kleinlaster, noch im Hause seines Kumpels, das sie einfach nicht betritt, sie hat nämlich keine Lust, sich von einer Bande vergewaltigen zu lassen. Sie möchte erst einmal sehen, wie sich alles anläßt. Und vielleicht stimmt das sogar.

Einen Vorteil hat dieser Hilfsarbeiter/Künstler: Er spricht meistens kein Wort, es sei denn, irgendwas bringt ihn in Rage, und es scheint ihm auch nichts auszumachen, wenn Schmidt ebenfalls schweigt. Wenn man ihn etwas fragt, antwortet er höflich, mit leiser Stimme und weicher Aussprache wie ein kleiner Junge. Seine Mutter muß ihm vor ihrem Umzug nach Florida eingeschärft haben, keine schmutzigen Worte in den Mund zu nehmen und deutlich zu sprechen. Man könnte ihn für sechzehn halten, dabei muß er fast dreißig sein! Sein Körper hat nichts Kindliches: Er ist untersetzt, aber kräftig. Man kann sich gut vorstellen, daß er jeden Morgen fünf Minuten lang Klimmzüge macht. Kindlich wirkt eher sein vollkommen ovales Gesicht mit den Wangen, die so leicht unter ihrem blonden Flaum erröten. Manches paßt nicht recht ins Bild: der winzige Ohrring, das lange dünne blonde Haar, das zum Pferdeschwanz gebunden ist, das Armband aus falschem Elefantenhaar, die Finger mit den bis zur Nagelwurzel blutig abgekauten Nägeln und ein unangenehmer Zug um die Augen. Zunächst scheinen sie arglos wie Li'l Abner, dieser Comic-Candide, zu fragen: »Wer? Ich?«, aber der aufmerksame Betrachter muß unweigerlich feststellen, daß das Weiße eigentlich gelb ist und daß Bryan niemandem in die Augen schauen kann. Sein Blick ist unstet, ausweichend. Wird es besser, wenn er seine Fliegerbrille aufsetzt? Schwer zu sagen. Es stellt sich heraus, daß Bryan die Tischlerarbeit nur als Broterwerb betrachtet. Eigentlich ist er Künstler. Er hat seine Bilder mitgebracht, damit Schmidt sie ansehen kann. Sie rufen ebenfalls ein ungutes Gefühl hervor, obwohl sie nur banal sind: riesige Leinwände mit tantrischen Mustern bedeckt. Der Junge hat eine Schwäche für Giftgrün, Magenta, Purpur und Pink. Was soll's? Daß Carrie einen Verehrer aus einem exklusiven Yale-Studentenclub wie Skull and Bones hätte, war kaum zu erwarten.

Vielleicht ist es an der Zeit für eine kleine Unterhaltung? Schmidt fragt ihn: Hast du heute deinen freien Tag, Bryan, oder gehen die Geschäfte schlecht? Die Flaute muß auch an der South Fork Auswirkungen haben.

Und wie, Albert. Ganz schrecklich.

Noch eine versöhnliche Eigenschaft. Obwohl Leute mit Bryans Persönlichkeitsmuster in neun von zehn Fällen ihren Gesprächspartner sofort beim Vornamen nennen, am Telefon zum Beispiel, wenn einer aus der Autowerkstatt anruft und sagt, er habe den Wagen jetzt abgeschmiert, hielt Bryan Distanz. Er sagte Mr. Schmidt hier und Mr. Schmidt dort, obwohl Schmidtie, weil er sich beliebt machen wollte, ihm schon bald angeboten hatte, das Mr. zu lassen und die freundliche, familiäre Version seines Nachnamens zu benutzen. Bryan antwortete mit einem charmanten Lispeln: Himmel, das kann ich nicht, das klingt so respektlos! Wenn ich Albert zu dir sage, würde dir das was ausmachen?

Mein Kumpel, der in Springs wohnt, macht sich echt Sorgen. Er zahlt seinen Laster ab. Ich bin gut dran. Ich habe noch diese anderen Jobs.

Ach ja? Sachen, die du machen kannst, wenn mit der Tischlerei nichts los ist?

Stimmt. Ich passe auf Häuser auf, also wenn jemand Ferien in Florida oder in Europa macht, oder wenn Leute nur an den Wochenenden kommen. Und ich fange auch mit der Spezialbehandlung für Autos an.

Was ist das?

Also, wenn du dein Auto supersauber haben willst, sauberer als neu, weißt du! Ich mache den ganzen Dreck und das Fett weg, bis runter zur Originaloberfläche, und dann kommen noch Staubsaugen und Wachs. In der Werkstatt, wo ich arbeite, da sind Kunden, die lassen nagelneue Wagen spezialbehandeln, bevor sie damit fahren. Ich bin jetzt schon echt gut – das ist künstlerische Arbeit.

Er kichert, rollt sich einen Joint und leckt daran, bis das Papier durchgeweicht ist. Jawohl, Sir, ein Spezialist! Ein eigentümlich schwerer Geruch breitet sich mit dem Rauch aus.

Willst du mal probieren, Albert? Nur einmal? Das ist der gute Stoff. Nicht das billige Kraut.

Nein, danke. Ich wollte mir gerade eine Zigarre anstecken.

Hey, gib mir mal, sagt Carrie.

Ihre Augen sind offen. Sie pafft, sie leckt. Dann übernimmt Bryan wieder. Nicht doch, Schmidtie, Ruhe bewahren! Denk dir nichts dabei: Die beiden tauschen doch ganz regelmäßig ihre Körpersäfte aus.

Shit! War kein Witz von dir.

Albert, weißt du, wenn Freunde von dir interessiert sind, ich könnte ihnen was beschaffen. Anderen Stoff auch. Hier draußen kennen sich die reichen Leute manchmal nicht so aus. Sie wollen was kaufen, und sie wollen beste Qualität, aber wissen nicht, wen fragen. Ich stehe für Qualität.

Verpiß dich! Laß Schmidtie in Ruhe. Der hat kein Interesse.

Carries Fauchen – das hört Schmidt zum ersten Mal. Eine Tigerin! Sie würde ihn mit Zähnen und Krallen verteidigen. Trotzdem, die Spannung ist ungemütlich.

Bei mir ist nichts zu holen. Ich habe nicht viele reiche Freunde. Außerdem treffe ich sowieso kaum jemanden.

Aber du kennst sie, Albert, das ist, was zählt. Falls irgend jemand interessiert ist: Anruf genügt.

Verpißt du dich jetzt endlich, Blödmann? Ich hab dir dein Päckchen letzte Nacht gegeben. Was willst du hier überhaupt?

Hey, Carrie, weißt du nicht mehr? Du und ich, wir wollen doch Albert das Haus zeigen, das jetzt auf den Markt gekommen ist. Mach mich nicht an. War doch deine Idee.

Ich mache jetzt was zu essen. Suppe? O.K., Schmidtie?

Natürlich.

Jetzt erinnert er sich. Carrie hat ihm erzählt, daß Bryan und sein Partner für einen Bauunternehmer arbeiten, dessen Kunde zahlungsunfähig ist. Er hatte sich das Haus ansehen wollen; das hatte er gesagt.

Nettes Mädchen, die Carrie, und ganz verrückt nach dir, Albert. Für mich hat sie nie so viel übrig gehabt.

Ich bin eben ein alter Knacker. Ich glaube, ihr macht es Spaß, daß sie jemanden zum Versorgen hat.

Sicher, so wie letzte Nacht. Ich bin mit ihr zugange, und prompt ist die Party aus. Sie muß los, nachsehen, ob mit dir alles in Ordnung ist. Was glaubst du, wie ich mir dabei vorkomme?

Schmidt zuckt die Achseln. Mir ist so, als hätte ich sie gerade sagen hören, daß sie dir letzte Nacht ein Päckchen gegeben hat.

Bryan rollt sich noch einen Joint und streicht den Tabaksbeutel glatt.

Hat sie geliefert, sagt er. Den Stoff hier. Den habe ich von ihr. Hundert Prozent reines Haschisch aus Marokko. Nur das Beste! Da versteht man keinen Spaß. Carrie ist O.K. Sie weiß, wann ich sie brauche. Aber mit dir, das ist was anderes.

Schmidtie, ich möchte fahren. Kannst du das Verdeck aufklappen?

Sie kann wirklich nicht die Finger vom Saab lassen. Sie überqueren die Fernstraße und fahren auf den Streifen Zwergeichen jenseits der Eisenbahnschienen zu. Eine verfallene, schlecht markierte Landstraße: Die Mittellinie kaum zu erkennen, der Asphaltbelag an den Rändern durch den Frost Winter für Winter weiter abgebröckelt. Die Randstreifen bestehen teils aus Sand, teils aus Unkraut. Sie sind übersät mit dem Müll, der aus fahrenden Autos herausgeworfen wird, aus Lastern wie Bryans und aus den Wagen der Schweine, die hier Eigentum oder Mietwohnungen haben: Pappteller, Bierdosen, mit Lippenstift verschmierte Kleenexfetzen, Glasscherben, Zigarettenschachteln und Verpackungen von Burger King. Hier und da aufgeplatzte Plastiktüten, aus denen verfaultes Gemüse, leere Evianflaschen und Hühnerknochen quellen. Auf diese Weise kann man sich den Weg zur städtischen Müllkippe sparen, und wer will schon seinen Abfall im Kofferraum des Kombis mit nach New York nehmen und dem Türsteher in die Hand drücken? Sie fahren an einem grimmigen Alten vorbei, der ihnen auf der anderen Straßenseite entgegenkommt. Er trägt einen dieser weißen Müllsäcke und sammelt tatsächlich das Zeug auf! Ein Penner, der nach Eßbarem sucht? Nein, er trägt saubere weiße Gartenhandschuhe, also wohl ein geistesverwirrter Hauseigentümer. Carrie hupt ihn an, aber er blickt nicht auf.

So ein Hampelmann, ruft sie laut.

Hey, fahr langsam, hier rechts ist es.

Bryan sitzt auf der Rückbank, hinter Carrie. Er greift über die Lehne des Fahrersitzes und packt sie an den Schultern. Eine Hand rutscht tiefer, findet ihre Brust und drückt zu.

Laß das gefälligst! Willst du, daß ich von der Straße abkomme?

Schmidt wirft nachlässig seine Zigarre aus dem Fenster. Es ist nur Tabak, aber er bereut seine Geste sofort. Bryan wird denken: Das ist in Ordnung, Mr. Schmidt macht es genauso – wenn er das nächste Mal ein abgebrochenes Auspuffrohr am Straßenrand ablädt.

Sie biegen in eine Einfahrt ein, eigentlich ist es nur eine Baggerspur. An ihrem Ende die Baustelle, unfertig – der Bauunternehmer ist nicht wieder aufgetaucht, um seinen Müll abzuholen, und planiert hat er erst recht nicht –, ein seltsam aussehendes, wie ein X geformtes, einstöckiges Haus. Der Müllcontainer neben der Stelle, wo die Eingangstür sein sollte, quillt über von Verschalungsbrettern, Holzabfällen und Wellpappe.

Paradiesisch, sagt Schmidt.

Bryan jammert: Sieh dir die Baustelle nicht an, Albert. Den Garten kann man ganz nach deinen Wünschen herrichten.

Natürlich.

Ich schwöre dir's. McManus hat nicht aufgeräumt, weil der Kerl den Vertrag gebrochen hat. Ich habe den Schlüssel. Möchtest du reingehen?

Ein ganzer Ast des X ist ein langer Raum mit zwei Kaminen und einer Küche mit lauter Unterschränken und ohne Wände am anderen Ende, der andere, diagonal dazu verlaufende, teilt sich an der Schnittstelle in zwei Flügel mit Bädern und Schlafzimmern. Eichenfußboden mit eleganter Versiegelung und weiße Wände. Obwohl der Himmel sich inzwischen bezogen hat, ist das Haus sehr hell.

Schmidt hat nie ein Haus oder ein Apartment als erster bewohnt. Das muß eine merkwürdige Erfahrung sein. Jeden Flecken auf dem Anstrich, jede Kerbe im Holzboden hätte man selbst verursacht. Er geht herum, öffnet Schranktüren, schaut sich die Installation und die Küchenarmaturen an, als wisse er, was er tue, erkundigt sich nach dem Keller.

Der ist Spitze, Albert. Komm, sieh ihn dir an.

Tatsächlich: ein hübscher, sauberer Keller mit zwei Stauräumen. Basta. Jetzt kann es sich nur noch um Sekunden handeln, bis Bryan ihm den Vertrag zur Unterschrift unter die Nase hält. Der wird offensichtlich am Gewinn beteiligt.

Danke, Bryan. Hübsches Haus. Wollen wir gehen?

Carrie hat sich auf eigene Faust umgesehen.

Mir kannst du dieses Zimmer geben, kündigt sie an und führt Schmidt zu dem Schlafzimmer am Ende des einen Flügels. Es hat einen Ausgang ins Freie, wo später dann der Garten sein soll.

Einverstanden.

Wenn Albert das Haus kauft, kannst du ihn versorgen, ohne hier zu übernachten. Sag Harbor ist ganz nah von hier. Hab ich recht?

Bryan legt ihr den Arm um die Taille.

Im Sag-Harbor-Hotel trinkt Carrie eine Cola mit Rum, Bryan zwei Bier und Schmidt einen Kognak. Auf der kurzen Fahrt hierher hat Bryan wieder eine Haschzigarette geraucht, wieder mit Carrie zusammen. Schmidt fühlt sich übel ausgenutzt. Er verlangt die Rechnung, zahlt bar, weil das schneller geht, und erhebt sich mit den Worten: Bis bald, Bryan. Ich überlege mir das mit dem Haus.

Es funktioniert nicht. Bryan hat seinen Laster in Schmidts Einfahrt stehenlassen. Carrie rast über die Autobahn. Wenn die Polizei sie anhält, wird man Schmidt in einem haschvernebelten, von einer ortsansässigen Kellnerin gefahrenen Auto erwischen, auf dessen Rücksitz ein Pusher hockt. Ein gefundenes Fressen für die Lokalpresse, gut für die erste Seite. Aber sie kommen ungeschoren nach Hause.

Bryan zieht nicht mit seinem dröhnenden Laster ab. Er

folgt ihnen ins Haus. Carrie ist wortlos nach oben gegangen, vielleicht wollte sie ihn abschütteln. Was soll Schmidt machen? Er sieht seine Post durch, während Bryan in einer Ecke der Bibliothek sitzt und seine Fingernägel bearbeitet. Es dauert eine Weile, bis Schmidt die Lösung findet. Er geht zu Bryan hinüber, hält ihm die Hand hin und sagt: Ich muß jetzt einen Mittagsschlaf halten. Bis bald.

Bryan steht auf, um ihm die Hand zu schütteln, und setzt sich dann wieder.

Ich warte auf Carrie, teilt er Schmidt mit.

In Schmidts Zimmer ist das Bett aufgedeckt. Carrie streckt die Arme nach ihm aus. Was hast du so lange gemacht?

Bryan. Ich konnte ihn nicht loswerden. Schließlich habe ich ihm erklärt, ich brauchte meinen Mittagsschlaf. Aber er ist immer noch da, er sagte, er warte auf dich.

Ja. Er will, daß ich mit ihm nach Sag fahre.

Muß das sein?

Er rastet aus, wenn er so ist wie jetzt. Komm doch, Schmidtie.

Sie ist schon nackt. Sie hockt auf dem Bett, löst ihm den Gürtel, öffnet ihm die Hose.

Später stellt sie wieder ihre Frage: Liebst du mich noch?

Noch mehr.

Und wegen Bryan. Du bist nicht sauer auf mich?

Ich wünschte, er würde tot umfallen.

Ich gehöre zu dir, Schmidtie. Bitte, liebe mich. Ich bin bald wieder da. Wartest du auf mich?

Der Laster setzt zurück, schrammt zu schnell über den Kies. Er war so tief in ihr, und jetzt wird sie sich unter diesen Kerl legen und die Beine, die Hinterbacken öffnen. Wenn sie dann wer-weiß-wann wiederkommt, wird sie sich an seinen Hals schmiegen und flüstern: Komm, wir schlafen, Liebling. Erschöpft? Gesättigt? Vielleicht ist es auch so etwas wie Bescheidenheit: der Wunsch, frischer zu sein, wenn er sie nimmt.

Die vielen Fotos von Mary und Charlotte, allein und mit ihm zusammen, die auf der Kommode links vom Bett aufgebaut waren, sind verschwunden. Sie stehen jetzt auf einem Regalbrett im Schrank, immer zur Hand, wenn er sie ansehen möchte. Das ist seine Form der Bescheidenheit. Die Schmerzen, die Mary während ihrer letzten Lebenswochen in diesem Bett litt: War das eine Form der Sühne? So schwere Sünden kann Mary gar nicht begangen haben, daß sie eine solche Strafe verdient hätte. Die Vergangenheit ist fern und nah zugleich, und doch scheinen alle ihre Sünden läßlich zu sein: kleine Lügen, kurz aufflackernder Zorn, vielleicht Stolz. Aber es war ein Stolz, wie er den Schülerinnen in Miß Porters Institut und im Smith College anerzogen wurde, eine Eigenschaft, für die man Mädchen zu loben pflegte. Selbstachtung gehörte sich; sie sollten immer daran denken, wer sie waren und wieviel Grund zur Dankbarkeit sie hatten. Mary tat das mit Sicherheit. Und das, was ihn quält? Charlottes unnatürliche Abneigung gegen ihn, die eisige Einsamkeit, Bryan und der Mann – diese Falle, die ihn zu einem Leben in Sehnsucht und ohne Hoffnung verdammt? Wenn das die ihm vor der Zeit zugemessene Sühne ist, dann muß sie ihm wegen Corinne auferlegt sein, als Bestätigung dafür, daß der Allmächtige auf Symmetrie achtet. Natürlich wäre es undenkbar, daß sich tatsächlich jemand der Mühe unterzöge, Milliarden von Sündenkonten einzeln auszugleichen. Der Job war inzwischen zu schwer für die gerechten Götter, von denen man sagt: »Aus unsern Lüsten /Erschaffen sie das Werkzeug, uns zu geißeln.« Die endgültige Lösung war global: unaufhörliche Folter, nach dem Zufallsprinzip verteilt, aber unentrinnbar. Man mußte sich nur daran erinnern, daß alle Leben schlimm enden.

Derlei Dinge vereinfacht man gern, vor allem für Kinder. Er erinnert sich, wie Mary und er der achtjährigen Charlotte immer wieder die Langspielplatten von *Don Giovanni* vorspielten und ihr die Geschichte erklärten, bevor sie das Kind zur Aufführung in die Metropolitan Opera mitnahmen. Als sie nach der Matinee auf dem Heimweg waren, fragte er sie, was ihr am besten gefallen habe. Wie der Mann aus Stein zum Essen kommt und immer so geht: ta ta ta ta, erzählte sie ihm und konnte gar nicht mehr mit dem ta ta ta ta aufhören. Er war ganz entzückt von ihrer Antwort und versicherte ihr, sie habe es genau richtig verstanden. Zuerst tötet Don Giovanni den Komtur. Dann verhöhnt er den toten Mann, indem er seine Marmorstatue zum Essen einlädt. Dann hat er obendrein noch die Frechheit, zu vergessen, daß er ihn eingeladen hat, setzt sich zum Essen, ohne auf seinen Gast zu warten, und fängt an zu schlingen. An dieser Stelle singt Schmidt sehr falsch: *Ah, che piatto saporito* und *Ah, che barbaro appetito!* Kein Wunder, daß der steinerne Gast ärgerlich ta ta ta ta in den Speisesaal schreitet und den Verführer in die Hölle hinabzieht!

Wenn Sühne so passend personalisiert wird, dann, meint Schmidt, kann er sie verstehen, vielleicht sogar, *à la rigueur*, an das System glauben. Der Verfasser des Librettos, und Tirso de Molina vor ihm, behaupten, daß Don Giovanni hätte entkommen können. Wenn er Elvira nicht verhöhnt, wenn er dem Komtur gehorcht, wenn er nur bereut hätte! Wie soll er, Schmidt, gerettet werden? Indem er von Carrie läßt? *Sei pazzo!* Um nichts in der Welt! Es müßte möglich sein, Bryan zu kaufen, gegen eine Summe, die er, Schmidt, sich leisten könnte. Und wenn der Mann wieder auftaucht, kann er ihn festnehmen lassen und dafür sorgen, daß er in eine Klapsmühle gesteckt und so lange dort verwahrt wird, bis es nichts mehr ausmacht, ob er wieder herauskommt. In Wingdale zum Beispiel, wenn die Anstalt noch in Betrieb ist; er würde seinen alten Freund, den Sekretär des Gouverneurs, einmal anrufen und ihn bitten, mit den richtigen Leuten zu reden. Der Bursche ist eindeutig ein öffentliches Ärgernis und gefährlich dazu. Aber Bryan ließe sich vielleicht nicht auf Dauer »kaufen«. Er würde vielleicht das Geld einstecken und ihm ins Gesicht lachen. Wenn er in früheren Zeiten seinen Mandanten davon abgeraten hatte, Bestechungsgelder zu zahlen, aber fürchtete, sie weder mit moralischen Argumenten überzeugen zu können noch mit dem Hinweis darauf, daß die Wahrscheinlichkeit, erwischt zu werden, hoch sei, dann hatte er sich gewöhnlich auf das Argument von der scheußlichen Ineffizienz solcher Methoden konzentriert. Er hatte gesagt: Man könne nicht wissen, ob es nötig sei, Geld zu zahlen – der Regierungsbeamte tat vielleicht sowieso, was der Mandant von ihm wollte –, und wenn er das Geld annahm und nichts tat, könne man keinen Regreß von ihm verlangen. Vielleicht sollte er ausnahmsweise einmal selbst auf die Stimme seiner Vernunft hören. Andererseits besteht immer noch die Chance, daß Wingdale klappt.

Aber dann wird ihm klar, daß keine von beiden Lösungen akzeptabel ist, selbst wenn sie wirksam wäre. Carrie findet womöglich heraus, was er getan hat: Dieses Risiko kann er nicht eingehen. Es ist besser, keinen Plan zu haben.

Als er aufwachte – am Ende hatte er tatsächlich einen Mittagsschlaf gehalten –, war es dunkel. Er zog sich schnell an, weil er das Bedürfnis hatte, aus dem Haus und unter Menschen zu gehen. Im Haus eingeschlossen fühlte er sich genarrt, er mochte sich noch so drehen und wenden: Charlottes Anwesenheit und Charlottes Abwesenheit wie die Zwillingsmasken von Komödie und Tragödie in einer Allegorie, die er nicht entschlüsseln konnte. An jedem anderen Abend wäre er schnurstracks zu O'Henry's gefahren. Heute kam das nicht in Frage.

Unmittelbar nach der Law School und bevor er Mary kennenlernte, ging er mit einer Empfangsdame bei W & K aus, einer Kusine jener Bostoner Debütantin, die ihm durch den Mechanismus der unwillkürlichen Erinnerung sofort lebhaft vor Augen gezaubert wurde, als er am Telefon die Stimme von Gil Blackmans launenhafter Assistentin hörte. Die Empfangsdame war nett zu ihm, aber nicht so nett, wie er es sich gewünscht hätte. Er hatte den Verdacht, ein Oberassistent, den sie, wie sich zeigte, schließlich auch heiratete, dürfe sich bei ihr gewisse Freiheiten erlauben. Eine kurze, aber beschämende Zeitlang rief er sie immer an, wenn er abends lange arbeiten mußte oder wenn sie sich mit ihm nicht hatte verabreden wollen. Wenn sie dann den Hörer nicht abnahm, schloß Schmidt sofort, daß sie mit seinem Rivalen zusammen war, und ließ seiner Phantasie freien Lauf. Der Gedanke, daß sie Freizeitbeschäftigungen hatte, die nicht mit Männern zusammenhingen, daß sie vielleicht mit einer anderen Frau ins Konzert oder ins Kino ging, dieser Gedanke kam ihm nicht. Das Zeitalter der Anrufbeantworter war noch nicht angebrochen: Er konnte sie nicht ständig anrufen, nur um immer aufs neue den Klang ihres Versprechens auf Rückruf auszukosten. Wenn sie sich meldete, deckte er schuldbewußt eine Hand über den Hörer, horchte und legte nach ein bis zwei Minuten auf. Aber Charlotte zu hören! Ihm fiel ein, daß er mit Sicherheit ihre Stimme – wenigstens vom Band – hören würde; es sei denn, Riker war schon aus dem Büro zurück. Er wählte die Nummer und ließ das Telefon klingeln, bis der Anrufbeantworter sich einschaltete.

Halb neun. Es mußte eine Neun-Uhr-Vorstellung in Southampton geben, in einem dieser Kinos von Schuhkartongröße, in die man das alte, nach Schimmel riechende Lichtspielhaus aufgeteilt hatte. Jeder Film war ihm recht.

Er parkte sein Auto an der nächsten Ecke. Noch fünfzehn Minuten bis Vorstellungsbeginn. Keine Warteschlange an der Kasse. Er kaufte sich eine Karte und ging zum Schaufenster des Nachbargebäudes, um sich die Kastenwagen und Kabrios im Ausstellungsraum von General Motors durch die Scheiben anzusehen. Was sollte er mit Marys Wagen machen? Ihn Carrie schenken. Es war absurd, sie eine alte Mühle fahren zu lassen, während der Toyota ungenutzt in der Garage herumstand. Oder er konnte den Toyota gegen ein anderes Auto in Zahlung geben und dieses Carrie schenken. Dabei würde er draufzahlen, und es war dumm, ein Auto abzustoßen, das kaum dreißigtausend Kilometer gefahren war, aber es wäre die elegantere Lösung. Dann gab es auch noch Charlottes Wagen, den sie bei ihrem letzten Besuch zurückgelassen hatte. In ihrem Brief hatte sie ihn nicht erwähnt. Nun hatte sie ja zwei Ratgeber, den Anwalt Riker und Dr. Renata, vielleicht war sie deshalb inzwischen darauf gekommen, daß der Wagen, der auf Schmidts Namen eingetragen war, ihr gar nicht wirklich gehörte. Bei den Diskussionen des taktischen Vorgehens hatten die beiden ihr wahrscheinlich geraten: Wenn du deinem Alten das Silber abschwatzt, darfst du nicht gleichzeitig auch noch den VW verlangen! Sonst flippt er aus!

Er sah auf die Uhr. Noch Zeit, in der Bar gegenüber schnell etwas zu trinken. Er machte sich auf den Weg. Aber am Anfang des Gäßchens neben der Bar stand, wie aus Stein gemeißelt, der Mann, starrte Schmidt an und zeigte keinerlei Überraschung. Er hielt eine braune Papiertüte in Brusthöhe. Den Frühling vorwegnehmend, trug er einen hellen Staubmantel. Auf seinem Kopf thronte ein fleckiger grauer Filzhut.

Komm rüber, du Bastard, alter Bock, du, brüllte er Schmidt an. Ich warte auf dich. Mit dir hab ich ein Hühnchen zu rupfen!

Schmidt machte auf dem Absatz kehrt. Als er es bis ins Kino geschafft hatte, fand er einen Platz ziemlich weit vorn, in der Mitte der Reihe, mit Leuten zu beiden Seiten. Als der Film zu Ende war, hatte er sich beruhigt. Der unsägliche Dreck und Gestank des Mannes – das war es, was ihm Angst einjagte, nicht dessen Körperkraft. Eine Angst wie vor Ratten, die in Abfällen wühlen. Er würde sie überwinden.

Mary hatte ausgiebige Bäder genommen, Carrie zieht Duschen vor. Im Bad steht ein weißer Korbsessel. Darin sitzt Schmidt und schaut Carrie beim Duschen zu. Nicht lange, nachdem er aus dem Kino zurück war, kam sie aus Sag Harbor. Sie so zu sehen ist überwältigend und erregend: Ihr Körper ist so jung, so ganz ohne Mängel. Der Kontrast zwischen den schweren Brüsten und dem langgestreckten Leib, der immer an der Grenze zur Erschöpfung zu sein scheint, dieser Kontrast ist nicht störend; für Schmidt hat er unsagbaren Zauber. Der Anblick erinnert ihn an die Traurigkeit bestimmter Degas-Tänzerinnen – zum Beispiel das Mädchen mit dem fragend emporgewandten Gesicht, das sich, einen Fuß auf dem Stuhl, die Schuhe schnürt. Carrie wird bei der Liebe immer so ernst, daß Schmidt sich anfangs fragte, ob er ihr weh tat, ob sie vielleicht Trost brauchte. Aber so ist es nie: Sie ist so ernst, weil sie sich rückhaltlos dem Moment hingibt und weil die Intensität der Klimax sie überwältigt. Allmählich meint er, daß ihre heftigen, lang anhaltenden Orgasmen die Belohnung für ihren Ernst und ihre Großmut sind.

Sie hat sich mit äußerster Sorgfalt gewaschen. Schmidt muß lachen, weil sie ihrem Bauchnabel so viel Aufmerksamkeit widmet. Sie hat ihm ein winziges, nadelfeines Loch darin gezeigt und ihm erzählt: Da hatte ich einen Ring durchgezogen. Das war irre! Schmidt wüßte gern, welcher ihrer Liebhaber sich diese Markierung gewünscht hat. Er hat sie nicht gefragt; er fürchtet, es war Mr. Wilson, obwohl das grotesk erscheint. Als sie fertig ist, erhebt sich Schmidt und hält ein Handtuch für sie bereit, hüllt sie ein und tupft sie ab, bis sie trocken ist. Die Zähne hat sie sich schon geputzt. Er hebt sie hoch und trägt sie auf seinen Armen ins Bett, nicht ohne unterwegs die Lampen auszuschalten. Tut mir leid für den kleinen Freund, flüstert sie ihm ins Ohr, und einen Augenblick danach: Ich liebe dich, mein Liebling, heute nacht geht es nicht. Er hat mich eine Stunde lang genagelt. Brutal. Das Arschloch war so abgedreht, daß er nicht kommen konnte. Ihre Finger sind weiter beschäftigt. Liebst du mich noch? Ist das gut, Schmidtie?

Später, als ihr Kopf schon an seine Brust gekuschelt liegt, erzählt Schmidt ihr, daß er den Mann gesehen hat, und fragt sie, ob sie wisse, daß er wieder da sei. Sie weiß es; er hat vor dem Restaurant auf sie gewartet.

Carrie, nagelt der Mann dich?

Du klingst komisch! Kannst du nicht sagen: Mr. Wilson? So heißt er.

Tut er es?

Als er hier ankam, hat er es zuerst versucht. Hat sich bei mir gewaschen und hat's versucht und versucht. Nichts! Er konnte nicht. Er war so durchgeknallt, daß er mich geschlagen hat. Nein, nicht schlimm, hat mich nur rumgeschubst.

Was willst du tun, wenn er es wieder versucht?

Das macht er nicht. Macht er einfach nicht. Nicht jetzt, wo ich mit dir zusammen bin.

Wieso? Woher weißt du das?

Hat er mir gesagt. Daß du jetzt kriegst, was er immer hatte, und so. Ich soll nicht vergleichen, das will er nicht.

Dann wird er mich umbringen wollen.

XV

Quogue hatte sich tapfer und mit beträchtlichem Erfolg der Invasion der Juden entgegengestemmt, als sie jene Grundstücke an der Bucht in ihren Besitz bringen wollten, derentwegen der Ort in den Augen vieler Partner und Mandanten von Schmidt eine so begehrenswerte Wohngemeinde am Strand war. Und dennoch hegte Schmidt generell ein tiefsitzendes Vorurteil gegen Quogue und dessen gesamte Bevölkerung – die Einheimischen wie die Sommer- und Wochenendgäste.

Das fing schon damit an, daß nach Schmidts Regelkanon alle Städter im Westteil des Suffolk County auf Long Island sowieso geldgieriges Gesindel waren: Der unternehmerische Teil davon, die Immobilienhaie, bauten zu Spekulationszwecken die Häuser, die Schmidts Landschaft entstellten, und der Rest bestand aus Autohändlern und Versicherungsvertretern. Und Quogue gehörte für Schmidt, ohne Rücksicht auf die geographischen Fakten, zu diesem Teil des Bezirks. Die Ortsansässigen im Ostteil beschäftigten sich eher mit Rasenmähen, mit der Wartung von Klärbehältern und mit Gemüseanbau (lauter Aktivitäten, die Schmidt achtete und die seiner Meinung nach den Sinn für Höheres stärkten), wenn sie nicht Fischer waren, eine hart arbeitende, aber vornehme und bedrohte Art. Schmidts Widerwillen gegen Bryan hatte jedoch nichts damit zu tun, daß der junge Mann in Quogue geboren war. Er verabscheute Bryan, weil er so verschlagen war und weil er Ansprüche auf Carries Körper anmeldete. Schmidt hatte sich noch nicht entschließen können, nachzuforschen, ob und wie weit diese Ansprüche unwillkommen waren.

Und der Ort gewann in Schmidts Augen auch nicht dadurch, daß ausgerechnet diese Partner und Mandanten Häuser in Quogue besaßen. Daß Schmidt Umgang mit solchen Leuten pflegte, hatte Jon Riker bei Charlotte als schlagendes Beispiel für den Antisemitismus ihres Vaters angeführt; dabei fühlte Schmidt sich unter ihnen gar nicht wohl. Als Spezies waren sie für seinen Geschmack zu jovial und zu gesellig; sie planten gern muntere Gruppenaktivitäten, fest überzeugt, sich großartig zusammen zu amüsieren; ebensogern wärmten sie die Erinnerung an gemeinsam Erlebtes mit einer Genauigkeit wieder auf, die ein absolutes Gedächtnis vermuten ließ: Eigentlich war alles ganz phantastisch gewesen, auch wenn Jimbo sich beim Sturz auf der Spanischen Treppe die Kniescheibe gebrochen hatte, auch wenn Mary Janes Ärzte sie nicht von dem Durchfall kurieren konnten, den sie sich in Cancún zugezogen hatte. Inzwischen wird wohl deutlich geworden sein, daß Bonhomie nicht zu Schmidts hervorstechendsten Merkmalen gehörte. Außerdem hatten die Männer Mary irritiert, weil sie kein Verständnis für Verlagsarbeit hatten, und die Ehefrauen, deren Existenz durch Kindererziehung und wohltätige Werke definiert war, hatten sie gelangweilt und ihre Geduld strapaziert.

Deshalb war seine erste Regung beim Anblick der recht lang geratenen, mehrfach gefalteten Einladung der Walkers zur Feier ihres dreißigsten Hochzeitstages, die in ihrem Haus in Quogue am zweiten Samstag im Mai stattfinden sollte, eine Absage zu schicken. Die Einladung war an sein Büro adressiert; er erinnerte sich nicht, einen Kondolenzbrief von ihnen gelesen zu haben; vorbei war vorbei; diese ehemals enge Freundschaft gehörte der Vergangenheit an. Auf dem Fest würden andere Leute sein, die zur selben peinlichen Kategorie der verflossenen Freunde gehörten: Paare aus Schmidts Freundeskreis während seiner Studienzeit an der Law School, andere, mit denen er und Mary in den Jahren danach regelmäßig zum Essen gegangen waren, und dann das Strandgut aus gescheiterten Ehen. In solchen Fällen war schwer vorherzusagen, wessen Chancen auf Bergung aus dem Schiffbruch größer waren, die der Frau oder die des Mannes. Aussehen und Anziehungskraft waren oft ausschlaggebend, der attraktivere Partner setzte erneut die Segel.

Das waren Freundschaften, die ihren Höhepunkt gehabt hatten, als die meisten jungen Paare an der Upper West Side oder zwischen Washington Square und Gramercy Park wohnten. Damals zahlten die berühmten Firmen, für die die Männer arbeiteten, jungen Anwälten jammervoll niedrige Gehälter, aber die alten Sozii erwarteten von den neuen Mitarbeitern und ihren Frauen, daß sie sich kleideten wie Mommy und Daddy und lebten wie Miniaturausgaben von Mommy und Daddy; offenbar gingen die Herren davon aus, daß jedermann einen kleinen Treuhandfond zur Verfügung hätte, der diesen Lebensstil ermöglichte. Also richtete man sich danach; daß man es konnte, war ein Stammesmerkmal; man beherrschte diese Kunst so selbstverständlich wie das Auftakeln eines Segelboots. Manchmal mieteten zwei unzertrennliche, gut aussehende, energiegeladene Paare mit ihren vollkommenen, flachshaarigen, energiegeladenen Bilderbuchkindern zusammen ein großes Haus in Amagansett am Strand oder in Water Mill an der Nordseite der Fernstraße. Die Ehemänner waren alle etwa zur gleichen Zeit Studenten an der Law School gewesen. Manchmal luden sie Alleinlebende wie Schmidt ein, übers Wochenende mit hinauszukommen, zu Maiskolben und Gin und um den Kindern beim Spielen in der Brandung zuzusehen. An einem solchen Wochenende bei den Walkers – Ted Walker hatte ihn eingeladen – verblüffte Schmidt

Mimi, Teds gertenschlanke Frau aus Philadelphia: Er dünstete für sie einen ganzen Lachs und dekorierte ihn dann mit sahniger gelber Mayonnaise, die er aus dem Nichts gezaubert hatte, indem er mit einem kleinen Schaumschläger in einer Schüssel Eigelb mit Erdnußöl verrührte. Der Kommentar dazu wurde ein geflügeltes Wort: Jeder andere hätte einfach zu einem Glas Hellmann's Fertigmayonnaise gegriffen, nur Schmidtie nicht.

Trotzdem, warum sollte er zu dem Fest gehen? Waren ihm diese Leute noch wichtig oder er ihnen? Man konnte nicht bei einem Drink oder über einem Teller mit kaltem Kalbsbraten erzählen, wie das Leben den Walkers oder ihm mitgespielt hatte, seit sie einander bald nach seiner Hochzeit mit Mary aus den Augen verloren hatten. Und erst der Rest der Gruppe! Vermutlich war es schon eine Preisaufgabe, auch nur die Hälfte von ihnen wiederzuerkennen; dazu müßte man aus der Erinnerung Haarfarbe oder gar Haare ergänzen, müßte die Krater in der Haut, diese Spuren kleiner Krebsoperationen, retuschieren, müßte sich Bäuche und Hinterteile wegdenken. Und dennoch: Als er nach dem Frühstück den Text der Einladung durchlas – eigentlich war es eine bebilderte Familiengeschichte, jede Wende mit Ausrufungszeichen versehen, mit Fotos von den Walkers und ihren Kindern in verschiedenen Altersstufen –, packte ihn die Neugier. Die Geschichte von Ted und Mimi schien so glücklich und ihr Leben so wunderbar einfach zu sein. Wie war so etwas? Wie schafften sie das? Das müßte herauszufinden sein: Eine derartige soziologische Expedition würde er in Zukunft nicht mehr ohne weiteres unternehmen können, falls Carrie, wie er ihr verschiedentlich und unklug vorgeschlagen hatte, mit ihm leben und ihre Arbeit aufgeben sollte. Das Essen würde als Büffet ausgerichtet sein: Er konnte also gehen, wann er wollte. Niemand würde ihn vermissen.

Als er die fünfzig Kilometer von Bridgehampton gefahren war und sich in Teds und Mimis Haus befand, erinnerte er sich an sein Schwanken und seine Neugier und hätte laut lachen mögen, weil alles so einfach war – nur daß sein bohrender Neid ihm das Lachen vergällte. Das Haus hatte große Ähnlichkeit mit seinem eigenen: braune Schindeln, Veranden mit Fliegengitter, himmelblaue Fensterläden und ringsum alte Bäume. Auf dem gepflegten Rasen hinter dem Haus spielte eine Band New-Orleans-Jazz. Die Abnehmer der von nett aussehenden Einheimischen herumgereichten Getränke, Kanapees und Häppchen waren ältere Typen, die er zum guten Teil ohne ihre Namensschilder identifizieren konnte, und junge Leute vom selben Zuschnitt und derselben gesunden Frische wie die vorzeigbaren unter den neueren Mitarbeitern bei W & K. Ein Zelt gab es nicht; er vermutete, daß das Haus Platz genug für diese Masse von Gästen bot, und die Nachtluft wäre sowieso zu kühl für den Aufenthalt im Zelt, falls es nicht geheizt war. Für Charlottes Hochzeit hatte er ein großes Zelt dicht an der hinteren Veranda aufstellen wollen, so daß die Leute zwischen Haus und Zelt hin und her gehen konnten. Das war der eine Unterschied. Der andere war sein verdammtes Pech; nur das, sonst nichts: erst Mary und dann die schreckliche Geschichte mit Charlotte. Ohne diesen ungebührlichen Streit hätte er es schaffen können. Ted besaß keinen Pfennig mehr als er. Er hätte ein fabelhaftes Fest geben können – Mary und er hätten es spielend geschafft, ohne einen Finger rühren zu müssen. Alles, was ihm fehlte, war ein Anlaß zum Feiern. Aber Moment mal: Warum nicht eine Party schmeißen, um Carrie in die Gesellschaft einzuführen? Bryan könnte die Autos parken und der Mann mit geschwärztem Gesicht hinter der Bar stehen – falls man ihn finden und säubern konnte! Eines war sicher:

Ein Rätsel war hier nicht verborgen. Dies war nur eines von vielen Festen, die ein Partyservice ausgerichtet hatte nach den Wünschen eines netten Paares, dessen Leben noch nicht zerbrochen war. Nur eine Frage der Zeit, bis sie an die Reihe kamen.

Das Schicksal der Walkers und seiner anderen ehemaligen Freunde, die sich hier und da versprengt unter den Gästen fanden, war Schmidt zwar vollkommen gleichgültig, aber daß Leute, die er einst gut gekannt und seit Jahrzehnten nicht mehr gesehen hatte, nicht neugierig auf ihn waren, das konnte er trotzdem schlecht verwinden. Zum Beispiel Ted: Er war tadellos höflich und herzlich gewesen, hatte Schmidt dann aber einfach stehenlassen und sich mit der typischen Floskel des geschäftigen Gastgebers: »Warte hier, ich komme gleich wieder« davongemacht, ohne dafür zu sorgen, daß er einen Gesprächspartner fand. Im Stich gelassen, ging Schmidt kreuz und quer über den Rasen, näherte sich Gesprächsgruppen, wanderte wieder weiter, äußerte Meinungen und stellte Fragen, die, wie er wußte, weder ihn noch sein zufälliges Opfer interessierten. Es ärgerte ihn, daß andere sich in Unterhaltungen einmischten, die er begonnen hatte, um sich alsbald von ihnen ausgeschlossen zu fühlen; er trank mehr und schneller als sonst, weil er hoffte, daß der häufig wiederholte Gang zur Bar sein zielloses Herumirren kaschieren würde. Dann rief ihn jemand; die Stimme kannte er. Sie gehörte Lew Brenner, seinem ehemaligen Sozius. Was für eine Überraschung: Waren die Mauern von Jericho eingestürzt?

Er sagte: Schön dich zu sehen, Lew. Was machst du denn bei den Walkers?

Wahrscheinlich dasselbe wie du. Ich lasse mir's gutgehen! Ist doch eine tolle Gelegenheit!

Ich wollte damit sagen: Ich wußte gar nicht, daß du sie kennst.

Wir sind seit Jahren befreundet. Tina und ich spielen in der Stadt einmal in der Woche ein Doppel mit ihnen, wenn nicht einer von uns unterwegs sein muß. Du weißt ja, wie das ist!

Hinter Schmidts Rücken. Auch das war stark.

Das ist ja nett, Lew. Wie steht's in der Kanzlei?

Nicht schlecht, wir kommen langsam aus der Talsohle raus. Die Bilanz für '92 dürfte ausgeglichen sein, das ist nicht toll, aber besser als '91! Da haben die Sozii gesagt, daß sie für einen Auftrag morden würden. Ich konnte natürlich nicht klagen, damals so wenig wie heute, weil die Auslandsarbeit nie nachgelassen hat, und dein Jon Riker und die anderen von der Konkurs-Gruppe machen großartige Sachen!

Gut für dich, Lew. Gut für Jon. Weißt du, ich höre nicht mehr viel von W & K.

Selbst schuld! Du solltest mal vorbeikommen, zum Essen der Kanzlei gehen. Die Kollegen vermissen dich.

Das kann ich nicht glauben! Lew, sag mir, fühlst du dich wohl hier, fühlst du dich wohl auf solchen Parties?

Was meinst du damit? Sicher, ich amüsiere mich gut heute abend.

Das sehe ich. Eigentlich habe ich gemeint: Wie machst du das, wie schaffst du es, dich zu amüsieren?

Heute abend ist es was Besonderes, weil wir Ted und Mimi und die Kinder so gern mögen. Aber ganz allgemein? Ich weiß nicht. Parties sind gut für ein oder zwei Drinks, man redet mit ein paar Leuten, man wirbt Mandanten. Stimmt's? Ich nehme sie nicht weiter ernst.

Wahrscheinlich hast du recht, Lew. Aber diese Veranstaltungen bringen mich immer ganz durcheinander.

Möchtest du mitkommen und Tina guten Tag sagen?

Gern, aber erst sollte ich noch Mimi begrüßen. Du bist

ein guter Mann, Lew. Ich wünschte, wir hätten uns in all den Jahren besser gekannt.

Dazu ist es nie zu spät!

Obwohl es schon nach elf Uhr war, ging er als einer der ersten. Die Band war ins Haus umgezogen und arbeitete sich durch »St. Louis Woman«. Durch die hohen Fenster konnte er die Älteren im Stil der fünfziger Jahre tanzen sehen; die Frauen schmiegten sich an die Männer. Kein Problem: Er würde vor Carrie zu Haus sein.

Als er das Ende der geteilten Fernstraße erreichte, hatte sich der Nebel verdichtet. Schmidt kümmerte das nicht weiter. Ein Saab ist eine feste Burg. Er schaltete die Nebelscheinwerfer ein, richtete die Augen auf die frisch nachgezogene Mittellinie und trat aufs Gaspedal. Im Radio gab es eine Diskussionsrunde über Rassenhaß und Gewalt, über die Cops von L.A., die Rodney King zusammenschlugen, und die Schwarzen in L.A., die Reginald Denny zusammenschlugen. Schmidt hatte beide Szenen im Fernsehen gesehen. Niemand stellte die entscheidende Frage: Wieso wird einem Mann nicht übel, wenn er hört, wie sein Stock auf den Kopf, die Schultern, den Rücken eines anderen Mannes kracht? Warum spürt er die Schläge nicht am eigenen zuckenden Leib und hört auf? Wirkt so der Adrenalinstoß, den Wut auslöst? Ihm war klar, daß er unter Adrenalinmangel litt. Warum sonst hatte er noch immer nicht den Sergeanten Smith auf den Mann losgelassen, ohne sich weiter um den alten Zausel zu kümmern? Eben deshalb, weil er nicht Sergeant Smith war. Sehr komisch! Inzwischen rückte ihm der Mann immer mehr auf den Leib. Kuckuck! Da bin ich. Kuckuck! Hier! Man konnte meinen, er hätte sich im Badehaus häuslich eingerichtet! Vielleicht war er dort und wurde still und heimlich von Carrie versorgt.

Er bog bei der ersten Gelegenheit von der Route 27 ab,

und er war noch keinen Kilometer gefahren, da merkte er, daß das ein Fehler gewesen war. Dies war kein Nebel mehr; er fuhr wie durch eine Wolke. Was tun? Zurück auf die Schnellstraße zu kommen war nicht so einfach, und irgendwann mußte er sowieso in Richtung Strand fahren. Ach zum Teufel! Er hatte hier jede Straßenkurve im Kopf. Anderen Autos würde er nicht begegnen; darum mußte er sich keine Sorgen machen. Die Diskussionsrunde, die sich über die menschliche Natur ausließ, ging ihm auf die Nerven. Er drehte am Radioknopf und suchte Jazzmusik. Es gab keine, nur Gerede oder Country-Musik. Zum Teufel nochmal. Dann sang er sich eben selbst was vor. Volldampf voraus zur Melodie von *L'amour est l'enfant de Bohème.* Nicht summen, den Text, bitte! *Toreador, toreador, l'amour, l'amour, t'attend.* Sehr passend! Nein, in einer Wolke steckte er nicht. Er steckte mit einem schwarzen Saab Kabrio in einer Riesenflasche Milch. Schmidts Erregung wuchs. War er ein Pferd, das den heimatlichen Stall wittert, oder hatte er vielleicht doch noch einen Adrenalinstoß? Dies war fast das Ende des ersten geraden Stückes der Mecox, er spürte in den Knochen, daß die Kurve kommen mußte, dann noch ein gerades Stück und dann die Ocean Avenue. Ein Kinderspiel. Wenn er etwas sehen könnte, wäre die Einfahrt zu seinem Haus schon in Sicht. Schmidts Opernrepertoire war begrenzt. Er stimmte an: *Vivan le femmine! Viva il buon vino! Sostegno e gloria d'umanità!* Walkers Wein war gar nicht schlecht, und Carrie erst – brava! Diese Arie konnte er singen, bis er zu Hause war. Aber dann dröhnt ein dumpfer Schlag – alles Schlagzeug auf einmal, wie wildgeworden, läßt das Auto erzittern, schleudert Schmidt mit voller Wucht nach vorn, daß der Sicherheitsgurt sich in seine Schulter einschneidet, und Schmidt blinzelt, versucht zu verstehen, was der große weiße

Fisch eigentlich will, der anmutig in der Milch über dem Kühler des Saab schwimmt und mit dem Gesicht voran auf die Windschutzscheibe zutreibt, seinem Gesicht entgegen. Natürlich, der Mann! Schmidt hat aufgehört zu singen, aber die Musik spielt weiter. Zwei Takte, erschreckend tief, dann eine Pause, die noch mehr angst macht, dann die Streicher unisono, was das Zeug hält, verstärkt durch die Blechbläser: Das »Thema der Schritte«!

Die Rollos in seinem Schlafzimmer waren alle hochgezogen, so daß die frühe Nachmittagssonne hereinfluten konnte, und die Luft duftete nach Flieder. Flieder überall, weißer und nachtblauer, Vasen in allen Größen, mit Flieder gefüllt, standen auf der Kommode, wo früher lauter Fotos von Mary und Charlotte zu sehen gewesen waren, auf dem langen Chippendale-Tisch in der Mitte zwischen den Fenstern, auf dem Beistelltischchen in der anderen Ecke des Zimmers. Er hatte Bryan den Auftrag gegeben, immer neuen Flieder zu schneiden. Da er durch seinen Garten erst wieder würde gehen können, wenn der Flieder verblüht war, wollte er die Dolden wenigstens in seinem Zimmer sehen und riechen. Bryan hatte ihm Essen gebracht und später das Tablett wieder weggeräumt, nur die Flasche Gewürztraminer, die Schmidt zum Essen nicht ausgetrunken hatte, und sein Glas standen noch da. Schmidt trank den Wein in kleinen Schlucken. Er stieg ihm auf sehr angenehme Weise zu Kopf. Seine Genesung war ein guter Vorwand für das Trinken beim Mittagessen. Bryan hatte ganz richtig gesagt: Da er nicht ausgehen könne, solle er es sich wenigstens zu Hause wohl sein lassen.

Möchtest du einen Film ansehen, Albert? fragte Bryan in diesem Moment. Was du dir bestellt hast, habe ich hier. *Eine Dame verschwindet* und *Wie angelt man sich einen Millionär.*

Schmidt wollte nicht. Er wollte auch nicht lesen und sich nicht vorlesen lassen. Er wollte seinen Gedanken nachhängen, seinen Wein trinken und dann vor sich hin dösen, bis Carrie aus dem Restaurant wieder da war, singend unter der Dusche stand, bei offener Tür, damit er sie hören konnte, und dann kühl und etwas naß wie eine afrikanische schaumgeborene Venus zu ihm ins Bett kam. Seine gebrochenen Rippen und die gebrochene linke Schulter verhinderten nicht alle Formen der Lust. Während er auf sie wartete, verschaffte ihm das Schmerzmittel, das der Chirurg ihm verschrieben hatte – er mußte Bryan mit Argusaugen überwachen, damit der sich nichts vom dem Zeug abzweigte –, die herrlichsten Träume. Wenn er sie gegen Eintrittsgeld vorzeigen könnte, würde er bestimmt ein Vermögen verdienen.

Bryan brachte ihm das pfeifenähnliche Gerät, das in einer Plastikkugel voll kleiner blauer Bälle mündete. Er sollte seinen Atem gleichmäßig und kräftig hineinblasen und die Bällchen tanzen lassen, und das zweimal in der Stunde, je fünf Minuten lang. Dieses Rummelplatzspiel war dazu gedacht, seine linke Lunge vor einem weiteren Kollaps zu bewahren. Sie war bereits zweimal kollabiert, einmal in der Klinik in Southampton und einmal, als er schon zu Hause und unter Bryans Aufsicht war, weshalb Bryan sich schrecklich ärgerte. Ganz ungewöhnlich, wie ernst der Junge alles nahm. Schmidt meinte, so sauber wie jetzt, da Bryan ihn wusch, sei er noch nie gewesen. Dessen scheußliche Finger konnten ganz schonend sein. War es denkbar, daß er in Schmidt jetzt ein zerbrochenes Möbelstück sah? Zum Beispiel einen viktorianischen Schaukelstuhl, den eine der Damen, deren Häuser er hütete, bei einer Haushaltsauflösung erworben hatte und ihm zum Restaurieren anvertraute? Oder ließ Bryan statt der Autos nun ihm die »Spezialbehandlung« angedeihen? Schmidt hielt es für möglich, daß er Bryan unterschätzte, wenn er ihn verdächtigte, sich am Percodan zu vergreifen. Unter normalen Umständen schon, aber solange sein Patient das Mittel brauchte? Das stand auf einem anderen Blatt. Als Carrie ihm in der Klinik vorschlug, sich zu Hause von Bryan pflegen zu lassen, der sei besser und brauchbarer als eine Krankenpflegerin, hatte Schmidt zuerst geglaubt, sie habe ihm seinen schwarzen Humor abgeschaut und übe sich nun darin. Bryan? hatte er zurückgefragt. Warum nicht gleich den Mann engagieren? Für dich steht er sicher aus dem Grab wieder auf! Der taktlose Witz brachte sie zum Weinen, und er nahm ihre Hand und erklärte sich schnell bereit, Bryan einzustellen. Aber Carrie hatte vollkommen recht gehabt. Bryan hatte gute Zukunftsaussichten in der Altenpflege – laut *New York Times* ein Beruf mit unabsehbarem Wachstumspotential. Während Carries Arbeitszeit kam Bryan zur Besprechung seiner Einstellungsbedingungen. Schmidt war allein.

Albert, sagte Bryan, ich weiß das zu schätzen. Es gibt Leute, die dir lieber sind als ich, das ist mir klar. Ich will gute Arbeit machen, das verspreche ich. Du wirst das schon merken.

Natürlich.

Ich glaube, von dir kann ich viel lernen, Albert. Als wenn ich noch mal wieder in die Schule gehe!

Um Himmelswillen!

Ich mache keine Witze. Wenn du wieder gesund bist und mich dann noch weiter bei dir wohnen läßt, dann kümmere ich mich um das Haus, und ich will nur das Zimmer dafür. Ich richte alles her, was man richten muß, und wenn du im Garten Arbeit hast, die Jim Bogard nicht tut, dann mache ich das. Wenn du willst, kann ich weiter im Zimmer hinter der Küche wohnen.

Aha! Schmidt hatte sich nicht klargemacht, daß er einen Pfleger engagierte, der bei ihm wohnen würde. Ein seltsamer Nachfolger von Corinne in diesem Zimmer! Andererseits, wenn Bryan sich in den Kopf gesetzt hatte, es mit Carrie zu treiben, dann konnte er das am Tag genausogut tun wie in der Nacht, wahrscheinlich sogar leichter tagsüber, da Carrie ja nachts mit Schmidt im Bett – also, wie zu hoffen, anderweitig beschäftigt war.

Das Zimmer hinter der Küche kannst du haben, solange du mich gesund pflegst. Wenn ich je wieder gesund werde! Danach sehen wir weiter. Ich kann jetzt nicht so weit in die Zukunft denken.

Er wurde langsam müde und fragte sich, ob er unauffällig nach der diensthabenden Schwester klingeln solle.

Albert, weißt du, es ist aus zwischen Carrie und mir. Du hast gewonnen.

Schmidt lächelte matt. War das eine Falle?

Weißt du, ich habe es gleich gemerkt, schon bevor sie in dein Haus zog. Das ist O.K. War nur Sex bei uns. Nicht, daß es ihr wichtig war. Mann, dich hat sie echt gern!

Vielleicht war es wirklich so, und vielleicht sollte es so bleiben. Das würde man dann sehen. Bryan sagte er: Darüber reden wir, wenn Carrie hier ist.

Am Tag zuvor hatten ihn Charlotte und Jon besucht, bevor seine Lunge kollabierte, was am Nachmittag passierte und den netten Assistenzarzt in Panik versetzte, weil Sonntag war und er deshalb den Chirurgen nicht erreichen konnte. Als er Jon und Charlotte fragte, ob sie direkt aus der Stadt kämen, sagten sie, nein, sie hätten im Haus übernachtet. Um das Silber zu zählen, dachte Schmidt. Er hatte mit ihnen, erst mit Charlotte und dann mit Jon, telefoniert, als er aus der Intensivstation entlassen worden war. Jon machte auf der Stelle deutlich, daß ein Mann, der in einer erstklassigen New Yorker Kanzlei gelernt hat, in jeder Lebenslage ungeheuer nützlich ist.

Weißt du, der Stadtstreicher, den du überfahren hast, war schon tot, als die Polizei und die Ambulanz kamen. Zum Glück erwies die Autopsie, daß er randvoll mit Alkohol war. Außerdem zeigen die Bremsspuren, daß du in deiner Einfahrt warst und mit normaler Geschwindigkeit gefahren bist. Ich habe mit Vince gesprochen – das war der Chef der Prozeßabteilung, ein ehemaliger Staatsanwalt –, er glaubt nicht, daß sie dich unter Anklage stellen. Aber zur Sicherheit haben wir den Shaughnessy-Mann in Riverhead engagiert. Der kennt sich im Gerichtssaal aus.

Was wohl in meinem Blut war, fragte sich Schmidt. Hatten sie es am Ende gar nicht untersucht?

Renata hat den Chirurgen angerufen. Er sagt, du wirst dich schnell erholen. Keine Gehirnerschütterung. Wir kommen am Sonntag zu dir.

Und das taten sie auch, ganz pünktlich. Schmidt fiel auf, daß sie keine Blumen mitgebracht hatten, auch sonst nichts, sie wollten ihn wohl nicht verwöhnen. Vielleicht sparte man sich innerhalb der Familie derartige sentimentale Gesten. Mit Befriedigung registrierte er, daß Charlottes Haut schimmerte. Wie schön sie war! Das sagte er ihr auch und fügte hinzu, sie werde Martha, der angloirischen Schönheit, immer ähnlicher. Ob er mit dem Anglo-Irischen wegen der Assoziation an die anglikanische High Church (wenn sie überhaupt etwas davon wußte!) einen falschen Ton angeschlagen hatte? Sie wurde sofort geschäftsmäßig.

Dad, der Saab hatte einen Totalschaden. Wenn sie dir nicht den Führerschein entziehen, kannst du wohl Moms

Wagen fahren. Was ist eigentlich mit dem VW? Gehört er noch mir? Wenn ja, dann lassen wir den Avis-Mietwagen hier stehen und fahren den VW nach New York.

Ich habe ihn dir geschenkt. Auf meinen Namen läuft er nur wegen der Versicherung. Das weißt du.

Gut, dann ist das geklärt. Dad, was macht diese junge hispanische Frau im Haus, und was hat sie in deinem und Moms Schlafzimmer zu suchen?

Heiliger Strohsack! Das hatte er ganz vergessen. Mal mußte es herauskommen, früher oder später.

Du meinst Carrie? Sie schläft da.

Mit dir!

Wenn ich da bin. Ja.

Dad, wie lange geht das schon? Sie muß jünger sein als ich.

Stimmt. Wie nennt man so etwas? Zweiter Frühling? Dritte Jugend?

Wir finden das nicht komisch. Sie kommt mir vor wie aus einem Film über jugendliche Verbrecherbanden.

Schon möglich. Ich glaube, für die Rollen sucht man sich immer die hübschesten Mädchen aus.

Nun war es an der Zeit, daß der Anwalt und Schwiegersohn eingriff.

Die wird dich bis aufs Hemd ausplündern, Schmidtie. Du kannst tun und lassen, was du willst; es ist dein gutes Recht, dein Leben zu leben, aber man muß dich schützen. Ich spreche mit Dick Murphy. Er wird etwas aufsetzen, damit sie nicht an dein Geld herankommt.

Ich denke, ich kann selbst mit Dick sprechen, wenn es nötig sein sollte. Übrigens arbeitet Carrie als Kellnerin und spart sich Geld zusammen. Sie zeigt keinerlei Interesse an meinem.

Das Interesse wird ihr schon jemand beibringen. Wart's nur ab! Das war Charlottes Beitrag zum Thema.

Bei unserer Hochzeit will ich sie jedenfalls nicht sehen. Ich hoffe, du hattest nicht vor, sie mitzubringen.

Herrgott, Charlotte! Du bist vielleicht altmodisch. Du planst also ein Fest mit teilweiser Zulassungsbeschränkung: Leute mosaischen Glaubens sind willkommen, Bewerbung Farbiger zwecklos! Ganz reizend! Jon, hast du überprüft, ob sich das mit der Politik der Chancengleichheit in der Kanzlei verträgt?

Jetzt gehst du zu weit! Hör auf mit diesem Gerede!

Nicht laut werden, Jon. Als du noch ein junger Assistent warst, habe ich dir eingeschärft, daß das schlechter Stil und immer ein Zeichen von Unsicherheit ist.

Kurz danach gingen sie, und er merkte, daß er nicht mehr richtig atmen konnte.

Keine Pläne machen. Das war eine tiefe Einsicht, jedoch – und Schmidt würde das als erster zugeben – eine, die man nicht in jeder Lebenslage befolgen konnte. Als das Problem mit dem Mann noch nicht gelöst war, hatte Schmidt vorgehabt, seinen ehemaligen Sozius Murphy anzurufen – in Gedanken nannte er ihn immer den Clown Murphy; er hatte ihn fragen wollen, ob er um die Zahlung der Schenkungssteuer herumkäme, wenn er Carries Studiengelder und andere Gebühren direkt dem Southampton College überweisen würde, statt ihr Bargeld zu geben. Warum sollte er dem Staat mehr Geld als unbedingt nötig gönnen, Geld, das auf das Weltraumprogramm verschwendet würde und das Afghanistan zum sicheren Markt für westliche Werte machen sollte? Und nebenbei hatte er Murphy auch nach dem Recht fragen wollen, das sich für eheähnliche Gemeinschaften aus Klagen auf Unterhaltspflicht und dergleichen entwickelt hatte. Aber seit der Clown Riker – noch so ein Clown – den Mund aufgerissen hatte, war Schmidt in anderer Stimmung: Der Teufel sollte ihn holen, wenn er sich so weit herabließ. Die Umstände hatten sich geändert.

Er tastete nach der Post auf seinem Nachttisch. Der Schmerz ließ ihn innehalten.

Albert, brauchst du was? Du darfst dich nicht so viel im Bett bewegen.

Ja, danke. Diesen dicken eingeschriebenen Brief und meine Brille.

Er las die Papiere zum dritten Mal. Die Anwälte seiner Stiefmutter Bonnie teilten ihm mit, daß sie ganz plötzlich gestorben sei, im Schlaf, wahrscheinlich an Herzversagen, und in ihrem Testament Schmidt zum Erben über ihr gesamtes Vermögen eingesetzt habe, einschließlich des treuhänderisch verwalteten Teils, dessen Einrichtung ihr erster Ehemann mit Hilfe von Schmidts Vater für sie besorgt hatte. Das Testament war beigefügt und denkbar eindeutig. Dazu ein Brief von Bonnie. Lieber Schmidtie, schrieb sie in der ungelenken Schrift, die ihn immer erheitert hatte,

> ich hatte kein gutes Gefühl, als Dein Dad mir alles vermachte, weil der arme Sozon mir schon mehr als genug hinterlassen hatte. Das habe ich Deinem Dad auch gesagt, aber er wollte es so. Er sagte, daß ich gut zu ihm gewesen sei – der Himmel weiß, daß ich mich bemüht habe, und er war so ein lieber Mensch, so zartfühlend! Er sagte mir, wenn Du Dich anständig benehmen würdest und wenn ich bei meinem Gefühl bliebe, dann könnte ich Dir in meinem Testament hinterlassen, was dann noch übrig wäre. Du warst in der schweren Zeit lieb zu mir, und Du hast mich nie merken lassen, daß Du enttäuscht warst! Und so tue ich jetzt das Richtige. Ich hinterlasse Dir auch alles von Sozons Trust. Dein Dad hat

es so eingerichtet, daß ich das Geld geben kann, wem ich will, er sagte, das sei gut wegen der Steuern. Sozons Söhne haben schon zu viel, und sie waren nie nett zu mir.
Wahrscheinlich lebe ich noch fünfzig Jahre, wenn es mit mir so weitergeht, aber wenn ich sterbe, laß Du Dir's gutgehen, und laß Dir noch ein paar Anzüge von dem Schneider machen, bei dem Dein armer Dad Kunde war. Du fandest sie so schön! Die netten Menschen in Boston, die Dein Dad als Geldverwalter angestellt hat, haben wirklich gute Arbeit geleistet. Glaub mir!

Der Brief trug das Datum von Weihnachten 1990. Er hatte ihr kurz vor Weihnachten eine Karte mit guten Wünschen geschickt, und sie hatte, wie üblich, geantwortet. Sie hatte es ihm offensichtlich nicht übelgenommen, daß im Jahr danach sein Weihnachtsgruß ausgeblieben war. Er hatte ihr wegen Mary geschrieben; sie wußte, daß die Dinge nicht so waren, wie sie sein sollten.

Bryan, sagte er zu seinem Pfleger, ich habe das Gefühl, daß ich, sobald es mir wieder besser geht, jemanden brauchen werde, der sich um ein großes Haus in Florida kümmert. In West Palm Beach. Das ist ein dicker Auftrag. Praktisch alles wird repariert oder ersetzt werden müssen. Das wird viel Arbeit und viel Zeit kosten. Traust du dir das zu?

Pressestimmen zu Louis Begley

Lügen in Zeiten des Krieges

Roman
Aus dem Amerikanischen von Christa Krüger
223 Seiten. Gebunden
und suhrkamp taschenbuch 2546

»*Lügen in Zeiten des Krieges* ist weit mehr als nur eine abenteuerliche Geschichte über Täuschung, Überleben und glückliches Entkommen. Im Grunde erzählt dieser Roman die schreckliche Geschichte eines Identitätsverlustes ... Ein Buch, das dringend verlangt, gelesen zu werden.«

Sigrid Löffler, ORF

»Die Ausgrabung der verschütteten Kindheit und ihre Verwertung in einer ›Erfindung‹ hat offensichtlich einen erstklassigen Romancier zutage gebracht, der das Zeug dazu hat, noch weiteren Wirklichkeiten Sinn zu geben, das heißt, sie zu ›erfinden‹.«

Ruth Klüger, Die Zeit

»Eine literarische Sensation ... Jetzt, kurz vor der Pensionsgrenze, schreibt der Anwalt mit der sanften Stimme und den tadellosen Manieren auf einem Niveau, das ihn zu einem der interessantesten Autoren seiner Generation macht.«

Paul Ingendaay, Frankfurter Allgemeine Zeitung

Pressestimmen zu Louis Begley

Wie Max es sah

Roman
Aus dem Amerikanischen von Christa Krüger
206 Seiten. Gebunden
und suhrkamp taschenbuch 2695

»Auf bewunderungswürdige Weise wahren Begleys Personen und seine Sprache die Contenance – und verdrängen doch nichts. In dieser Haltung ist das Schöne wie das Schreckliche (das Schöne im Schrecklichen) aufgehoben.«
Barbara Schmitz-Burkhardt, Frankfurter Rundschau

»Begleys kühle erzählerische Eleganz ist bewundernswert. Mit dem bisexuellen Architekten Charlie Swan ist ihm eine unvergeßliche Figur (und charmante Proust-Hommage) gelungen, mit dem Akt einer verzweifelten ›Brüderlichkeit‹, den der Zyniker am Sterbebett des schönen Jünglings Toby vollzieht, ein Bravourstück moderner, also dissonanter Liebesliteratur.«
Der Spiegel

»Louis Begleys Buch *Wie Max es sah* ist, auf den ersten Blick, ein mondäner Gesellschaftsroman – nur ist eben gar kein Verlaß auf den ersten Blick, die unsichtbare Zündschnur dieses Buches brennt knisternd, ... einer der unübertroffenen Verwandlungskünstler der neuesten Literatur.«
Peter Demetz, Frankfurter Allgemeine Zeitung

Pressestimmen zu Louis Begley

Der Mann, der zu spät kam

Roman
Aus dem Amerikanischen von Christa Krüger
284 Seiten. Gebunden

»Und so ist das Leben, dessen Facetten Louis Begley zusammenträgt, eine Abfolge von Pastiches und Camouflagen, tragisch in ihrem Ende, aber meisterhaft in der Ausführung. ... Es ist die Erfahrung einer alles verschlingenden Einsamkeit, die Begley mit jener großen Lakonie und bewegenden Intensität schildert, die schon seinen ersten Roman auszeichnete.«
Hubert Spiegel, Frankfurter Allgemeine Zeitung

»Louis Begleys Roman dementiert das Märchen von Verheißung und Erfüllung des amerikanischen Traums, das dem armen Schneiderlein am Ende die Prinzessin und ein Königreich beschert.«
Rolf Spinnler, die tageszeitung

»Mit diesem ebenso dramatischen wie erotischen Roman ist der Autor im Amerika der späten sechziger Jahre angekommen, dem Land, das er lieben gelernt hat. Elegant und gescheit führt er das Schicksal eines zwar gebildeten und erfolgreichen, aber trotzdem einsamen und entwurzelten Mannes vor.«
Reinhard Helling, Berliner Zeitung